FRAY LUIS DE LEON

FRAY LUIS DE LEON

LA
PERFECTA CASADA

CANTAR DE LOS CANTARES
POESIAS ORIGINALES

INTRODUCCIÓN Y NOTAS

DE

JOAQUÍN ANTONIO PEÑALOSA

QUINTA EDICION

EDITORIAL PORRUA, S. A.
AV. REPUBLICA ARGENTINA, 15
MEXICO, 1985

Primera edición en la Colección "Sepan Cuantos...", 1970

ISBN 968-432-603-3

IMPRESO EN MÉXICO
PRINTED IN MEXICO

INTRODUCCIÓN

Para quien piense que sólo la universidad del siglo XX, en este o en aquel país del orbe, pudo bajar del imperturbable trono de la sabiduría al tumulto cotidiano, del silogismo a la protesta, de la razón a la pasión, mire en la vida y obra de Fray Luis de León cómo también en el aparentemente adormilado siglo XVI, la cátedra no quedaba lejos de la cárcel, ni eran vidas paralelas la del maestro y la del juez, ni los estudiantes ignoraban, aunque con otros nombres para idénticos lugares comunes, cuestiones de cogobierno y libertad de cátedra al lado de las súmulas y quodlibetos escolásticos.

Nada nuevo bajo el sol, o bajo la luna, por hoy más exacta referencia.

Como nada nuevo encontrarán los maestros en esta introducción y en las notas siguientes, pues que nos limitamos a sintetizar lo que otras voces, esas sí autorizadas, han proclamado de Fray Luis. Con las anotaciones que acompañan al texto de los poemas, deseamos simplemente hacer un acto de servicio a los jóvenes estudiantes que aspiran a iniciarse en el arte, cada vez más raro, de saber leer poesía; más difícil aún cuando nos alejamos de ella por el tiempo y la sensibilidad.

La clase de literatura suele evaporarse en inasibles, abstractas teorías, cuando la poesía es en realidad el poema concreto, como dijo Octavio Paz; o se petrifica en el dato histórico por donde vaga el inconfundible polvillo de las bibliotecas. Sin pretender anular ni lo uno ni lo otro, que todo sirve si se dosifica, nada suple al contacto vivo con el escritor, la cálida amistad de su testimonio directo.

Nunca terceras personas fueron buenas, ni para conocer en la vida ni para conocer en el arte. Mucho menos para amar.

I. LA VIDA

Los trabajos y los días

Este príncipe de la lírica española, "ingenio que al mundo pone espanto" como elogia Cervantes, "honor de la lengua castellana", según Lope de Vega, nació en Belmonte de Tajo, Cuenca, en 1527. Primogénito de una familia esclarecida, fueron sus padres el abogado Lope de León e Inés Varela. Tuvo tres hermanos y dos hermanas. Realizó sus primeros estudios en Madrid y Valladolid, donde su padre desempeñaba cargos importantes como jurista y consejero regio. A los catorce años, en 1541, fue a Salamanca para comenzar los estudios universitarios; para siempre quedarán vinculadas a su nombre la ciudad y la universidad salmantinas. Ahí fue alumno y maestro excepcional, ahí padeció y triunfó, ahí irradió su poesía como uno de los focos poéticos de España.

A los dieciséis años ingresó al convento de San Pedro de los agustinos de Salamanca. Y un año después, en 1544, profesó como fraile agustino en el mismo convento.

Frecuentó luego las aulas universitarias de esa ciudad, donde fue discípulo de los insignes maestros Juan de Guevara, Melchor Cano y Domingo de Soto, de quienes habría de recibir una clara influencia así por su actitud combativa como por su entrega a la filosofía y la teología.

Entre 1556 y 1558, estudió en Alcalá, Soria y Toledo, donde alcanzó el grado de bachiller. Regresó a estudiar a Salamanca y, tras diecisiete años de vida estudiantil, se graduó de licenciado y maestro en teología por la universidad salmantina en 1560.

Comenzó enseguida el magisterio que sólo concluiría con la muerte. Por más de treinta años, Fray Luis de León fue el maestro universitario por vocación intransferible.

Ganó en brillantes y reñidas oposiciones varias cátedras de la universidad salmanticense: en 1561, la de Santo Tomás con carácter temporal; la de Durando en 1565; la vitalicia de Filosofía Moral en 1578 y al año siguiente la de Sangrada Escritura que desempeñó hasta su muerte.

"Entonces votaban las cátedras los mismos estudiantes, escribe Gregorio Mayáns y Síscar en la vida del maestro Fray Luis de León, cuyas voluntes procuraban granjear los que pretendían ser catedráticos con una infatigable aplicación a su enseñanza para obligarlos más. Y por eso los maestros, como más aplicados, y los discípulos, como mejor enseñados, solían ser muy excelentes".

Si para sus contemporáneos brilló por su sabiduría en letras humanas y divinas y por su increíble don de lenguas sin que apenas entrevieran su alma de artista, para la posteridad Fray Luis de León es por excelencia el poeta.

La asombrosa erudición y sencillez de trato, la franqueza y presencia de ánimo del erudito y fogoso profesor, logró no sólo la admiración y simpatía de los jóvenes estudiantes de tres décadas, sino también la confianza y amistad del rector don Pedro Portocarrero y de sus sucesores Diego Zúñiga y Sotomayor y Juan Almeida.

Tantos éxitos en la cátedra, suscitaron envidiosos rivales que lo acusaron ante la Inquisición de supuestas ascendencias judías; de menospreciar la Vulgata o traducción latina de la Biblia realizada por San Jerónimo, que oficialmente aprobaba la Iglesia y usaba desde hacía largos siglos; y de haber compuesto y difundido sin la necesaria licencia eclesiástica, una versión española del *Cantar de los Cantares*.

Estas circunstancias, unidas a la rivalidad de los dominicos, defensores acérrimos del tomismo puro y de la autoridad intangible de la Vulgata, dieron origen al proceso seguido contra Fray Luis, en el que actuó como delator el dominico Fray Bartolomé de Medina, y se mostró como uno de sus más enconados enemigos el maestro León de Castro, personaje influyente en la universidad salmantina donde fue profesor durante veinticinco años.

Fray Luis había ciertamente traducido el *Cantar* a ruegos de la monja Isabel Osorio, prima suya; pero de ninguna manera había destinado la obra a la publicidad, sino al uso privado; y si de esta versión corrían numerosas copias manuscritas, de las que llegaron algunas a Portugal y hasta Perú, había sido sin su conocimiento.

Por eso el Santo Oficio apenas dio valor a este cargo, fijándose de un modo especial y aun exclusivo en las opiniones del presunto reo sobre la autoridad de la Vulgata.

Fray Luis era un decidido partidario de la renovación de los métodos exegéticos, acudiendo a las lenguas originales y al conocimiento de la antigüedad oriental, cuyos elementos podrían esclarecer el sentido literal de los textos sagrados; esta actitud lo hizo sospechoso de contactos con la escuela rabínica, enemiga generalmente de la Vulgata. Por otro lado, era partidario de utilizar la lengua vulgar o castellana, para tratar de todo, de arte, de ciencia y aun de Dios, en aquellos tiempos en que una persona culta no lo pareciera si no escribía precisamente en latín y más si se trataba de temas sagrados. Fue el campeón de la lengua vulgar, como Bembo en Italia y Du Bellay en Francia.

Así bajó en 1572 a la cárcel de Valladolid junto con los grandes maestros Gaspar de Grajal y Martín Martínez de Cantalapiedra, todos ellos representantes del grupo de los hebraístas, a quienes se les instruyó un largo y minucioso proceso inquisitorial.

Durante cinco años permaneció encarcelado, tiempo que ganaron las letras, pues entonces trabajó la explicación del Salmo XXVI y la bellísima canción a Nuestra Señora "Virgen que el sol más pura", y comenzó *Los nombres de Cristo*. En los viejos muros de la prisión escribió aquella décima que anda en lengua y memoria de todos:

> "Aquí la envidia y mentira
> me tuvieron encerrado.
> Dichoso el humilde estado
> del sabio que se retira
> de aqueste mundo malvado,
> y con pobre mesa y casa,
> en el campo deleitoso,
> con sólo Dios se compasa,
> y a solas su vida pasa,
> ni envidiado ni envidioso".

En 1576, convencidos los jueces de la ortodoxia e inculpabilidad del agustino, proclamaron su inocencia, limitándose a reprenderle y aconsejarle suma prudencia para no provocar escándalo.

Magnitud de triunfo revistió su retorno a Salamanca, pues no hubo entonces "persona ni en la universidad ni en la ciudad que no le saliese a recibir". Dicen que reintegrado a sus cátedras, al reanudar las exposiciones, cuando todos esperaban que desahogaría la vehemencia de su temperamento contra los detractores, comenzó con la frase "Dicebamus hesterna die", "Decíamos ayer...", y continuó explicando el tema de clase que había quedado en suspenso cinco años atrás. Sean o no auténticas las palabras y la ocasión en que se dijeron, constituyen el símbolo de la fuerza espiritual del inocente perseguido y la fórmula de la cristiana magnanimidad.

Después de la prisión, volvió con renovados esfuerzos a ganar otras cátedras y obtener otro grado académico, el de Maestro en Artes por Sahagún en 1578.

Los catorce años que le restarían de vida, Fray Luis los llenó, bajo el agobio de su natural enfermizo, de intenso trabajo intelectual sin descuidar los compromisos con su Orden, la defensa de los necesitados, el consejo y ayuda para problemas universitarios, las negociaciones con el arzobispo y funcionarios reales y aun con el mismo rey Felipe II.

En 1578 lo nombraron miembro de la comisión para la reforma del Calendario Gregoriano e intervino en la reforma carmelitana manteniendo el espíritu de Santa Teresa de Jesús, al mismo tiempo que el Consejo Real le encomendaba la publicación de las obras de la Santa, que llevó a cabo felizmente; pero la muerte le impidió concluir la vida de Santa Teresa que había comenzado a ruegos de la emperatriz doña María de Austria.

En1580 publicó su primera obra, los comentarios *In Cantica Canticorum e In Psalmum XXVI;* en 1583, *La Perfecta casada* y

Los Nombres de Cristo; en 1587 editó y prologó *Los libros de la Madre Teresa de Jesús.*

Hacia 1582 se le quiso envolver en otro proceso por sus ideas sobre la predestinación, tomando pretexto de las controversias que sobre este tema suscitó la publicación de la *Concordia,* del jesuita Molina; por fortuna el Tribunal de la Inquisición no hizo caso de rencillas universitarias y se conformó con amonestar de nuevo a Fray Luis por su manera de expresarse.

Por la confianza y admiración que les inspiraba, sus hermanos de hábito lo eligieron en 1591, provincial de Castilla; treinta años antes, había desempeñado el cargo de definidor de su Orden. Pero sólo nueve días después de la elección, el 23 de agosto de 1591, murió en el Señor en Madrigal de las Altas Torres, a los sesenta y cuatro años de edad.

Se trasladaron sus restos al convento de Salamanca y hoy descansan en rico sarcófago de la capilla de aquella universidad delante del altar de Nuestra Señora del Pópulo. Por suscripción pública, se le erigió una estatua, inaugurada el 25 de abril de 1869, que se levanta en el "Patio de las Escuelas".

La entereza y fidelidad a su triple vocación de hombre, maestro y religioso, bastan para ungir de grandeza la vida de Luis Ponce de León, para las letras y la fama, Fray Luis de León.

El genio y la figura

Más elocuente que la anécdota externa, su activísima vida interior nos refleja la vera efigie del gran lírico, tan sabrosamente dibujada por un contemporáneo suyo, Francisco Pacheco, en el *Libro de descripción de verdaderos retratos de ilustres y memorables varones:* "En lo natural, fue pequeño de cuerpo, en debida proporción; cabeza grande, bien formada, poblada de pelo algo crespo, y el cerquillo cerrado. La frente, espaciosa; el rostro más redondo que aguileño, como lo muestra el Retrato; trigueño el color, los ojos verdes y vivos. En lo moral, con especial don de silencio; el hombre más callado que se ha conocido, si bien de singular agudeza en sus dichos; con extremo abstinente y templado en la comida y bebida y sueño; de mucho secreto, verdad y fidelidad; puntual en la palabra y promesas; compuesto, poco o nada risueño. Leíase en la gravedad de su rostro el peso de la nobleza de su alma; resplandecía en medio de esto por excelencia una humildad profunda. Fue limpísimo; muy honesto y recogido, gran religioso y observante de sus leyes. Amaba a la Santísima Virgen tiernísimamente; ayunaba las vísperas de sus fiestas, comiendo a las tres, y no haciendo colación. De aquí nació aquella regalada canción que comienza: Virgen, que el sol más pura. Fue muy espiritual y de mucha oración, y en ella, en tiempo de sus mayores trabajos, favorecido de Dios particularísimamente. Con ser de natural colérico, fue muy sufrido y piadoso para los que le trataban; tan penitente y austero consigo, que las más de las noches no se acostaba en la cama y el que la había hecho la hallaba a la mañana de la misma manera... Fue la mayor capacidad de ingenio que se ha conocido en su tiempo para todas las ciencias y artes. Escribía no menos que nuestro Francisco Lucas, siendo famoso matemático, aritmético y geómetra; y gran astrólogo y judiciario (aunque lo usó con templanza); fue eminente en el uno y otro derecho, médico superior, que entraba en el General con los de esta Facultad y argüía en sus actos. Fue gran poeta, latino y castellano, como lo muestran sus versos. Estudió sin maestro la pintura, y la ejercitó tan diestramente, que, entre otras cosas, hizo (cosa difícil) su mismo Retrato. Tuvo otras infinitas habilidades, que calló por cosas mayores. La lengua griega, latina y hebrea, la caldea y la siria, supo como los maestros de ella. Pues la nuestra, ¡con cuánta grandeza!, siendo el primero que escribió en ella con número y elegancia... Al paso de estas grandezas fue la envidia, que le persiguió; pero descubrió altamente sus quilates, saliendo en todo superior y con el mayor triunfo y honra que en estos reinos se ha visto. Fue varón de tanta autoridad, que parecía más a propósito para mostrar a los otros, que para aprender de ninguno; grande su juicio y prudencia en materias de gobierno; alcanzó mucha estimación en España y fuera de ella con los mayores hombres... Descubrió su valor y ánimo grande, no sólo para desnudarse de la dignidad (cosa intentada de pocos), más aún de todo cuanto tenía en la tierra. Varón de veras evangélico, en estos santos ejercicios y con esta continuación de vida, siendo Provincial de la Provincia de Castilla, acabó su curso santamente (dejando en todos harto desconsuelo, aunque mayor certeza de su gloria) en la Villa de Madrigal".

II. OBRAS EN PROSA

Para sus escritos en prosa, que versan sobre asuntos teológicos, Fray Luis utilizó el latín y el castellano, según el fin y objeto que con ellos se proponía.

Los escritos latinos constituyen siete volúmenes en la edición de Salamanca (1891-95), preparada por el padre Marcelino Gutiérrez.

Si Fray Luis cultivó en prosa el mismo género exegético o comentarista que cultivaron para gloria de las letras sagradas los grandes teólogos y escrituristas españoles del siglo XVI, a todos ellos aventaja el maestro salmantino porque, a la profundidad teológica y conocimientos bíblicos, a la riqueza del contenido y tratamiento de la exposición, añade la emoción del arte y la gracia de la poesía. Fray Luis es tan poeta en prosa como en verso. Y nadie puede gustar integralmente su poesía, si prescinde de la lectura de su prosa castellana, que Menéndez Pidal califica de "poesías redactadas en prosa", "arte en todo reflexivo y meditado, arte de selección cuidadosa de palabras y hasta de letras; arte de cálculo y medida en la disposición de las frases; arte en todo diestro, esmerado y primoroso que nos ofrece la lengua castellana con todos los elementos poéticos y musicales de que es capaz y levantada a la altura de las lenguas clásicas". He aquí las principales obras:

El Cantar de los Cantares

Traducción y comentario del libro de Salomón en que, bajo el símbolo de dos enamorados, se expresan los divinos desposorios de Cristo con la Iglesia, en un estilo rico, armonioso y plástico.

Esta es la primera obra en prosa de Fray Luis que data de 1561 y que, como vimos, la escribió exclusivamente para que la leyera Isabel Osorio, monja del convento del Sancti Spiritus de Salamanca. "La versión es sencillamente magistral. En ella no se contentó el traductor con darnos a conocer el espíritu del cántico: la tradujo a la letra, con todos sus elipsis y pleonasmos, con todos sus hebraísmos. Las bellezas de la idea y de la forma están igualmente apreciadas. Fray Luis sigue un procedimiento semejante al que habrá de emplear en el *Libro de Job:* primero traduce literalmente los versículos y después da en prosa, una exposición y comentario amplio de la materia de ellos" (Sáinz de Robles).

Exposición del libro de Job

Obra póstuma, escrita a ruegos de la amiga de Santa Teresa, la venerable Ana de Jesús. Partiendo de la historia de Job, que se relata en este libro del Antiguo Testamento, Fray Luis expone cómo la Providencia convierte las adversidades que pesan sobre Job en un motivo para su glorificación. A la traducción literal del texto hebreo, sigue una amplia explicación del contenido de cada uno de los capítulos y termina con otra parafrástica en tercetos. No dio Fray Luis la última mano a este libro, que suplió con propiedad el agustino Fray Diego González, al editarse por vez primera en 1789. Juzgan algunos que el estilo de esta obra es superior al de *Los Nombres de Cristo*.

"Aquí es donde culmina su estilo hasta alcanzar una pureza de expresión jamás superada en idioma castellano. Porque el léxico es un portento de propiedad, casticidad y sencillez, aunados con una elegancia y donosura incomparables. El epíteto tiene en la pluma del genial agustino tal fuerza plástica y descriptiva, que no hay quien se le compare en su uso" (Sáinz de Robles).

La Perfecta Casada

En 1583 salieron a la vez de las prensas de Salamanca, las dos obras, que, aparte las poesías, más fama han dado a Fray Luis. *Los Nombres de Cristo* y *La Perfecta Casada;* si bien este libro fue escrito primero que el anterior.

El autor dedica esta obra a una joven parienta suya, doña María Varela Osorio, sin otra pretensión, al parecer, que proporcionarle algunos avisos y consejos en que se pauta la conducta de una mujer casada, de acuerdo con la ley cristiana, para que le sirvan de guía y orientación en su inminente vida matrimonial.

Parecería que el libro fuera a resultar simplemente libresco, abstracto, idealizado, como que lo escribía un profesor universitario abstraído en sus sabidurías, un fraile que desde los dieciséis años había vuelto las espaldas al mundo, un sesentón en vísperas del gran viaje. "Pero si se leen los veintiún breves capítulos de que consta la obra y la dedicatoria, escribe Vossler, se queda uno sorprendido de lo cerca que está de la vida y de lo agradable que resulta este tratadito. Por mucho que haya cambiado entre tanto la posición social de la mujer y por mucha que sea hoy su libertad, este consejero no ha perdido tampoco nada de su cordialidad, de su frescura y de su castidad, nada de su gracia y verosimilitud".

Ya en vida del autor se hicieron tres ediciones, todas en Salamanca, en 1583, 1586 y 1587; en menos de medio siglo, la obra se había traducido y reimpreso una docena de veces y hoy pasan de quinientas las ediciones de este imprescindible breviario de la vida doméstica de la mujer honesta. A lo largo de casi cuatro siglos, no deja de leerse este juguete delicioso y popularísimo que todavía hoy, como aseguraba Marañón, "casi todas las novias españolas reciben entre los regalos nupciales".

"No pretendió Fray Luis escribir un tratado de economía doméstica, tal como puntualiza Félix García, ni un código de ética matrimonial, ni un estudio de escuela con el rigor dialéctico de los tratados entonces al uso, sobre la familia y los derechos y deberes a ella inherentes", sino como lo enuncia el título, trata de modelar el tipo de la mujer casada, de presentar el ideal de la esposa cristiana que, para serlo de verdad, ha de cultivar aquellas virtudes que son necesarias para su propia perfección para la armonía conyugal y para la educación de los hijos.

Esta es la tesis y la doctrina del libro que, por otra parte, ni es nueva ni propia de Fray Luis. Tal vez pudo inspirarse en la *Institutio feminae christianae* (1523) de Luis Vives; en realidad, la fuente sustancial de todo Fray Luis es la Biblia, fuente viva de esta obra en que gallardamente parafrasea el cap. 31 del *Libro de los Proverbios*.

Con el fondo de la "mujer fuerte" que perfila la Biblia y la doctrina tradicional de la ascética cristiana, Fray Luis escribe estas páginas en que brilla el psicólogo sagaz que analiza y descubre el alma de la mujer, su capacidad admirable para el bien, sus veleidades y artificios, el secreto sutil de su personalidad.

Al lado de la tesis capital que desentraña el ideal de perfección de la mujer casada, el autor evoca una serie de consideraciones vivísimas en torno a los problemas económicos del hogar, la política y el derecho, el trabajo y los salarios, la agricultura o el trato a los sirvientes.

Mucho más valiosa es quizá la galería de retratos de mujer que Fray Luis pinta a trazos robustos o pinceladas finísimas en maravilloso tecnicolor, o en sutiles caricaturas a blanco y negro. No duda Azorín en ponerlos en fila con los "caracteres" de La Bruyère. Ahí la mujer locuaz y entremetida, la ociosa y frívola, la retraída y quejumbrosa, la amiga de vidas ajenas y turbia concertadora de amoríos, la empedernida vanidosa y eterna procuradora de espejos y afeitería. Ahí también, por claroscuro, la mujer de su casa, prudente y hacendosa, limpia y discreta.

Por las páginas de este libro de regaladas sorpresas uno puede asomarse a la vida misma, cálida y sápida, de las mujeres españolas de la época de Felipe II, a su mundillo tan antiguo y tan semejante al de hoy. "Así aparecen las damas de la época, escribe Valbuena Prat, con sus niñerías, sus caprichos, sus afeites y colores, sus trajes y regalos en un vistoso cuadro. Así aparecen llenas de vida las mujeres del siglo XVI que, como las de todos los tiempos, prefieren lo costoso y preciado a lo simplemente galano y hermoso". No faltan otros pormenores de aquellos tiempos, como la ociosidad en que vivían los nobles o el lujo que derrochaba la alta sociedad. Tampoco podría faltar, ante este mundanal ruido, el elogio, la nostalgia, de Fray Luis por la vida del campo.

Muy lejos estuvo su autor de proponerse una sátira infecunda, cuando el libro constituye una apología de la mujer, ni mucho menos irrumpir en campo vedado. El se encargaría de puntualizarlo en la introducción misma al Libro III de *Los Nombres de Cristo*. No lo mueve a escribir de las casadas, sino el afán acorde con su cualidad y hábito que es "decir a cada estado de personas las obligaciones que tienen. Y si no es del fraile encargarse del gobierno de las casas ajenas, poniendo en ello su mano, como no lo es, sin duda ninguna es propio del fraile sabio y del que enseña las leyes de Dios, con la especulación traer a luz lo que debe cada uno saber".

Así contestaba a los envidiosos censores que intentaron reprenderle con el pretexto de que era ajeno de su persona y profesión tratar estos asuntos tan femeninos, es decir, tan masculinos.

En cuanto al estilo de *La Perfecta Casada,* bastará este ramillete de voces diversas por la lengua y el tiempo, concordes todas en la alabanza.

"Paráfrasis singularmente brillante, código de conducta práctica para la esposa ideal que pueden leer con delicia hasta los mismos que juzgan reaccionaria la doctrina del fraile" (Jaime Fitzmaurice-Kelly).

"Es un tratado de moral doméstica que cautiva con el hechizo de sus cuadros, la reciedumbre de sus retratos y la inefable sencillez de la frase" (Rodolfo Ragucci).

"Libro popularísimo, gracias a lo sugestivo del tema, a la magia del estilo y a la encantadora sencillez con que está expuesta la doctrina de los deberes de la mujer en el matrimonio" (Juan Hurtado y J. de la Serna).

"Su hermosa prosa contiene más poesía que todos los innumerables epitalamios que se produjeron en la literatura occidental durante el Renacimiento y el Barroco" (Carlos Vossler). Ludwig Pfandl estima esta prosa superior a *Los Nombres de Cristo* en musicalidad, en el balanceo del ritmo, en armonía y dulzura. Para probar el sentido rítmico de la prosa de Fray Luis, Elizabeth Wallace realizó con fortuna el ensayo de reducir a verso suelto, varios pasajes de *La Perfecta Casada,* edición que publicó en Chicago en 1903.

"Orea estos cuadros domésticos de Fray Luis, cierto aire bucólico, cargado de salud y de vida patriarcal. Tal vez, esta austera sencillez hogareña, que la prosa del gran agustino nos deja entrever, haga añorar a más de un lector ese remotísimo estado social que pudiera ser la solución del azaroso, agónico y problemático vivir de nuestro siglo. Bajo este aspecto, Fray Luis cobra modernidad insospechada y valor social indiscutible" (G. Díaz-Plaja).

Nadie como Azorín, en tres, cuatro paginillas luminosas de *Los dos Luises* supo descifrar el espíritu y encanto de este libro que sólo pide conocerse para ser gustado por siempre. "Como estilo, dice Azorín, *La Perfecta Casada,* es sencillamente un prodigio. Más alto no ha culminado la lengua castellana. El más exigente y delicado cultivador de la forma no puede pedir más. Color, vida, pujanza, realismo sin grosería, finura sin afectación, sabor hondo a tierra castellana: todo eso hay en *La Perfecta Casada*. Y hay para nosotros, modernos, algo más: hay un espíritu libre, independiente, modernísimo".

Los Nombres de Cristo

Como el *Quijote*, o como el *Libro del Buen Amor*, *Los Nombres de Cristo* empezaron a escribirse en la cárcel y se terminaron en medio de aquel tumulto de pasioncillas que constituían la vida universitaria del siglo XVI. "Y sin embargo no hay libro castellano donde las ideas y el estilo respiren más augusta calma; todo es allí equilibrio y armonía, paz y sosiego" (Juan Hurtado y J. de la Serna).

Esta obra maestra de Fray Luis que se erige como una de las cumbres de la prosa castellana, y como la más alta de la prosa religiosa de España, es la teología del Verbo Encarnado, de Cristo Dios y Hombre, expuesta por un soberano poeta y un alma encendida de fe.

El autor comenta los nombres que la Sagrada Escritura da a Cristo y en torno de los cuales se polariza toda la cristología. Estos nombres son catorce: Pimpollo, Faces de Dios, Camino, Pastor, Monte, Padre del Siglo Futuro, Brazo de Dios, Rey, Príncipe de la Paz, Esposo, Hijo, Amado, Jesús y Cordero.

El beato Alonso de Orozco había escrito un opúsculo que tiene relaciones indiscutibles con el libro de Fray Luis; se encuentran en él los mismos nombres referidos a Cristo, excepto el de Pastor, y la distribución es idéntica. La diferencia entre ambas obras interesa más que su parecido. "El beato Orozco, afirma Muiños, es el modesto oficial que amontona materiales; Fray Luis, el artista que los pule, les da forma y levanta el edificio colosal. Rápidas y concisas frases del primero se truecan en amplios y grandielocuentes períodos de formas estructurales, solemne entonación y caminar majestuoso: de una vulgar reflexión, brota una profunda teoría filosófica y una pálida imagen se convierte en un torrente de deslumbradora poesía". Disintiendo de la opinión general, Gregorio de Santiago insinúa la hipótesis de que el opúsculo del beato Orozco sea un extracto derivado del libro de Fray Luis.

El cual desenvuelve su materia en forma de diálogos de larga extensión, apacibles y vibrantes alternativamente, agudos y sutiles siempre. Diálogos que "sólo con los de Platón admiten paralelo, según Menéndez y Pelayo, por lo artísticos y luminosos, aunque en la parte dramática queden inferiores".

Tres frailes agustinos, Sabino, Juliano y Marcelo aprovechando la época de descanso veraniego que pasan en su finca de La Flecha, a la vera del Tormes, tienen sabrosos coloquios acerca de aquellos nombres con que la Escritura evoca a Cristo y cuyo simbolismo místico tratan de interpretar.

Los críticos han visto en la figura de Marcelo, que lleva el peso del diálogo, la representación del propio Fray Luis. Vossler opina que los tres interlocutores juntos, y no sólo uno, representan las tres fisonomías diversas de un mismo Fray Luis: el exégeta Marcelo, el escolástico Juliano y el joven amante de la poesía Sabino.

Al margen de la doctrina cristológica, es singularmente interesante y bello el elogio de la lengua castellana con que el autor entra en el Libro Tercero, según refuta a quienes "dicen que no eran para romances las cosas que se tratan en estos libros, porque no son capaces de ellas todos los que entienden romance".

La primera edición de *Los Nombres de Cristo* de 1583, constaba sólo de dos libros; a la segunda de 1585, se añadió, a más del nombre de Pastor, un tercer libro. Desde la edición de 1595, aparece el nombre de Cordero, que se encontró inédito entre los papeles de Fray Luis y que no introdujo en ninguna de las ediciones que corrigió, quizá porque pensara perfeccionarlo.

La crítica ha sido unánime en ponderar la hermosura de estilo de *Los Nombres de Cristo*, "libro divino", lo llamó Juan de Valera.

"La concisión de su elocuencia y la pureza clásica de su frase, lo colocan entre los mejores maestros de la prosa castellana" (J. Fitzmaurice-Kelly).

"Escrito en la más bella prosa española, clara, inspirada, medida, y donde se une maravillosamente la sabiduría bíblica y la hondura teológica a una concepción platónica y renacentista del mundo" (Ernesto Giménez Caballero).

"En nuestra rica literatura, no hay nada que pueda compararse con aquellas soberbias amplificaciones de los pasajes bíblicos, en los que llega Fray Luis a la cumbre del arte literario" (Juan Hurtado y J. de la Serna).

"A través de todos estos diálogos, de esta gran poesía en prosa, corre un aliento de sentimientos comunicativos de entusiasmo. El encanto de esta prosa castellana, del alma y de la expansividad tan dúctil y artística, impide toda traducción y todo análisis" (Vossler).

Y Menéndez y Pelayo: "La estética está infundida y derramada de un modo latente por las venas de la obra; y no sólo en el estilo que es, a mi entender, de calidad superior al de cualquier otro libro castellano, sino en el templo armónico de las ideas y en el misterioso y sereno fulgor del pensamiento, que presenta, a veces, el más acabado modelo de belleza intelectual; y en el plácido señorío con que en las páginas de este escritor singular la razón se levanta y recobra su derecho y su fuerza, y concibe pensamientos altos y dignos de sí, al mismo paso que los deseos y las aficiones turbadas que confusamente movían ruido en nuestros pechos, se van quietando poco a poco, y como adormeciéndose a su lugar propio. No hay autor clásico nuestro que produzca este género de impresión... Esa virtud de sosiego, de orden, de medida, de paz, de número y ritmo que los antiguos llamaban *Sophrosyne*, ¿dónde la encontraremos sino en Fray Luis de León?

III. *LA POESIA*

ORIGEN HISTÓRICO

Si como prosista es Fray Luis de León uno de los maestros de las letras españolas, como poeta parecería no tener rival el jefe de la llamada escuela salmantina, si no existiera la poesía de San Juan de la Cruz, "más angélica, celestial y divina que ya no parece de este mundo", y que "apenas pueden seguir más que las águilas de la contemplación" (M. y Pelayo).

Poeta precoz, el mismo Fray Luis confiesa en la dedicatoria a Don Pedro Portocarrero que "entre las ocupaciones de mis estudios en mi mocedad y casi en mi niñez se me cayeron como de entre las manos estas obrecillas, a las cuales me apliqué más por inclinación de mi estrella que por juicio o voluntad". No dio importancia alguna a sus poesías por vivir atento a sus grandes obras de carácter bíblico y a sus arduos trabajos universitarios de teología; tampoco pensó publicarlas, aunque por fortuna se decidió "a recoger aquel hijo perdido y apartarle de mil malas compañías que se le habían juntado", gracias a un amigo suyo, que probablemente fuera Arias Montano, quien le advirtió la necesidad de coleccionar sus poemas para evitar tanto las falsas atribuciones como los excesivos yerros y elementos espurios con que corrían las poesías verdaderamente suyas.

Fray Luis reunió sus poemas, los enmendó de los "males siniestros que habían cobrado con el andar vagueando" y los clasificó cuidadosamente más que pensando en su publicación, por obsequiar con ellos a su ferviente admirador Don Pedro Portocarrero; ello es que sin conocer a fondo los motivos, no se publicaron, y en cambio continuaron prodigándose las copias manuscritas cada vez más incorrectas.

Cuarenta años después de su tránsito, los publicó en 1631 como medio de contrarrestar con su pureza y claridad los efectos del culteranismo, el gran satírico y poeta Francisco de Quevedo que, a sus numerosas glorias, añade la de haberse convertido en editor de la lírica de Fray Luis, no obstante que la reproducción de los poemas adoleció de rigor y exactitud.

Desde principios del siglo XIX hasta nuestros días, una serie de investigadores ha trabajado acuciosamente por ofrecer, hasta donde es posible en esta labor ingrata y benemérita, el texto depurado y definitivo.

En esta edición nos atenemos, por la garantía que ofrece, al texto de las *Obras Completas Castellanas de Fray Luis de León,* edición revisada y anotada por Félix García.

CLASIFICACIÓN DE LOS POEMAS

En el prólogo a sus poesías, Fray Luis señala el criterio con que dividió su obra lírica: "Son tres partes las de este libro. En la una van las cosas que yo compuse mías. En las dos postreras, las que traduje de otras lenguas, de autores así profanos como sagrados. Lo profano va en la segunda, y lo sagrado, que son algunos salmos y capítulos de Job, van en la tercera".

1. Poesía original

La obra original de Fray Luis es verdaderamente escasa. Las ediciones más dignas de crédito consignan veintitrés composiciones auténticas, que son las que se incluyen en este volumen, si bien su más reciente editor da veintiséis. Existen otras muchas que se le han atribuido con mayor o menor probabilidad, aunque también pueden proceder de alguno de los seguidores e imitadores que Fray Luis tuvo desde un principio. "Pero la escasez numérica, escribe Alda Tesán, no coincide con la calidad. Como en el caso de San Juan de la Cruz, su gran contemporáneo, unos cuantos centenares de versos encierran el más elevado logro lírico de la poesía española".

2. Poesía traducida

En cuanto a las traducciones en verso Fray Luis confiesa, sin quererlo, la perfección de sus propias versiones cuando pondera "qué cosa es traducir poesías elegantes de una lengua extraña a la suya" para "hacer que hablen en castellano y no como extranjeras y advenedizas".

Dámaso Alonso advierte que cuando Fray Luis traduce, "lo traduce todo", es decir, suele ser fidelísimo no sólo al espíritu sino también a la letra, no selecciona ni suprime lo que no tiene un valor expresivo, pero actualiza los temas, suplanta los elementos míticos o arcaicos por otros modernos y actuales que revitalizan su poesía.

Cuando brilla más el genio de Fray Luis es cuando, caminando por cuenta propia, transfunde y adapta libremente. Más que imitación o préstamo, el poema se convierte en una recreación personal.

Si Fray Luis, defensor de la lengua vulgar, vierte al español poemas escritos en hebreo, griego, latín e italiano, no lo guía'sino el mismo propósito que lo llevó a escribir en prosa castellana acerca de asuntos sagrados; "sólo por mostrar, son sus palabras, que nuestra lengua recibe bien todo lo que se le encomienda, y que no es dura ni pobre, como algunos dicen, sino de cera y abundante para los que la saben tratar".

Las traducciones de poetas profanos son: del griego, una oda de Píndaro. Del latín, las diez églogas y los dos primeros libros de las *Geórgicas* de Virgilio; de Horacio, su predilecto, 24 odas y el épodo segundo "Beatus ille"; de Tibulo, una elegía. De poetas renacentistas italianos, un poema de Joan de la Cassa y otro del Bembo. Acerca de estas versiones de griegos y latinos, Fray Luis expresa que procuró realizarlas "sin añadir ni quitar sentencia", y "guardar cuanto es posible las figuras del original y su donaire".

Las traducciones sagradas de la Biblia son: 29 salmos, dos capítulos del *Libro de Job* (el VI y el VII) y el capítulo último de *Los Proverbios* de Salomón. "Procuré cuanto pude, dice Fray Luis hablando de estas versiones sacras, imitar la sencillez de su fuente y un sabor de antigüedad que en sí tienen, lleno, a mi parecer, de dulzura y de majestad".

LAS FUENTES DE LA POESÍA

"Fray Luis de León es precisamente el humanista que mejor representa la España del Renacimiento. Todas las varias corrientes se juntan y se funden en él" (Torri). No hubo en su tiempo, quizá ni en nuestros días, un alma que haya tenido por una parte, tanta capacidad receptiva y, por otra, tal virtud de asimilación.

No hay fuente a donde no acuda a beber la poesía de Fray Luis, que se convierte luego en sustancia propia. Es el milagro de la diversidad hecha unidad. Su poesía es una "suma lírica". Síntesis. Síntesis prodigiosa. Las numerosas influencias están de tal manera asimiladas, tan profundamente absorbidas y reconstruidas por su fuerza poética, que la transformación sufrida equivale a una plena creación. "Es que el poeta ha vuelto a sentir y a vivir, escribe Menéndez y Pelayo, todo lo que imita de sus modelos y con sentirlo lo hace propio y lo anima con rasgos suyos".

Pero no sólo constituye Fray Luis la "prueba directa e insigne del Renacimiento español; más aún, afirma Dámaso Alonso, en él se ejemplifica también el carácter sintético de nuestro siglo XVI. Esta fusión tan íntima y tan rica por lo variado de los elementos, no se da en ningún otro poeta del Renacimiento de España. Por eso, Fray Luis lo representa mejor que nadie. Porque Fray Luis es eso: Renacimiento español en su riqueza de elementos, en su variedad, en su individualidad. Y cuando nos pregunten si existe el Renacimiento español, podremos contestar: existe por estas, esas y aquellas razones... O simplemente por esto: porque existe Fray Luis".

A zaga de Dámaso Alonso, señalemos las influencias decisivas en su poesía.

1. La Biblia

Los conocimientos hebraicos y bíblicos de Fray Luis, de auténtico especialista, su afición a la Biblia como fuente de toda poesía, dejaron sus huellas en el espíritu, en los temas, en las visiones bíblicas de sus versos. No hay otro manantial tan operante que surta la poesía de esta "alma hebrea", como Ticknor apellidó a Fray Luis. De la Biblia tiene el tono de los salmos y la inspiración de los profetas, la gravedad moral, la vitalidad, la arcanidad, la austera grandeza. "En Fray Luis, cerebro y corazón estaban completamente empapados de espíritu bíblico" (Pfandl).

2. Cultura griega

De Aristóteles hereda Fray Luis la claridad mental, la erudición filosófica, pero la plenitud emocional le viene de Platón; y de las ideas platónicas y neoplatónicas que infiltran su sabia en el cristianismo, bebe Fray Luis sus ideas acerca de la belleza divina, la concordia y armonía del mundo regido como un instrumento musical por las manos de Dios, el encanto de la creación como un destello y resplandor de la hermosura divina.

3. Clasicismo latino

Fray Luis amó entrañablemente a Virgilio, con quien sintonizaba por su devoción campestre, por el aire rural de sus cantos, por el ideal de hermosura y armonía. Pero Horacio fue su predilecto; no sólo es Fray Luis entre los numerosos imitadores castellanos del venusino, el más alto, sino que además suele superar a su modelo. La historia lo conoce como "el Horacio español", "el Horacio cristiano".

Del latino, aprendió Fray Luis los tres rasgos más acusados de su fisonomía poética: el sentido de la contención, de la limitación, de la modestia, de donde nace otra de sus cualidades externas, la brevedad, y la tercera, el arte de las transiciones, "ese saber cambiar la dirección del poema con un sabio golpe de timón, sin apurar los temas, halagando, captando la atención del lector, dejando que en el cerebro de éste se fundan las últimas resonancias del tema abandonado con la primera armonía, distinta y aliada que comienza" (Dámaso Alonso).

Estas técnicas aprendidas en Horacio, Fray Luis las perfecciona y sublima. Y en cuanto a los temas horacianos de su poesía, más fríos, más intelectualizados en el poeta latino, Fray Luis los inflama de experiencia vivida, de calor sentimental. En cuanto al fondo, lo que constituye el alma de la poesía, no tienen nada en común el espiritualismo de Fray Luis y la tendencia epicúrea y sensualista del poeta venusino; existe entre ellos la misma diferencia que entre el ideal cristiano y la filosofía del paganismo.

En las notas que dejó Menéndez y Pelayo para un futuro libro sobre Fray Luis, apunta las huellas del clasicismo grecolatino en la poesía original del Maestro. Entre los griegos, Homero en la oda "A Querinto"; Píndaro (Olimpiada I), en la oda 3; Aristóteles (Himno a Hermías) en la oda 2. Entre los latinos, después de Horacio y Virgilio, señala a Lucrecio (V, 1,203) y Propercio (III, 5 v. 26-31) en la "Noche serena"; Ausonio (Ep. XIII), en la oda a la Magdalena.

4. *Italianismo*

Fray Luis conoció con intimidad a los humanistas y poetas del Renacimiento italiano, a quienes leyó, tradujo o imitó, singularmente a Petrarca y Bembo.

Fuera de esto, el italianismo no pasa de lo más externo, en cuanto que Fray Luis emplea casi siempre las formas métricas italianas o italianizantes.

5. *Castellanismo*

Más que en los conocimientos de las letras españolas, en su aprecio por la poesía de Jorge Manrique y Ausias March, y en la profunda influencia con que Garcilaso resuena como ningún otro poeta castellano, en la poesía de Fray Luis, habrá que advertir su castellanismo "enraizado en el terruño, apegado al ruralismo español, al cristianismo sensible español". Y aun traduciendo a Horacio, como en el caso de la versión del "Beatus ille", "qué aroma rural hispánico sale de las palabras, qué bien enraigadas están en la tradición española" (D. Alonso).

6. *Cristianismo esencial*

No es Fray Luis simplemente platónico, pitagórico, estoico, horacianista; ni siquiera un espíritu hábilmente ecléctico que recorrió libando miel de todas las escuelas. Espíritu de enorme complejidad, de un hambre intelectual y poética sin hartura, asimila "de cada sistema todos los elementos conllevables con su fe" (D. Alonso). No es por un lado pagano y por otro cristiano. Es todo, siempre cristiano.

Los temas religiosos de su poesía son apenas la prueba más elemental. Su espíritu es "totalmente, enraizadamente cristiano". Síntesis de la fe cristiana y de la cultura grecolatina.

"Hebraísmo más humanismo, oriente y occidente, fondo mitológico más forma plástica, se armonizan en un supremo clasicismo español: Fray Luis es cima o vértice de la lírica española" (Giménez Caballero).

"Pesan en Fray Luis las culturas bíblicas, clásica grecolatina y cristiana, que el poeta asimila en los puntos culminantes y decisivos en que las varias formas de la espiritualidad humana han llegado a encontrar una expresión más profunda y permanente" (Federico de Onís).

"Alma llena de la ardiente sed de justicia del profetismo hebraico, templada en la serena templanza del ideal helénico. Platónico, horaciano, virgiliano, alma en que se fundían lo epicúreo y lo estoico en lo cristiano" (Unamuno).

"Lo prodigioso es que, a pesar de esta espesa malla de erudición clásica en que Fray Luis envuelve, por así decirlo, la mayor parte de sus composiciones, surge en su poesía, con un ímpetu incontrastable, la sincera y directa expresión de su alma, rompiendo y rasgando sin advertirlo, la rigidez de los modelos voluntariamente impuestos a su arte" (Montoliú).

"El milagro creador por el que pudo trasplantar y renovar en el suelo cristiano de su siglo, los motivos y formas hebreos, griegos y romanos, sigue siendo el secreto del poeta" (Vossler).

LA VIDA EN LA POESÍA

Si poesía es autobiografía, los poemas del maestro salmantino como en pública confesión nos revelan así los episodios externos de su vida como las íntimas vibraciones de su alma.

Por ellos discurre, como un amargo trasfondo, la aventura en que se miró envuelto por aquellas diferencias doctrinales y ambiciosas rivalidades que culminaron en el encierro injusto y en la apertura, más injusta todavía, de lenguas y pasiones.

Por sus versos el alma de Fray Luis se asoma apasionada, sensitiva y melancólica. Un alma que sabe saborear la soledad de los libros y el paisaje, la delicia de la amistad, el encanto de la música, el encuentro pacificador con Dios.

Por eso surge de su poesía a veces el tono intrépido y enardecido que denuncia la injusticia y se duele de la incomprensión; a veces el tono divinamente sereno y gozoso que se extasía en la contemplación, en la hermosura, en las idealidades de la vida.

La tensión con que vivió entre el acoso ajeno y el propio anhelo de serenidad; la oposición de estas dos vidas, la suya personal tirada por un ansia infinita de sosiego y la forzada por adversas circunstancias, se traslada a su poesía tan tensa como su historia, fluctuante entre el tumulto y la calma, entre la voz sollozante o jubilosa, batalladora o apacible.

"El valor universal de la poesía de Fray Luis, escribe Diego Marín, está en ser una honda expresión de liberación espiritual frente a la opresión de las pasiones y del egoísmo materialista".

Por la experiencia y por la fe, supo Fray Luis cómo esta vida es cárcel y destierro en trance de la libertad dichosa de la vida trascendente. De este hondón arranca la nostalgia existencial de sus cánticos. Decir Fray Luis de León es decir nostalgia. El deseo del cielo, vivo como una herida o profundo como un suspiro, llameaba en sus ojos verdes.

"Cuándo será que pueda
libre de esta prisión volar al cielo..."

He aquí, en dos versos, la definición humana y poética de Fray
Luis. En raros poetas, como en él, la carne se hizo verbo. La historia personal, poesía.

TEMAS Y MOTIVOS POÉTICOS

Si la poesía de Fray Luis está vinculada a su verdad existencial
como si ella fuera la traducción en verso de su alma, si la presencia
de su vida personal es tema o sustancia constante de sus cánticos,
otros varios temas vibran en las cuerdas de su lira, de sus "liras".

Temas y motivos se anuncian o repiten en sus obras de prosa.
En el *Cantar de los Cantares,* Fray Luis evoca la hermosura del paisaje. En la *Exposición del libro de Job,* el elogio del hombre inocente
y justo ante la prueba, la lección de aquellas virtudes señeras que
le fueron particularmente amadas, la fortaleza y la moderación; por
eso apunta Unamuno que "fue el maestro León, maestro como Job
en infortunios". En la *Perfecta Casada,* la vida del campo, la aver-
sión del lujo y el dinero, el desprecio del mundanal ruido. En *Los
nombres de Cristo,* se presiente o desenvuelve toda la temática de la
poesía.

Por otro lado, como observa Pfandl, la poesía no fue para Fray
Luis la obra de su vida, mucho menos su vida misma; "sólo distrac-
ción y descanso, recogimiento en sí mismo, reflexión, consuelo en
el dolor. Esto explica también la elección de asuntos".

1. *El tema religioso*

Para Fray Luis, la poesía cobra un sentido religioso, algo más,
es religiosa por naturaleza. Viene de Dios y lleva a Dios. He aquí
cómo define su concepto sacralizado de poesía: "Porque sin duda
la inspiró Dios en las ánimas de los hombres para, con el movimiento y espíritu de ella, levantarlas al cielo, de donde ella procede; porque poesía no es sino una comunicación del aliento celestial y divino".

En su oda al músico Salinas, explica el poder elevador del arte;
"el alma torna a cobrar memoria de su origen" al son divino de la
música. No sólo la belleza que el hombre puede realizar, también
la hermosura de la naturaleza, el paisaje, descubre la majestad y el
poder de su Creador. Si en Garcilaso lo terreno y finito es el límite,
la medida de su poesía; en Fray Luis es el comienzo y el pregusto
de lo infinito.

Por otra parte, el renacimiento español no pierde su raíz religiosa medieval. Ahí están sus ascetas y sus místicos. Ahí está Fray
Luis que funde esta antigua tradición o cosmovisión a su cultura
renacentista. Como el hombre medieval, se siente creatura, es decir,

vinculado con la mente y el corazón al Creador, a su omnipotencia y sabiduría. Por eso no hay que buscar la religiosidad de la lírica luisdeleoniana exclusivamente en los temas, sino en la esencia misma, en el espíritu que conforma su poesía, en la altura vertiginosa de su inspiración.

Pero tampoco faltan los temas concretamente religiosos; así canta a todos los santos, invoca con conmovedora fe nacional a Santiago, pinta a la Magdalena, reprocha con inocente ternura a Cristo en la Ascención, se embriaga evocando los nombres de Cristo, y dirige una desgarradora imprecación de auxilio a la Virgen, como niño a la Madre.

Tres veces encarcelado, en la cárcel material de Valladolid, en la cárcel del cuerpo, en la cárcel del inarmónico mundo, Fray Luis se vive apuntando al cielo. No al cielo de las esferas pitagóricas, ni al cielo de las ideas platónicas, sino al cielo cristiano que le descubre su fe y que contempla y anhela siempre desde su posición de prisionero. Con la Biblia quisiera romper las ataduras carnales y alzar el vuelo. No hay otro poeta en lengua castellana en quien la virtud teologal de la esperanza haya sido tema vital de sus cantos. A Santa Teresa de Jesús y San Juan de la Cruz, los hará cantar el amor divino; a Fray Luis de León, la esperanza en Dios.

No un Dios terrible, vengador y justiciero; sólo en una ocasión, cuando describe la tempestad, mira el carro de Dios que se mueve trepidante en las alturas. El Dios de sus versos es amoroso y manso; con un cristianismo lleno de ternura, con un alma infantilmente cristiana, sentimental en su acepción más justa, siempre que mira a Cristo en su poesía, lo ve en la dulce figura de pastor. Bien sea en el misterio de la Ascensión, no ya como rey triunfante, sino como tierno pastor que deja en la orfandad a las ovejas; bien sea cuando vislumbra la visión beatífica en la que Cristo como un pastor amoroso congrega a los elegidos con la embriaguez de su música.

"¿Merecerá acaso el nombre de místico? En algún instante, bien que por vía intelectual llega el éxtasis". Pero un éxtasis que apenas alcanza una o dos estrofas de la Oda a Salinas:

> Aquí la alma navega
> por un mar de dulzura, y finalmente
> en él ansí se anega,
> que ningún accidente
> extraño o peregrino oye o siente.
>
> ¡Oh desmayo dichoso!,
> ¡Oh muerte que das vida!, ¡Oh dulce olvido!,
> ¡Durase en tu reposo
> sin ser restituído
> jamás a aqueste bajo y vil sentido!

"El rapto ha durado sólo un momento, continúa Dámaso Alonso; aun no nítida la dulce visión, ya el poeta se está lamentando de su abandono. Si por misticismo entendemos el impulso místico, el ansia de elevarse a la unión con Dios, Fray Luis es místico, porque éste es el sentido de toda su poesía. Si entendemos la unión con Dios como está intuida en Santa Teresa y San Juan de la Cruz, nada más lejos del misticismo que nuestro poeta. Su posición es la del desterrado que mira con envidia los prados altos". Y en otro lugar añade: "No es un místico; quizá haya una sola estrofa en toda su poesía en que se descubre la unión, aunque de un modo impresionantemente escueto y por vía intelectual". Fuera de esa plenitud de deliquio, de esa brevísima unión dichosa, en el resto de su poesía Fray Luis verá siempre a Dios desde este bajo suelo.

2. El drama de la armonía

El maestro salmantino se miró acosado entre dos frentes de desarmonía. En su interior, el drama del hombre silencioso y entero, justo y prudente, junto al hombre de extraña energía y combatividad. En el exterior, la oposición y la envidia, las intrigas del claustro universitario, la denuncia y la cárcel. Por un lado, el deseo con que el sabio busca el recogimiento para el estudio, el hombre bueno que procura la paz para la vida, el alma consagrada a Dios que necesita la escondida senda de la vida interior para la salvación; y por contraste, sólo se encuentra la vana agitación, la ruindad despreciable, la lucha agotadora.

Hecho para la armonía, Fray Luis de León no la poseyó nunca en la vida y sólo la expresó como un anhelo en su arte.

Arte y vida se miran en tensión, desgarrados y fluctuantes entre la armonía y la desarmonía. Tal es el eje fundamental de la poesía de Fray Luis, la constancia del tema de la lucha entre la paz de dentro y la agitación de fuera cantada en todos los tonos.

Para comprender por qué Fray Luis odia el mundo artificial y artificioso de la sociedad, cargado de ambición, envidia y falsedad; por qué elogia anchamente el mundo natural, sencillo y puro; por qué su anhelo insomne de evasión, de nostalgia, de urgencia liberadora; por qué su lacerada espera de la felicidad definitiva del cielo; para comprender la poesía de Fray Luis, en suma, es preciso situarse en su conflicto existencial, en el drama que protagonizaron la armonía y la desarmonía.

"En la poesía sin pecado de Fray Luis, advierte Pedro Salinas, se libra el gran encuentro entre el mundo de las formas radiantes del paganismo y el anhelo descarnado del alma cristiana en lucha por su liberación de la materia. A este drama le da desenlace sin víctimas, lo resuelve por ascensión, creándose sus propias alas, sus liras voladoras, se cierne a tal altitud espiritual que las oposiciones se funden desde el punto de mira así conquistado. Sus poesías son paces; luminoso descansadero en la historia accidentada y borrascosa del alma española".

El equilibrio y la serenidad con que se ha querido definir la lírica luisdeleoniana sólo existen en las formas artísticas, en la superficie expresiva; "en la vida nada de sophrosine, escribe Dámaso Alonso, en la poesía sólo prodigiosos vislumbres que Fray Luis entrevé como una ventura que le está vedada". Bajo la apariencia mansísima de la estrofa, hay rugidos de León.

3. *Anhelo de la sabiduría*

Todo Fray Luis es viva llama de deseo. Junto al ansia de vivir en paz aquí en la tierra, el ansia de encontrar cuanto antes la felicidad en el cielo. Junto a la sed de hermosura, la de sabiduría.

"Ciencia humana anhelada, dice Unamuno. Con la vista en el suelo suspiraba contemplar la verdad pura y la ciencia humana, saber cosas acerca de las cuales no sería examinado en el día del juicio".

"Es curioso notar, dice a su vez Díaz-Plaja, que la vida eterna para Fray Luis es no sólo la suprema bienaventuranza, sino también la suprema sabiduría. Como buen renacentista, está lleno de curiosidad ante los misterios de la naturaleza que serán develados en el cielo".

No sólo la búsqueda de la paz lo impulsa a volar al cielo, también la búsqueda de la verdad. La verdad infinita y trascendente, desde luego, en la contemplación cara a cara de Dios; pero también le importa la verdad que puede conseguir nuestro finito y terreno entendimiento. Geografía, física, astronomía, meteorología, metafísica. No hay fronteras para su especulación. Pasión por la verdad. Con ímpetu hervoroso, Fray Luis desea saber cómo se sostiene el universo, cómo se mantiene el sol y alumbran las estrellas, por qué tiembla la tierra y se embravece el mar, cuál es el enigma del hombre y del cosmos. Especialmente en las odas dedicadas a Felipe Ruiz y a Juan de Grial, el poeta conduce al lector a una posición filosófica, la conciencia de su propio ser, su situación en el universo.

"¿Habrá algún poeta, antiguo o moderno, se pregunta Azorín, más henchido que Fray Luis de los grandes problemas del espíritu? Ninguno. Fray Luis inquieto, nervioso, ardiente, se nos muestra hondamente preocupado por el problema del tiempo, del conocimiento, de la constitución del mundo. Quisiera saber lo que es y lo que ha sido, y su principio propio y escondido (oda 8); él desea conocer lo que es, lo que será lo que ha pasado (oda 12); él, finalmente, en la misma oda 8, desearía remontarse al cielo, al empíreo, y ver qué secreto y maravillosa sustentación tienen las orbes y las cosas. ¿Ha habido en España poeta más completo, poeta que a la visión vigorosa y delicada de las cosas, haya unido un concepto más profundo y filosófico de la vida y del mundo?"

4. *Los temas morales*

Una honda preocupación moral y moralizante, enraizada en la ascética cristiana, pervade la lírica de Fray Luis en dos líneas que convergen al mismo fin. Por una parte, la detestación de los vicios; por otra, la exaltación de la virtud. Con esta doble tarea que el hombre ha de afrontar en su conciencia, extirpando el mal y cultivando el bien, podrá conseguir la armonía consigo mismo, con sus semejantes y con Dios.

Los vicios que con mayor energía fustiga Fray Luis son las concupiscencias del poder y la riqueza; contra la avaricia escribe dos odas, la 7 y 14; reprocha duramente la envidia, la injusticia, el odio, la mentira.

Mas no se queda en el puro terreno teórico; señala los medios prácticos para alejarse de los vicios, como son el arrepentimiento de las faltas (oda 21) y la huída de la tentación (oda 13).

En cuanto a las virtudes, Fray Luis admira como virtud por excelencia, la "virtud hija del cielo" de las odas 2 y 9, es decir, la entereza o fortaleza de espíritu ante la prueba, hermana de la constancia. Exalta a la moderación, virtud señera, que refrena todo exceso y encuentra el difícil punto del equilibrio; la amistad, como expresión concreta del ejercicio de un sinnúmero de virtudes; la paz que viste el ánimo de tranquilidad y sosiego; y más que ninguna otra, la esperanza que dilata el espíritu a la confianza de la felicidad infinita.

He aquí no sólo las virtudes evocadas por el poeta, sino vividas además por el hombre religioso. Ellas dan el tono a sus cantos y a su personalidad.

Como en el alma, así también en el escenario del mundo líbrase de continuo la lucha entre la virtud y el vicio (oda 4); y aunque parece que triunfe la maldad, su victoria es efímera; la inocencia y la justicia, la bondad en suma, al fin resplandecen triunfadoras.

5. *El paisaje*

Fray Luis tiene rápidos y gratos paisajes en *Los nombres de Cristo;* "pero, como en los cuadros de Velázquez, dice Azorín, la naturaleza es lo accesorio, queremos decir que no es el campo por el campo el objeto de la pintura del poeta".

Lo mismo puede afirmarse de su obra lírica; tampoco faltan en ella esos paisajes circunstanciales, cuya intensidad descriptiva suple a la brevedad de unos cuantos versos. Sea el mejor ejemplo, la magistral pintura del otoño de la oda X; "¿se podrá poner en menos versos, continúa Azorín, un sello de más profunda personalidad?" O en el otro ejemplo de la tempestad, en que con sólo tres estrofas, la descripción resulta modelo de rapidez y de energía.

Lo que se ha llamado con lugar común el "sentimiento del paisaje", lo es efectivamente en Fray Luis; un sentimiento, mejor, una vivencia. La naturaleza fue parte de su vida.

Así el poeta se anticipa a los románticos que asocian a su personalidad el mundo exterior. Cuando mira las estrellas alegres en la noche triste, le parece que centellean el unísono de su alma; la montaña altísima le aviva el ansia de ser como ella, tan lejana de la tierra, tan cercana del cielo; la tempestad que asecha le recuerda el acoso de las fuerzas oscuras que se confabulan contra él; y la fontana pura, expresa José María de Cossío, "es vena viva, inquieta, sufre inquietud y urgencia", como el alma misma que la evoca.

En todos estos casos, no se trata de un paisaje intelectualizado visto desde fuera, sino sentido desde dentro. Si en Garcilaso el paisaje es un reflejo ideal, no como es sino como se sueña, en Fray Luis es una presencia real; pero también pretexto para el amor y la reflexión, ocasión para el suspiro y la llaga, trampolín para la incurable nostalgia.

"Es su ardiente contacto el que hace vibrar con vitalidad maravillosa la inerte naturaleza:

> Del monte en la ladera
> por mi mano plantado tengo un huerto.

Por mi mano, es decir, interviniendo el poeta de un modo directo, como un elemento más de la naturaleza, en la floración maravillosa de la primavera" (Cossío).

Tampoco falta la personalización de la naturaleza, como se manifiesta cuando habla de las estrellas:

> Mostrad vuestra alegría
> en esta escuridad centelleando.

Por sobre la estrella, la noche, la nube, el sol, la montaña, la niebla, la tormenta, la primavera, el otoño, las flores que evoca en sus versos, dos creaturas de la naturaleza amó Fray Luis por sobre todas: el aire y el mar. Elementos imprescindibles de sus paisajes, el agua y el aire cobran vida en los versos a veces casi humana.

"El mar domina en la obra de este español del centro, español de la meseta. Apenas hay poesía de Fray Luis en que no se hable del mar", dice Azorín. Un mar que los ojos del poeta miran, con mayor sorpresa que en Garcilaso, siempre monstruoso, airado, tempestuoso, embravecido, espumoso. Cada epíteto incide en la misma actitud de asombro ante la inmensidad.

Ante el aire, hay más bien una actitud de simpatía decorativa. A veces creatura sutil y delgadísima como las aspiraciones del espíritu; a veces enorme masa compacta que se rompe al paso de Cristo ascendiendo a las alturas; a veces como un rostro humano que cambia según las impresiones, según las reacciones; "el aire se serena y viste de hermosura y luz no usada".

Así es el paisaje de Fray Luis: breve en la pincelada, entrañado al alma, visto con eficacia por los ojos, inflamado por el corazón y ennoblecido por la fe. Porque el paisaje es reflejo de otro mundo ideal; la tierra, espejo del cielo; el universo, tembloroso y grávido de Dios.

6. *El tiempo y el ambiente*

El hombre con el alma en vilo tirado por la verdad y la bienaventuranza, no olvida que hay tierra firme bajo sus pies. Fray Luis se sabe vinculado a la patria, a su pasado y porvenir; españolísimo siempre, pese a la conjetura sin ningún fundamento de Azorín, a los hechos y circunstancias que rodean su tiempo y ambiente.

"Poeta impresionista en el noble, amplio sentido de la palabra. Impresionista y subjetivo, escribe Azorín. Ha resonado su espíritu al contacto con todos los accidentes y sucesos de su tiempo. El ambiente lo domina. Ante todo, la actualidad halla eco en los versos de Fray Luis: aquí encontramos la batalla de Pavía, Lepanto, el Nuevo Mundo, la muerte de Don Juan de Austria, el trágico fin del infante Don Carlos, la invención de la artillería. De una manera exclusiva o en rápidas alusiones, todos estos hechos se reflejan en la poesía. Y todo esto, dentro de un concepto particular de España, en poesía ligado, por el espíritu, íntimamente a España. ¿Es un antiespañol Fray Luis? Triste le parece España. De pueblo inculto y duro califica también al español. Sensible, extremadamente sensible a los acontecimientos históricos, al ambiente espiritual que le rodea". Por eso "siento una irreductible hostilidad hacia el pueblo árabe, hacia los moriscos. Era éste el sentimiento natural en todos los españoles de su tiempo. No habla de los moriscos, de la gente árabe, Fray Luis sin que los llame descreídos (oda 3 y 18). Y en la oda 3, y esto es más importante, el poeta se lamenta de que ligeramente se haya perdonado a los moriscos y de que se les haya concedido el bautismo".

ESTILO

1. *Voluntad de estilo*

Gracias a sus confesiones estéticas y al resultado mismo de su poesía, puede observarse en Fray Luis una voluntad de estilo, esto es, su conciencia de escritor, el decidido empeño de trabajar con escrupuloso rigor en cuanto pone la pluma, la responsabilidad operante del oficio. No le basta atenerse a la inspiración, "sino que ha de intervenir además un arte muy exigente y meditado", como advierte Menéndez Pidal.

"El hablar bien, dice Fray Luis (y el verbo hablar quiere significar escribir), es negocio que de las palabras que todos hablan, elige las que convienen, y mira el sonido de ellas; y aun cuenta a veces las letras, y las pesa y las mide y las compone para que no solamente digan con claridad lo que se pretende decir, sino también con armonía y dulzura".

Claridad, armonía y dulzura, son los tres frutos que el poeta desea cosechar de sus versos. ¿Cómo? Mediante un arte reflexivo de selección, una técnica que mire el conjunto cuidando los detalles. El detalle enorme y delicado que es la palabra debidamente seleccionada, materia prima para la transformación en claridad, armonía y dulzura.

"Así se da en el terreno de la selección un paso de gigante" en la historia de la poesía castellana; "y puede permitirse la creencia, continúa Menéndez Pidal, de que Fray Luis es quien empieza a tratar la lengua española como una lengua clásica dignificándola lo mismo que los autores griegos y latinos hicieron con las suyas maternas".

Sin embargo este arte acendrado, este complejo estudio y compostura de las palabras, "no excluye el encanto de la sencillez", sino que por el contrario "inicia ya una resonancia de principio de naturalidad". A un siglo de abundancia y grandielocuencia, Fray Luis opone la justeza y la exactitud, la sobriedad ejemplar en el estilo como en la vida.

2. *Reiteración*

Esta obra de selección en palabras y giros, en vocabulario y estructuras sintácticas, lleva a Fray Luis a buscar y corregir hasta acertar con la expresión deseada, de suerte que una vez que la encuentra, la emplea siempre que se presenta la ocasión. Por eso se repite, por eso repite las mismas palabras elegidas, las mismas expresiones, imágenes y adjetivos que apenas varían en casos idénticos.

3. *Vocabulario*

El vocabulario es justo y equilibrado. No presenta ni arcaísmos en desuso ni culteranismos exagerados. Nutrido en la más clara fuente latina, Fray Luis emplea frecuentes latinismos de léxico, pero sin la abundancia ni mucho menos con el deliberado propósito de multiplicarlos como habrá de hacerlo posteriormente Góngora. Hay, eso sí, un exquisito cuidado de selección y de dignificación de la palabra.

Tampoco faltan palabras frecuentes tomadas de la lírica petrarquesca e italiana, comunes a los poetas renacentistas en general, como por ejemplo umbroso, tenebroso, acerbo, ardiente, claro, bruto.

4. *Hipérbaton*

La sintaxis de Fray Luis se encuentra afectada, en no escasos lugares, por un hipérbaton que no es precisamente simple exigencia del verso, sino perfecto artificio querido de propósito a imitación de la construcción latina y, en algunos casos, bien que contados, tan difícil y violento que podría considerarse como un hipérbaton pregongorino, anunciador de los deliciosos y habilísimos desquiciamientos de las estructuras sintácticas de Góngora.

"Pero el hipérbaton, se pregunta Dámaso Alonso, ¿no era una de las aberraciones de Góngora? Y resulta ahora que el clásico, el diáfano Fray Luis de León lo usa también".

Entre otros tipos, este crítico señala un hipérbaton característico de un período del siglo XVI, transplantado directamente del latín, y que consiste en interponer un verbo a sus objetos; con la característica de que el verbo intercalado aparece violentamente precedido por la conjunción "y". Sirva de ejemplo una estrofa de "La profecía del Tajo":

> "que ya el sonido
> y las amargas voces
> y ya siento el bramido
> de Marte..."

La prosificación, siguiendo su curso normal, sería: "Siento el sonido y las voces y el bramido de Marte". En virtud del hipérbaton, Fray Luis construye así: "el sonido y las voces y siento el bramido".

5. Asíndeton y polisíndeton

Según su propósito, Fray Luis repite la conjunción "y" (polisíndeton) con un procedimiento reiterativo que produce una detención, una pausa meditativa; o bien prescinde totalmente de la copulativa (asíndeton) para acelerar el curso del período, para precipitar ágilmente los elementos sintácticos.

6. Sinonimias

Otra característica de estilo es el uso frecuentísimo de las parejas sinónimas, que a veces se acumulan en un mismo verso, como en la "Oda a Salinas":

> "que ningún accidente
> *extraño* o *peregrino oye* ni *siente*".

Los ejemplos pueden observarse con facilidad.

7. Adjetivación

Lo que Gonzalo Sobejano ha intuido acerca de Garcilaso en su estudio sobre *El epíteto en la lírica española* (Madrid, Edit. Gredos 1956), conviene en buena parte al modo de adjetivar de Fray Luis. Desde luego emplea muchos adjetivos usados por Garcilaso; claro, puro, hermoso, oscuro, alto, dulce, manso, airado, deleitoso, fiero (belicoso), almo. De la misma manera, ambos poetas califican a los seres mitológicos: fiero Marte, sangriento Marte, rojo Apolo, hermosas ninfas.

Como Garcilaso, el poeta salmantino emplea epítetos típicos, es decir, aquellos que designan atributos propios de los seres a los que se refieren, donde la cualidad con que se designa la entidad es tan evidente como que se impone por sí misma, por la inherencia intrínseca del adjetivo a la realidad que califica. Por ejemplo, sol resplandeciente, luz pura, noche oscura, alto cielo, manso viento. Adjetivos primarios sin propósito de matización o de connotación característica, usados con tanta predilección y profusión por uno y otro poeta, que bien pudieran llamarse adjetivos típicos o tópicos.

Porque los seres que componen el mundo natural y el mitológico tienden a asumir una cualidad constante; la montaña es por esencia alta; el mar, airado; el aire, puro; Marte, fiero. Esta sencillez semántica del contenido, otorga a la adjetivación un carácter primitivo y directo en cuanto que enuncia la cualidad íntegra, sola, incontaminada.

Fray Luis utiliza frecuentemente estos adjetivos esenciales, pero no exclusivamente como Garcilaso; pues su adjetivación es mucho más rica, más variada, más plástica con un propósito de selección y de especificación. Bastaría observar la oda a la "Vida retirada" donde los epítetos enhiestos se multiplican: voz pregonera, lengua lisonjera, leño flaco, combatida antena, confusa vocería, ciega noche, lauro eterno, escondida senda, dorado techo.

Hay otra característica en la adjetivación de Fray Luis. En vez de emplear el adjetivo con el prefijo privativo latino "in", como "invencible", prefiere el adverbio de negación, "no vencible". Los ejemplos son numerosos: no tocado, no usado, no perecedero, no aprendido, no rompido. También es frecuente hallar un adjetivo en singular referido a dos sustantivos: "hermosura y luz no usada", "hiedra y lauro eterno". Esta concordancia es común tanto en la poesía como en la prosa de los siglos de oro.

El orden que guardan los adjetivos, cuando son más de uno, respecto al sustantivo, ofrece varios esquemas:

    a) orden lógico de proposición: "reposo dulce, alegre, reposado"

    b) orden literario de anteposición: "clara y pura fuente"

    c) uno antes y otro después del sustantivo sin cópula: "secreto seguro deleitoso"

    d) orden hiperbático, uno antes y otro después del sustantivo con cópula: "pesada vida y enojosa".

Pueden observarse también las geminaciones adjetivales, esto es, el empleo de dos adjetivos que generalmente son sinónimos, si bien algunas veces señalan diferencias semánticas. Estas series de adjetivos aparecen con mayor frecuencia en asíndeton que en polisíndeton: "son dulce, acordado; valle hondo, oscuro".

8. *Lenguaje del sentimiento*

El celebrado equilibrio de Fray Luis no disminuye, mucho menos suprime, el son del corazón. Sensible y temperamental en la vida, sensitivo y cordial en el arte. Bastará advertir esa temperatura afectiva del estilo que se expresa en reiteradas admiraciones e interrogaciones; en los dulces vocativos con que, sin añadir otro elogio, se dirige al amigo a quien consagra esta o aquella oda; en las interjecciones que cortan como un grito de dolor el hilo del razonamiento; en las hipérboles con que la poesía ensancha las realidades, como acontece en la "Profecía del Tajo" (las naves tajan el mar, el estruendo de la multitud llega al cielo, el polvo que levanta nubla el día); en los aumentativos y diminutivos ("alas oscurísimas, pesadísimo elemento, dulcísima armonía, pobrecilla mesa, rica navecilla"), que por otra parte no se prodigan; en las "exclamaciones inefables, tan personales y características de nuestro poeta que producen la impresión de una amplia ventana súbitamente abierta al libre azul infinito" (Montoliú): "Oh desmayo dichoso, oh muerte que das vida, oh dulce olvido"... "Oh son, oh voz, siquiera pequeña parte alguna descendiese"...

9. Metáfora

Flor de toda poesía, Fray Luis apenas siembra la metáfora en su huerto. Pero la hermosura del ramillete suple con creces su brevedad. El poeta cultiva una metáfora clara, natural, sin complicaciones ni arborescencias. Unas soberbias y brillantes, modestas y sencillísimas otras. Siempre con el sello y garantía de la poesía salmantina: moderación, modestia, contención de los elementos sensuales y ornamentales del verso.

Poeta esencial, más llevado por la inteligencia que gobernado por los sentidos, posee los más finos resortes expresivos para decir todo lo que quiere sin precisar del recurso continuo de metáforas.

10. La estrofa

Dámaso Alonso ha analizado con aguda profundidad lo que entrevio Menéndez y Pelayo, el poder arquitectónico de Fray Luis en la construcción de sus odas, la prodigiosa estructura interna con que relaciona y engarza las estrofas del poema. "Las estrofas tienen una interdependencia: se suman, se contrastan mutuamente; mutuamente se exacerban, se difuminan, se recortan o se prolongan. Esta reacción de una estrofa respecto a la inmediata y, a través de ella, respecto a todas las del poema, es sumamente viva, sumamente activa en Fray Luis".

Ejemplo singular, la oda a la "Vida retirada" ofrece una técnica yuxtapositiva, casi cinematográfica, de los más alejados temas; cada estrofa va presentando planos diversos que se superponen o se transponen. Generalmente la oda frayluisina ofrece dos partes como el movimiento de una ola que sube y baja; la primera parte es de ascenso, climática, cuya cumbre suele caer hacia los dos tercios de la oda, según la proporción más frecuente; la segunda parte es de descenso, anticlimática. La estrofa final se caracteriza por su contención y refreno, por la justa modestia, por el difícil arte de saber terminar con proporción rigurosa.

Esta tendencia al movimiento climático y anticlimático, es técnica aprendida de Horacio, pero perfeccionada por Fray Luis; porque el arte con que la usa el poeta español es más rico y complejo en cuanto que en las relaciones estróficas se ofrecen más nexos, más contrastes.

"Aquí reside, concluye Dámaso Alonso, el secreto de su encanto formal, secreto único, lo que le hace distinto, lo que el lector de sensibilidad oscuramente aprecia pero no sabe explicar. Pues es precisamente el centro de interés de la técnica poética de Fray Luis en la perspectiva de la forma exterior".

LA MÉTRICA

La composición preferida por Fray Luis fue la oda, género lírico grecolatino que significa "canto", destinado a proclamar los temas altos y sublimes. Dentro de la oda, empleó como estrofa dilecta, la lira; o sea, la forma estrófica importada de Italia por Garcilaso, quien sólo la empleó una vez en la "Canción a la Flor de Gnido", y que Fray Luis elevaría a una técnica magistral para luego convertirse en instrumento de la poesía mística de San Juan de la Cruz.

La lira predilecta de Fray Luis consta de cinco versos endecasílabos y heptasílabos con rima perfecta, según este esquema: 7A, 11B, 7A, 7B y 11B.

Fray Luis eligió esta estructura métrica porque le pareció el molde más apropiado que podría dar una medida acorde con su estilo impregnado de la técnica horaciana. "Para una poesía de contención y de refreno, la lira era una medida apropiada. Con sus cinco versos no permite largos engarces sintácticos; la frase se hace enjuta, ceceña, y el verso tiende a concentrarse, a nutrirse, apretándose de materia significativa" (D. Alonso).

Cuando no usa la lira, Fray Luis emplea tipos de estrofa de claros antecedentes italianos o italianizantes, como las sextinas de "La cana y alta cumbre", como las estancias a la "Virgen que el sol más pura", como los tercetos "En una esperanza que salió vana". No abunda en recursos métricos. Sólo en alguna ocasión maneja las coplas castellanas tradicionales.

En cuanto a la rima, no hay rimas difíciles; aunque todas ellas resultan agradables y melodiosas al oído; hay algún ejemplo de rima homónima y varios descuidos con que diversas consonantes de la estrofa resultan asonantes entre sí.

Con objeto de enriquecer el ritmo del verso, suelen encontrarse algunos en que el acento recae en la misma vocal: "gozar quiéro del bién que débo al ciélo". Característica esta de la poesía renacentista.

En cuanto a la estructura sintáctica del verso, Fray Luis construye hermosos versos bimembres y aun trimembres; santo y seña también de la métrica renacentista italiana.

No escasean los encabalgamientos, a veces ásperos y duros, a veces cargados de intención afectiva.

El uso de las llamadas licencias poéticas, a veces en exceso, crímenes son del tiempo más que de Fray Luis; como la frecuentísima diéresis y otras libertades que emplea mucho menos, como la aféresis (Ume por Eume), la síncopa (desparece por desaparece), el apócope (satisfaz por satisface), la prótesis (aplace por place).

Estos y otros desaliños de forma pueden explicarse también por las peripecias que sufrió el texto original en las manos devotas, pero inexpertas, de los copistas.

LA FAMA

Los contemporáneos de Fray Luis vieron en él muchas otras cualidades que en cierto modo oscurecían al poeta: el maestro de Salamanca, el políglota, el especialista en Biblia, el hombre de carácter íntegro y batallador. Pero quienes lo trataron de cerca, el círculo de sus amigos y admiradores, pudieron disfrutar y aquilatar su poesía. Pese a "su indiferencia por la fama", que observa Kelly, fue ya inmensa en su misma época. Arias Montano, Herrera, el Brocense, Pacheco, Cervantes en *La Galatea,* Lope de Vega en el *Laurel de Apolo,* Nicolás Antonio le prodigaron las más encendidas alabanzas. Pero hasta la aparición de la edición cuidada por Quevedo (1631), no tuvo esta fama caracteres de culto público, que hace crecer al poeta incesantemente.

El estilo frayluisino, apunta Giménez Caballero, formó ya en el siglo XVI al XVII una primera escuela salmantina con Malón de Chaide, Arias Montano, Sánchez Brocense, Francisco de la Torre, Medrano. Cuando en el siglo XVIII, por influjo neoclásico francés, volvió la moda del estilo idílico, bucólico, surgió en Salamanca una segunda escuela salmantina o frayluisiana, con Meléndez Valdez y Jovellanos, entre otros. Y en el Romanticismo, un tercer brote con Quintana, Cienfuegos, Gallego. Y en el XX, un cuarto recuerdo con Unamuno.

Independientemente de estos influjos en autores y escuelas poéticas, más o menos discutibles, ello es que la fama de Fray Luis se traduce sin discusión en el fervor de los lectores y la admiración de los estudiosos ante la actualidad de una poesía nacida para no morir.

Existen traducciones parciales de la poesía de Fray Luis en inglés, italiano, francés, húngaro, alemán y latín.

Quedará siempre abierta la interrogación de Menéndez y Pelayo: "¿Quién me dará palabras para ensalzar, como yo quisiera, a Fray Luis de León? Si yo os dijese que fuera de las canciones de San Juan de la Cruz, no hay lírico castellano que se compare con él, aun me parecería haberos dicho poco. Porque desde el Renacimiento acá, a lo menos entre las gentes latinas, nadie se ha acercado en sobriedad y pureza, nadie en el arte de las transiciones y de las grandes líneas y en la rapidez lírica; nadie ha volado tan alto ni infundido como él en las formas clásicas el espíritu moderno".

"Fray Luis es uno de los gigantes de nuestro siglo de oro. Hay un tinte de ligero arcaísmo castizo en el lenguaje que lo hace grave y hierático" (Cejador).

"En sencillez, estro y sentimiento verdadero, en corrección de gusto, en concisión, audacia y energía no tiene rival en el parnaso español lírico de la edad de oro" (Jünemann).

"El más grande de los poetas que en España ha cantado" (Azorín). "El más culminante lírico de la Europa moderna" (Laboulaye).

"Los versos de su oda a Salinas, de perfección verdaderamente extraordinaria, pueden aplicarse palabra por palabra e imagen por imagen, desde el principio hasta el fin, a la lírica del poeta" (Pfandl).

"Daba Fray Luis todo su valor a la forma. No obstante, jamás se trasluce el esfuerzo. Sus poemas muestran hasta qué altura puede alzarse un poeta en sublime concepción, en concisión y acendrado gusto. Es en todo, en espíritu y forma, el Horacio cristiano" (Romera Navarro).

"Como ningún otro poeta realizó Fray Luis la fusión o compenetración del fondo y la forma, produciendo un arte sin artificio con las cinco virtudes más decisivas para lo lírico: sencilla elegancia, clara serenidad, puro clasicismo, deleite estético y musicalidad sugeridora" (Sáinz de Robles).

"Lo que admira es sobre todo el soberbio equilibrio entre la intención poética y la forma expresiva. Ni conceptismo, ni redundancia; ni exceso de afán ni exageración de forma. Cada estrofa es el encaje perfecto, exacto, matemático del pensamiento; cada pensamiento viene encuadrado rigurosamente en su forma. Y esto de tal manera, que la menor vibración de la idea repercute en el verso; y el más nimio detalle del verso expresa una alteración de la idea. Si a este equilibrio se puede llamar clasicidad, Fray Luis es el más clásico de los poetas castellanos. Acaso por ello es el que permanece más fiel en la memoria de las gentes, sin altibajos de aceptación" (Díaz-Plaja).

Muchas páginas podrían llenarse con la admiración de cuatro siglos ante aquel supremo poeta "en cuyas estrofas hay acentos que no han sonado nunca en lira alguna, como no sea en la de David".

JOAQUÍN ANTONIO PEÑALOSA

IV. BIBLIOGRAFIA

Fray Luis de León en México

Este rubro y la mínima bibliografía siguiente sólo anhelan despertar la curiosidad de los estudiosos hacia tema tan sugestivo como inédito.

Deseos y viajes frustrados estuvieron a punto, más o menos remoto o próximo, de traernos a la Nueva España, en admirable conjunción, a San Juan de la Cruz, Cervantes, Góngora, Fray Luis de Granada y Fray Luis de León de quien, según la afirmación de nuestro Arango y Escandón, "dícese que el Rey Católico le convidó por 1558 con el Arzobispado de México, el cual renunció por humildad".

1. Alejandro Arango y Escandón. *Proceso del Maestro Fr. Luis de León.* Tres diversas ediciones con variantes en el título y en el texto: la primera de *La Cruz;* la segunda con título *Proceso del Maestro Fr. Luis de León. Ensayo Histórico.* México, Imprenta de Andrade y Escalante, 1856; la tercera, *Fray Luis de León: ensayo histórico.* México, Imprenta de Andrade y Escalante, 1866.

2. Antonio Caso. "La oda a la música de Fray Luis de León", Discurso de introducción en la Academia Mexicana de la Lengua, México, 1921; recogido después en su libro *Discursos a la nación mexicana.* México, Librería de Porrúa Hnos., 1922. pp. 133-47 y en *Discursos Académicos.* Memorias de la Academia Mexicana de la Lengua. Tomo IX. México, 1954, Edit. Jus, pp. 277-283.

3. José López Portillo y Rojas. Respuesta al discurso del Dr. Antonio Caso. *Discursos Académicos,* ib. pp. 284-291.

4. Entre algunas ediciones de obras de Fray Luis impresas en México con fines de divulgación: Fray Luis de León. *El Cantar de los Cantares.* Prólogo de Enrique Díez Canedo. México, 1942.

5. Fray Luis de León. *Poesías escogidas.* Selección y prólogo de Agustín Millares Carlo. México, Secretaría de Educación Pública. Biblioteca Enciclopédica Popular, núm. 138. México, 1947.

6. *Obra poética de Fray Luis de León.* México, Ediciones Mexicanas S. en p. 1956.

7. Fray Luis de León. *Poesías selectas.* México, Colección Lira, México, 1957.

8. Julio Torri. *La Literatura española.* México-Buenos Aires. Fondo de Cultura Económica. Breviarios, n. 56, primera ed. 1952, pp. 134-38.

9. Diego Marín. *Poesía española, estudios y textos* (Siglos XV al XX). (Con notas y vocabulario en inglés). México, Ediciones de Andrea, 1958. El autor dedica a Fray Luis un estudio de síntesis, y anota seis odas.

10. Influjos y huellas del poeta salmantino que podrían rastrearse en nuestra lírica nacional. Por ejemplo, Ignacio Ramírez "El Nigromante" (1818-79) en sus poemas "Por los muertos" y "Por los desgraciados". Manuel Acuña (1849-73), en "La vida del campo", jocosa parodia del "Beatus ille" horaciano. Entre los poetas de este siglo, Salvador Díaz Mirón en su magno poema "Beatus ille". Alfonso Reyes en "Salmo doméstico" y "A un campirano". Federico Escobedo en dos odas breves, escritas en liras, "Beatus ille" y "Cupio dissolvi", en su libro *Poesías* (Puebla, Talleres de la Imprenta Artística, 1903). Manuel Ponce en su "Oda a la música del ciego Salinas: Manuel M. Ponce" *(El jardín increíble.* México, Editorial Jus, 1950, p. 63) y en su "Oda teofánica" *(Elegías y Teofanías.* México, Edit. Jus, 1968, p. 76). Gloria Riesta, en tal cual poema de su libro *La soledad sonora* (México, Abside, 1950). Nadie como Concepción Urquiza supo recrear a Fray Luis, a quien llamó y siguió como su maestro; algunos poemas son "auténticas odas luisdeleonianas" *(Obras, poemas y prosas.* Edición y prólogo del Dr. Gabriel Méndez Plancarte. México, Abside, 1946).

Textos y ediciones

1. *Biblioteca de Autores Españoles.* Escritores del siglo XVI. Tomo II. Introducción de Gregorio Mayáns y Síscar. Madrid, M. Rivadeneyra, 1855.

2. *Obras.* P. Antolín Merino. Madrid, 1804-1816, 6 vols. Reproducida con un prólogo por el P. Conrado Muiños Sáenz; Madrid, 1885, 4 vols.

3. *Poesías,* con anotaciones de Marcelino Menéndez y Pelayo. Madrid, 1928.

4. *Obras poéticas.* José Llobera, 2 vols. Cuenca, 1931-32.

5. *Poesía.* Selección, estudio y notas de J. M. Alda Tesán. Zaragoza, 1939.

6. *Obras Completas Castellanas.* Félix García. Madrid, Biblioteca de Autores Cristianos, 1944.

7. *Poesías,* edición crítica. P. Angel Custodio Vega. Madrid, 1955.

Estudios importantes

1. Alonso, Dámaso. *Ensayos sobre poesía española*, 1ª ed. Madrid, 1944, 2ª ed. Buenos Aires, 1946. *Poesía Española*, Madrid, Edit. Gredos, 1952. *De los siglos oscuros al de oro*, Madrid, Edit. Gredos.

2. Azorín. *Al margen de los clásicos*, Madrid, 1915, y Edit. Losada, n. 93. *Los dos Luises y otros ensayos*, Madrid, 1920; y Col. Austral, n. 420.

3. Bell, Aubrey F. G. *Fray Luis de León*, Barcelona, 1927. Notes on Luis de Leon's Lyric, *Modern Language Review*, 1926.

4. Blanco García, Francisco. *Fray Luis de León. Estudio biográfico*. Madrid, 1904. *Fray Luis de León, Obras Poéticas*, 1928.

5. Cossío, José María de. *Poesía Española. Notas de Asedio*. Madrid, 1936, Col. Austral, núm. 1138.

6. Coster, Adolphe. *Luis de León*, 2 vols. New York-París, 1921-22.

7. Díaz-Plaja, Guillermo. *Antología Mayor de la Literatura Española*. Tomo II. Barcelona, Madrid, etc. Edit. Labor, S. A., 1958.

8. Diego, Gerardo. *Actualidad poética de Fray Luis*. Montevideo, 1930.

9. Fitzmaurice-Kelly, James. *Historia de la literatura española*. Madrid, 1900. *Biografía de Fray Luis de León*. Londres, 1921.

10. Getino, A. P. *Vida y procesos del Maestro Fray Luis de León*. Salamanca, 1907.

11. Giménez Caballero, Ernesto. *Lengua y literatura de España*. Tomo IV. Madrid, 1944.

12. González Palencia, A. *Fray Luis de León en la poesía castellana*. En "Miscelánea Coquense", Cuenca, 1929.

13. Hornedo, R. M. *Algunos datos sobre el petrarquismo de Fray Luis de León*. En la revista "Razón y Fe", Madrid, vol. 85, 1928.

14. Hurtado, Juan y J. de la Serna. *Historia de la Literatura española*. Madrid, 1925.

15. Menéndez y Pelayo, Marcelino. *Historia de las ideas estéticas en España*. T. II. Madrid, 1884. *Horacio en España*, Madrid, 1855. *Estudios de crítica literaria*. Madrid, 1893. *Poesías de Fray Luis de León* (traducidas y originales), anotadas por D. M. M. y P. en la edición del P. Merino. En *Bibliografía Hispano-latina clásica*, Tomo V, Edición Nacional de las obras completas de Menéndez y Pelayo, Madrid, 1951.

16. Menéndez Pidal, Ramón. *Antología de prosistas españoles*. Madrid, 1928. *El lenguaje en el siglo XVI*. Madrid, 1933; recogido después en *Los romances de América y otros estudios*, Col. Austral, núm. 55.

17. Montoliú, Manuel de. *Literatura castellana*. Barcelona, 1929.

18. Onís, Federico de. *De los Nombres de Cristo*. Introducción.

Madrid, 1914-17. *Sobre la transmisión de la obra literaria de Fray Luis de León,* en "Revista de Filología Española", 1915, II, 217-57.

19. Pfandl, Ludwig. *Historia de la literatura nacional española en la edad de oro.* Barcelona, 1933.
20. Ragucci, Rodolfo. *Letras castellanas.* Buenos Aires, 1944.
21. Sáinz de Robles, Federico Carlos. *Ensayo de un diccionario de la literatura.* Tomo II. Madrid, Aguilar, 1953.
22. Salcedo Ruiz, A. *La literatura española.* 3 vols. Madrid, 1915.
23. Ticknor, M. G. *Historia de la literatura española.* 4 vols. Madrid, M. Rivadeneyra, 1854.
24. Unamuno, Miguel de. *De mística y humanismo,* en *Ensayos,* Tomo I, Madrid, Aguilar, 1951.
25. Valbuena Prat, Angel. *Historia de la literatura española,* 2 vols. Barcelona, 1937. *Antología de la poesía sacra española,* 1940.
26. Vélez, M. *Algunas observaciones al libro de Bell,* 1930-31.
27. Vossler, Karl. *Fray Luis de León.* Col. Austral, núm. 565.
28. Zarco, Julián. *Bibliografía de Fray Luis de León.* Málaga, 1929.

FR. LUIS DE LEON
(De un dibujo. 1599.)

LA PERFECTA CASADA

A Doña María Varela Osorio

CENSURA

Vi, por orden de los señores del Consejo de Su Majestad, el libro de *La perfecta casada,* que compuso el muy reverendo y doctísimo padre maestro Fr. Luis de León, de la Orden de San Agustín, y me parece que no tiene cosa contra la fe ni contra las buenas costumbres, sino mucha y muy buena doctrina para los casados; y así es digno que se imprima, para que todos gocen de él. Fecha en nuestro colegio de la Compañía de Jesús, en Madrid a 20 de abril de 1583.

FRANCISCO PORTOCARRERO.

INTRODUCCION

[En que se habla de las leyes y condiciones del estado del matrimonio, y de la estrecha obligación que corre a la casada de emplearse en el cumplimiento de ellas.]

Este nuevo estado en que Dios ha puesto a Vmd., sujetándola a las leyes del santo matrimonio, aunque es, como camino real, más abierto y menos trabajoso que otros, pero no carece de sus dificultades y malos pasos; y es camino adonde se tropieza también, y se peligra y yerra, y que tienen necesidad de guía como los demás. Porque el servir al marido y el gobernar la familia, y la crianza de los hijos y la cuenta que juntamente con esto se debe al temor de Dios y a la guarda y limpieza de la conciencia, todo lo cual pertenece al estado y oficio de la mujer que se casa, obras son que cada una por sí pide mucho cuidado, y que todas juntas, sin particular favor de cielo, no se pueden cumplir.

En lo cual se engañan muchas mujeres, que piensan que el casarse no es más que dejar la casa del padre y pasarse a la del marido, y salir de servidumbre y venir a libertad y regalo. Y piensan que con parir un hijo de cuando en cuando, y con arrojarle luego lejos de sí en brazos de una ama, son cabales y perfectas mujeres.

Y dado que el buen juicio de Vmd. y la inclinación a toda virtud, de que Dios la dotó, me aseguran para no temer que será como alguna de éstas que digo, todavía el entrañable amor que le tengo y el deseo de su bien, que arde en mí, me despiertan para que la provea de algún aviso y para que le busque y encienda alguna luz que, sin engaño ni error, alumbre y enderece sus pasos por todos los malos pasos de este camino, y por todas las vueltas y rodeos de él.

Y como suelen hacer los que han realizado alguna larga navegación o los que han peregrinado por lugares extraños, que a sus amigos, los que quieren emprender la misma navegación y camino, antes que lo comiencen y antes que partan de sus casas, con diligencia y cuidado les dicen menudamente los lugares por donde han de pasar y las cosas de que se han de guardar, y los aperciben de todo aquello que entienden les será necesario; así yo, en esta jornada que tiene Vmd. comenzada, le enseñaré, no lo que me enseñó a mí la experiencia pasada, porque es ajena de mi profesión, sino lo que he aprendido en las Sagradas Letras, que es enseñanza del Espíritu Santo. En las cuales, como en una tienda común y como

3

en un mercado público y general, para el uso y provecho general de
todos los hombres, pone la piedad y Sabiduría divina copiosamente
todo aquello que es necesario y conviene a cada un estado; y señaladamente en este de las casadas se revee y desciende tanto a lo
particular de él, que llega hasta, entrándose por sus casas, ponerles
la aguja en la mano y ceñirles la rueca y menearles el huso entre los
dedos.

Porque, a la verdad, aunque el estado del matrimonio, en grado
y perfección, es menor que el de los continentes o vírgenes, pero
por la necesidad que hay de él en el mundo para que se conserven
los hombres y para que salgan de ellos los que nacen para ser hijos
de Dios, y para honrar la tierra y alegrar el cielo con gloria, fue
siempre muy honrado y privilegiado por el Espíritu Santo en las
Letras Sagradas. Porque de ellas sabemos que este estado es el primero y más antiguo de todos los estados; y sabemos que es vivienda
no inventada, después que nuestra naturaleza se corrompió por el
pecado y fue condenada a la muerte, sino ordenada luego en el principio, cuando estaban los hombres enteros y bienaventuradamente
perfectos en el paraíso.

Ellas mismas nos enseñan que Dios por su persona concertó el
primer casamiento que hubo, y que les juntó las manos a los dos primeros casados y los bendijo, y fue juntamente, como si dijésemos,
el casamentero y el sacerdote. Allí vemos que la primera verdad,
que en ellas se escribe haber dicho Dios para nuestro enseñamiento,
y la doctrina primera que salió de su boca, fue la aprobación de este
ayuntamiento, diciendo: *no es bueno que el hombre esté solo.*

Y no sólo en los libros del Viejo Testamento, adonde el ser estéril era maldición, sino también en los del Nuevo, en los cuales se
aconseja y como pregona generalmente y como a son de trompeta
la continencia y virginidad, al matrimonio le son hechos nuevos favores. Cristo, nuestro bien, con ser la flor de la virginidad y sumo
amador de la virginidad y limpieza, es convidado a unas bodas, y se
halla presente a ellas, y come en ellas y las santifica, no solamente
con la majestad de su presencia, sino con uno de sus primeros y señalados milagros.

Él mismo, habiéndose enflaquecido la ley conyugal, y aflojá-
dose en cierta manera el estrecho ñudo del matrimonio, y habiendo
dado entrada los hombres a muchas cosas ajenas de la limpieza y
firmeza y unidad que se le debe, así que, habiéndose hecho el tomar
un hombre mujer poco más que recibir una moza de servicio a sol-
dada por el tiempo que bien le estuviese, el mismo Cristo, entre las
principales partes de su doctrina, y entre las cosas para cuyo remedio había sido enviado de su Padre, puso también el reparo de
este vínculo santo, y así le restituyó en el antiguo y primer grado.
Y, lo que sobre todo es, hizo del casamiento que tratan los hombres
entre sí, significación y sacramento santísimo del lazo de amor con
que él se ayunta a las almas; y quiso que la ley matrimonial del
hombre con la mujer fuese como retrato e imagen viva de la unidad

dulcísima y estrechísima que hay entre Él y su Iglesia, y así ennobleció el matrimonio con riquísimos dones de su gracia y de otros bienes del cielo.

De arte que el estado de los casados es estado noble y santo y muy preciado de Dios; y ellos son avisados muy en particular y muy por menudo de lo que les conviene, en las Sagradas Letras por el Espíritu Santo, el cual, por su infinita bondad, no se desdeña de poner los ojos en nuestras bajezas, ni tiene por vil o menuda ninguna cosa de las que a nuestro provecho hacen.

Pues, entre otros muchos lugares de los divinos libros, que tratan de esta razón, el lugar más propio y adonde está como recapitulado, o todo o lo más que a este negocio en particular pertenece, es el último capítulo de los Proverbios, adonde Dios, por boca de Salomón, rey y profeta suyo, y como debajo de la persona de una mujer, madre del mismo Salomón, cuyas palabras él pone y refiere con hermosas razones, pinta acabadamente una virtuosa casada con todos sus colores y partes; para que las que lo pretenden ser (y débenlo pretender todas las que se casan) se miren en ella como en un espejo clarísimo, y se avisen, mirándose allí, de aquello que les conviene para hacer lo que deben.

Y así, conforme a lo que suelen hacer los que saben de pintura, y muestran algunas imágenes de excelente labor a los que no entienden tanto del arte, que les señalan los lejos y lo que está pintado como cercano, y les declaran las luces y las sombras y la fuerza del escorzado, y con la destreza de las palabras hacen que lo que en la tabla parecía estar muerto, viva ya y casi bulla y se menee en los ojos de los que lo miran; ni más ni menos mi oficio, en esto que escribo, será presentar a Vmd. esta imagen que he dicho, labrada por Dios, y ponérsela delante la vista y señalarle con las palabras como con el dedo, cuanto en mí fuere, sus hermosas figuras con todas sus perfecciones, y hacerle que vea claro lo que con grandísimo artificio el saber y mano de Dios puso en ella encubierto.

Pero antes que vengan a esto, que es declarar las leyes y condiciones que tiene sobre sí la casada, será bien que entienda Vmd. la estrecha obligación que tiene de emplearse en el cumplimiento de ellas, aplicándose toda a ellas con ardiente deseo. Porque, como en cualquier otro negocio y oficio que se pretende, para salir bien con él son necesarias dos cosas: la una, el saber lo que es y las condiciones que tiene, y aquello en que principalmente consiste; y la otra, el tenerle verdadera afición, así en esto que vamos tratando, primero que hablemos con el entendimiento y le descubramos lo que este oficio es, con todas sus cualidades y partes, convendrá que inclinemos la voluntad a que ame el saberlas, y a que, sabidas, se quiera aplicar a ellas.

En lo cual no pienso gastar muchas palabras, ni para con Vmd., que es de su natural inclinada a lo bueno, serán menester: porque al que teme a Dios, para que desee y procure satisfacer a su estado, bástale saber que Dios se lo manda, y que lo propio y particular que pide a cada uno es que responda a las obligaciones de su oficio, cumpliendo con la suerte que le ha cabido, y que, si en esto falta, aunque en otras cosas se adelante y señale, le ofende. Porque, como en la guerra el soldado que desampara su puesto no cumple con su capitán, aunque en otras cosas le sirva; y como en la comedia silban los miradores al que es malo en la persona que representa, aunque en la suya sea muy bueno; así los hombres que se descuidan de sus oficios, aunque en otras virtudes sean cuidadosos, no contentan a Dios. ¿Tendría Vmd. por su cocinero y daríale su salario al que no supiese salar una olla y tocase bien un discante? Pues así no quiere Dios en su casa al que no hace el oficio en que le pone.

Dice Cristo en el Evangelio que *cada uno tome su cruz;* no dice que tome la ajena, sino manda que cada uno se cargue de la suya propia. No quiere que la religiosa se olvide de lo que debe al ser religiosa, y se cargue de los cuidados de la casada; ni le place que la casada se olvide del oficio de su casa y se torne monja. El casado agrada a Dios en ser buen casado, y en ser buen religioso el fraile, y el mercader en hacer debidamente su oficio; y aun el soldado sirve a Dios en mostrar en los tiempos debidos su esfuerzo, y en contentarse con su sueldo, como lo dice San Juan. Y la cruz que cada uno ha de llevar, y por donde ha de llegar a juntarse con Cristo, propiamente es la obligación y la carga que cada uno tiene, por razón del estado en que vive. Y quien cumple con ella cumple con Dios y sale con su intento, y queda honrado e ilustre, y, como por el trabajo de la cruz, alcanza el descanso que merece. Mas al revés: quien no cumple con esto, aunque trabaje mucho en cumplir con los oficios que él se toma por su voluntad, pierde el trabajo y las gracias.

Mas es la ceguedad de los hombres tan miserable y tan grande, que con no haber duda en esta verdad, como si fuera al revés, y como si nos fuera vedado el satisfacer a nuestros oficios y el ser aquellos mismos que profesamos ser, así tenemos enemistad con ellos y huimos de ellos, y metemos todas las velas de nuestra industria y cuidado en hacer los ajenos. Porque verá Vmd. algunas personas de profesión religiosas, que, como si fuesen casadas, todo su cuidado es gobernar las casas de sus deudos, o de otras personas que ellas por su voluntad han tomado a su cargo; y que, si se recibe o se despide el criado, ha de ser por su mano de ellas; y si se cuelga la casa en invierno, lo mandan ellas primero. Y, por el contrario, en las casadas hay otras que, como si sus casas fuesen de sus vecinas, así se descuidan de ellas, y toda su vida es el oratorio y el devocionario, y el calentar el suelo de la iglesia tarde y mañana; y piérdese entre tanto la moza, y cobra malos siniestros la hija, y la hacienda se hunde, y vuélvese demonio el marido.

Y si el seguir lo que no son les costase menos trabajo que el cumplir con aquello que deben ser, tendrían éstas algún color de disculpa; o si habiéndose desvelado mucho en aquesto que escogen por su querer, saliesen perfectamente con ello, era consuelo en alguna manera; pero es al revés, que ni el religioso, aunque más se trabaje, gobernará como se debe la vida del hombre casado, ni jamás el casado llegará a aquello que es ser religioso. Porque así como la vida del monasterio, y las leyes y observancias y todo el trato y asiento de la vida monástica favorece y ayuda al vivir religioso, para cuyo fin todo ello se ordena, así al que, siendo fraile, se olvida del fraile y se ocupa en lo que es el casado, todo ello le es estorbo y embarazo muy grave. Y como sus intentos y pensamientos, y el blanco adonde se enderezan, no es monasterio, así tropieza y ofende en todo lo que es monasterio, en la portería, en el claustro, en el coro y silencio, en la aspereza y humildad de la vida. Por lo cual le conviene, o desistir de su porfía loca, o romper por medio de un escuadrón de duras dificultades, y subir, como dicen el agua por una torre. Por la misma manera el estilo de vivir de la mujer casada, como la convida y la alienta a que se ocupe en su casa, así por mil partes la retrae de lo que es ser monja o religiosa.

Y así los unos y los otros, por no querer hacer lo que propiamente les toca, y por quererse señalar en lo que no les atañe, faltan a lo que deben y no alcanzan lo que pretenden, y trabájanse incomparablemente más de lo que fuera si trabajaran en hacerse perfectos cada uno en su oficio, y queda su trabajo sin fruto y sin luz. Y como en la naturaleza los monstruos que nacen con partes y miembros de animales diferentes no se conservan ni viven, así esta monstruosidad de diferentes estados en un compuesto, el uno en la profesión y el otro en las obras, los que la siguen no se logran en sus intentos. Y como la naturaleza aborrece los monstruos, así Dios huye de éstos y los abomina. Y por esto decía en la Ley vieja que *ni en el campo se pusiesen semillas diferentes, ni en la tela fuese la trama de uno y la estambre de otro, ni menos que se le ofreciese en sacrificio el animal que hiciese vivienda en agua y en tierra.*

Pues asiente Vmd. en su corazón con entera firmeza que, el ser amigo de Dios es ser buena casada, y que el bien de su alma está en ser perfecta en su estado, y que el trabajar en ello y el desvelarse es ofrecer a Dios un sacrificio aceptísimo de sí misma.

Y no digo yo, ni me pasa por pensamiento, que el casado o alguno han de carecer de oración, sino digo la diferencia que ha de haber entre las buenas religiosa y casada. Porque en aquélla el orar es todo su oficio; en ésta ha de ser medio el orar para que mejor cumpla su oficio. Aquélla no quiso al marido, y negó el mundo y despidióse de todos, para conversar siempre y desembarazadamente con Cristo; ésta ha de tratar con Cristo para alcanzar de Él gracia y favor con que acierte a criar el hijo y a gobernar bien la casa y a servir como es razón al marido. Aquélla ha de vivir para orar continuamente; ésta ha de orar para vivir como debe. Aquélla aplace a Dios regalándose con Él; ésta le ha de servir trabajando en el gobierno de su casa por Él.

Mas considere Vmd. cómo reluce aquí la grandeza de la divina Bondad, que se tiene por servido de nosotros con aquello mismo que es provecho nuestro. Porque, a la verdad, cuando no hubiera

otra cosa que inclinara a la casada a hacer el deber, si no es la paz
y sosiego y gran bien que en esta vida sacan e interesan las buenas
de serlo, esto sólo bastaba. Porque sabida cosa es que, cuando la
mujer asiste a su oficio, el marido la ama, y la familia anda en concierto, y aprenden virtud los hijos, y la paz reina, y la hacienda
crece. Y como la luna llena en las noches serenas se goza, rodeada
y como acompañada de clarísimas lumbres, las cuales todas parece
que avivan sus luces en ella y que la remiran y reverencian, así la
buena en su casa reina y resplandece y convierte a sí juntamente los
ojos y los corazones de todos. El descanso y la seguridad la acompaña adondequiera que endereza sus pasos, y a cualquiera parte que
mira encuentra con el alegría y con el gozo. Porque, si pone en el
marido los ojos, descansa en su amor; si los vuelve a sus hijos, alé-
grase con su virtud; halla en los criados bueno y fiel servicio, y en
la hacienda provecho y acrecentamiento, y todo le es gustoso y alegre; como al contrario, a la que es mala casera todo se le convierte
en amargura, como se puede ver por infinitos ejemplos.

Pero no quiero detenerme en cosa por nuestros pecados tan
clara, ni quiero sacar a Vmd. de su mismo lugar. Vuelva los ojos
por sus vecinos y naturales, y revuelva en su memoria lo que de
otras cosas ha oído. ¿De cuántas mujeres sabe que, por no tener
cuenta de su estado y tenerla con sus antojos, están con sus maridos en perpetua lid y desgracia? ¿Cuántas ha visto lastimadas y
afeadas con los desconciertos de sus hijos e hijas, con quien no qui-
sieron tener cuenta? ¿Cuántas laceran en extrema pobreza, porque
no atendieron a la guarda de sus haciendas, por mejor decir, porque fueron la perdición y la polilla de ellas?

Ello es así, que no hay cosa más rica ni más feliz que la buena
mujer; ni peor ni más desastrada que la casada que no lo es; y lo
uno y lo otro nos enseña la Sagrada Escritura. De la buena dice así:
*El marido de la mujer buena es dichoso, y vivirá doblados días; y
la mujer de valor pone en su marido descanso, y cerrará los años
de su vida con paz. La mujer buena es suerte buena, y, como premio de los que temen a Dios, la dará Dios al hombre por sus buenas
obras. El bien de la mujer diligente deleitará a su marido, e henchirá de grosura sus huesos. Don grande de Dios es el trato bueno
suyo; bien sobre bien, y hermosura sobre hermosura es una mujer
que es santa y honesta. Como el sol que nace parece en las alturas
del cielo, así el rostro de la buena adorna y hermosea su casa.*

Y de la mala dice por contraria manera: *La celosa es dolor de
corazón y llanto continuo, y el tratar con la mala es tratar con los
escorpiones. Casa que se llueve es la mujer rencillosa, y lo que turba
la vida es casarse con una aborrecible. La tristeza del corazón es la
mayor herida, y la maldad de la mujer es todas las maldades. Toda
llaga, y no llaga de corazón; todo mal, y no mal de mujer. No hay
cabeza peor que la cabeza de la culebra, ni ira que iguale a la de la
mujer enojosa. Vivir con leones y con dragones es más pasadero
que hacer vida con la mujer que es malvada. Todo mal es pequeño*

en comparación de la mala; a los pecadores les caiga tal suerte. Cual es la subida arenosa para los pies encianos, tal es para el modesto la mujer deslenguada. Quebranto de corazón y llaga mortal es la mala mujer. Cortamiento de piernas y decaimiento de manos es la mujer que no da placer a su marido. La mujer dió principio al pecado, y por su causa morimos todos. Y por esta forma, otras muchas razones.

Y acontece en esto una cosa maravillosa: que siendo las mujeres de su cosecha gente de gran pundonor y apetitosas de ser preciadas y honradas, como lo son todos los de ánimo flaco, y gustando de vencerse entre sí unas a otras, aun en cosas menudas y de niñería, no se precian, antes se descuidan y olvidan, de lo que es su propia virtud y loa. Gusta una mujer de parecer más hermosa que otra, y aun si su vecina tiene mejor basquiña, o si por ventura saca mejor invención de tocado, no lo pone a paciencia; y si en el ser mujer de su casa le hace ventaja, no se acuita ni se duele, antes hace caso de honra sobre cualquier menudencia, y sólo aquesto no estima; como sea así que el ser vencida en aquello no le daña, y el no vencer en esto la destruye; con ser así que aquello no es su culpa, y aquesto destruye todo el bien suyo y de su casa; y con ser así que el loor que por aquello se alcanza es ligero y vano loor, y loor que antes que nazca perece, y tal que, si hablamos con verdad, no merece ser llamado loor; y, por el contrario, la alabanza que por esto se consigue es alabanza maciza y que tiene verdaderas raíces, y que florece por las bocas de los buenos juicios, y que no se acaba con la edad ni con el tiempo se gasta, antes con los años crece y la vejez la renueva y el tiempo la esfuerza, y la eternidad se espeja en ella y la envía más viva siempre y más fresca por mil vueltas de siglos. Porque a la buena mujer su familia la reverencia, y sus hijos la aman y su marido la adora, y los vecinos la bendicen y los presentes y los venideros la alaban y ensalzan.

Y, a la verdad, si hay debajo de la luna cosa que merezca ser estimada y preciada, es la mujer buena; y en comparación de ella el sol mismo no luce y son obscuras las estrellas. Y no sé yo joya de valor ni de loor, que así levante y hermosee con claridad y resplandor a los hombres, como es aquel tesoro de inmortales bienes, de honestidad, de dulzura, de fe, de verdad, de amor, de piedad y regalo, de gozo y de paz que encierra y contiene en sí una buena mujer, cuando se la da por compañera su buena dicha.

Que si Eurípides, escritor sabio, parece que a bulto dice de todas mal, y dice que, si alguno de los pasados dijo mal de ellas y de los presentes lo dice, o si lo dijeren los que vinieren después, todo lo que dijeron y dicen y dirán, él solo lo quiere decir y dice; así que si esto dice, no lo dice en su persona, y la que lo dice tiene justa disculpa, en haber sido Medea la ocasión de que lo dijese.

Mas ya que habemos llegado aquí, razón es que callen mis palabras y que comiencen a sonar las del Espíritu Santo; el cual, en la doctrina de las buenas mujeres que pone en los Proverbios, y yo ofrezco ahora aquí a Vmd., comienza de estos mismos loores en que yo ahora acabo, y dice en pocas razones lo que ninguna lengua pudiera decir en muchas. Y dice de esta manera: *¿Quién hallará mujer de valor? Raro y extremado es su precio?*

* * *

Pero antes que comencemos, nos conviene presuponer que en este capítulo el Espíritu Santo así es verdad que pinta una buena casada, declarando las obligaciones que tiene, que también dice y significa, y como encubre debajo de esta pintura cosas mayores y de más alto sentido, que pertenecen a toda la Iglesia.

Porque se ha de entender que la Sagrada Escritura, que es habla de Dios, es como una imagen de la condición y naturaleza de Dios. Y así como la divinidad es juntamente una perfección sola y muchas perfecciones diversas, una sencillez, y muchas en valor y eminencia, así la Santa Escritura por unas mismas palabras dice muchas y diferentes razones; y, como lo enseñan los santos, en la sencillez de una misma sentencia encierra gran preñez de sentidos. Y como en Dios todo lo que hay en bueno, así en su Escritura todos los sentidos que puso en ella el Espíritu Santo son verdaderos. Por manera que el seguir el un sentido, no es desechar el otro; ni menos el que en estas Sagradas Letras, entre muchos y verdaderos entendimientos que tienen, descubre uno de ellos y le declara, no por eso ha de ser tenido por hombre que desecha los otros entendimientos.

Pues digo que en este capítulo, Dios, por la boca de Salomón, por unas mismas palabras hace dos cosas: lo uno, instruye y ordena las costumbres; lo otro, profetiza misterios secretos. Las costumbres que ordena son de la casada; los misterios que profetiza son el ingenio y las condiciones que había de poner en su Iglesia, de quien habla como en figura de una mujer de su casa. En esto postrero da luz a lo que se ha de creer; en lo primero enseña lo que se ha de obrar.

Y porque aquesto sólo es lo que hace ahora a nuestro propósito, por eso hablaremos de ello aquí solamente, y procuraremos, cuanto nos fuere posible, sacar a luz y poner como delante de los ojos todo lo que hay en esta imagen de virtud que Dios aquí pinta.

Dice, pues:

CAPITULO I

> *Mujer de valor, ¿quién la hallará? Raro y extremado es su precio.*

Propone luego al principio aquello de que ha de decir, que es la doctrina de una mujer de valor, esto es, de una perfecta casada, y loa lo que propone, o por mejor decir, propone loándolo para despertar desde luego y encender en ellas aqueste deseo honesto y virtuoso. Y porque tuviese mayor fuerza el encarecimiento, pónelo por vía de pregunta diciendo: *Mujer de valor, ¿quién la hallará?* Y en preguntarlo y decirlo así, dice que es dificultoso el hallarla, y que son pocas las tales. Y así, la primera loa que da a la buena mujer es decir de ella que es cosa rara; que es lo mismo que llamarla preciosa y excelente cosa, y digna de ser muy estimada, porque todo lo raro es precioso.

Y que sea aquéste su intento, por lo que luego añade se ve: *Alejado y extremado,* dice, *es su precio;* o como dice el original en el mismo sentido: *Más y allende y muy alejado sobre las piedras preciosas el precio suyo.* De manera que el hombre que acertare con una mujer de valor, se puede desde luego tener por rico y dichoso, entendiendo que ha hallado una perla oriental, o un diamante finísimo, o una esmeralda, u otra alguna piedra preciosa de inestimable valor.

Así que ésta es la primera alabanza de la buena mujer: decir que es dificultosa de hallar. Lo cual así es alabanza de las buenas, que es aviso para conocer generalmente la flaqueza de todas. Porque no sería mucho ser una buena, si hubiese muchas buenas, o si en general no fuesen muchos sus siniestros malos. Los cuales son tantos, a la verdad, y tan extraordinarios y diferentes entre sí, que con ser un linaje y especie, parecen de diversas especies. Que como burlando en esta materia, o Focílides o Simónides solía decir: *En ellas solas se ven el genio y las mañas de todas las suertes de cosas, como si fueran de su linaje.* Que unas hay cerriles y libres como caballos, y otras resabidas como raposas; otras ladradoras, otras mudables a todos colores, otras pesadas como hechas de tierra; y por esto, la que entre tantas diferencias de mal acierta a ser buena, merece ser alabada mucho.

Mas veamos por qué causa el Espíritu Santo a la buena mujer la llama *mujer de valor,* y después veremos con cuánta propiedad la compara y antepone a las piedras preciosas.

Lo que aquí decimos *mujer de valor,* y pudiéramos decir *mujer varonil,* como Sócrates, cerca de Jenofón, llama a las casadas perfectas;

11

así que esto que decimos *varonil* o *valor,* en el original es una palabra
de grande significación y fuerza, y tal que apenas con muchas muestras
se alcanza todo lo que significa. Quiere decir virtud de ánimo y fortaleza de corazón; industria y riquezas y poder y aventajamiento, y, finalmente, un ser perfecto y cabal en aquellas cosas a quien esta palabra
se aplica; y todo esto atesora en sí la que es buena mujer, y no lo es
si no lo atesora.

Y para que entendamos que esto es verdad, la nombró el Espíritu
Santo con este nombre, que encierra en sí tanta variedad de tesoro.
Porque, como la mujer sea de su natural flaca y deleznable más que
ningún otro animal, y de su costumbre e ingenio una cosa quebradiza
y melindrosa; y como la vida casada sea vida sujeta a muchos peligros, y
donde se ofrecen cada día trabajos y dificultades muy grandes, y vida
ocasionada a continuos desabrimientos y enojos, y como dice San Pablo,
vida adonde anda el ánima y el corazón dividido y como enajenado de
sí, acudiendo ahora a los hijos, ahora al marido, ahora a la familia y
hacienda; para que tanta flaqueza salga con victoria de contienda tan
dificultosa y tan larga, menester es que la que ha de ser buena casada
esté cercada de un tan noble escuadrón de virtudes como son las virtudes que habemos dicho, y las que en sí abraza la propiedad de aquel
nombre. Porque lo que es harto para que un hombre salga bien con el
negocio que emprende, no es bastante para que una mujer responda
como debe a su oficio; y cuanto el sujeto es más flaco, tanto para arri-
bar con una carga pesada tiene necesidad de mayor ayuda y favor. Y
como cuando en una materia dura y que no se rinde al hierro ni al arte,
vemos una figura perfectamente esculpida, decimos y conocemos que
era perfecto y extremado en su oficio el artífice que la hizo, y que con
la ventaja de su artificio venció la dureza no domable del sujeto duro,
así y por la misma manera, el mostrarse una mujer la que debe entre
tantas ocasiones y dificultades de vida, siendo de suyo tan flaca, es clara
señal de un caudal de rarísima y casi heroica virtud. Y es argumento
evidente que cuanto en la naturaleza es más flaca, tanto en el valor del
ánimo y en su virtud es mayor y más aventajada.

Y esta misma es la causa también por donde, como lo vemos por
la experiencia y como la historia nos lo enseña en no pocos ejemplos,
cuando alguna mujer acierta a señalarse en algo de lo que es de loor,
vence en ello a muchos hombres de los que se dan a lo mismo. Porque
cosa de tan poco ser como es esto que llamamos *mujer,* nunca ni emprende ni alcanza cosa de valor ni de ser, si no es porque la inclina a
ello y la despierta y alienta alguna fuerza de increíble virtud, que o el
cielo ha puesta en su alma, o algún don de Dios singular; que, pues
vence su natural y sale, como río, de madre, debemos necesariamente
entender que tiene en sí grandes acogidas de bien.

Por manera que, con grandísima verdad y significación de loor, el Espíritu Santo a la mujer buena no la llamó como quiera *buena,* ni dijo
o preguntó: ¿Quién hallará una buena mujer?, sino llamóla *mujer de
valor,* y usó en ello de una palabra tan rica y tan significante como es
la original que dijimos, para decirnos que la mujer buena es más que
buena, y que esto que nombramos bueno es una medianía de hablar,
que no allega a aquello excelente que ha de tener y tiene en sí la buena
mujer. Y que para que un hombre sea bueno, le basta un bien mediano; mas en la mujer ha de ser negocio de muchos y muy subidos quilates; porque no es obra de cualquier oficial, ni lance ordinario, ni bien

que se halla adoquiera, sino artificio primo y bien incomparable, o, por mejor decir, un amontonamiento de riquísimos bienes.

Y éste es el primer loor que la da el Espíritu Santo, y con éste viene como nacido el segundo, que es compararla a las piedras preciosas. En lo cual, como en una palabra, acaba de decir cabalmente todo lo que en esto de que vamos hablando se encierra; porque así como el valor de la piedra preciosa es de subido y extraordinario valor, así el bien de una buena esposa tiene subidos quilates de virtud. Y como la piedra preciosa en sí es poca cosa, y por la grandeza de la virtud secreta cobra gran precio, así lo que en el sujeto flaco de la mujer pone estima de bien es grande y raro bien. Y como en las piedras preciosas la que no es muy fina no es buena, así en las mujeres no hay medianía, ni es buena la que no es más que buena. Y de la misma manera que es rico un hombre que tiene una preciosa esmeralda o un rico diamante, aunque no tenga otra cosa, y el poseer estas piedras no es poseer una piedra, sino poseer en ella un tesoro abreviado, así una buena mujer no es una mujer, sino un montón de riquezas, y quien la posee es rico con ella sola, y sola ella le puede hacer bienaventurado y dichoso. Y del modo que la piedra preciosa se trae en los dedos, y se pone delante los ojos, y se asienta sobre la cabeza para hermosura y honra de ella, y el dueño tiene allí juntamente arreo en la alegría y socorro en la necesidad, ni más ni menos a la buena mujer el marido la ha de querer más que a sus ojos, y la ha de traer sobre su cabeza; y el mejor lugar del corazón de él ha de ser suyo, o por mejor decir, todo su corazón y su alma; y ha de entender que, en tenerla, tiene un tesoro general para todas las diferencias de tiempos, y que es varilla de virtud, como dicen, que en toda sazón y coyuntura responderá con su gusto y le henchirá su deseo; y que en la alegría tiene en ella compañía dulce, con quien acrecentará su gozo comunicándolo, y en la tristeza amoroso consuelo, y en las dudas consejo fiel, y en los trabajos regalo, y en las faltas socorro, y medicina en las enfermedades, acrecentamiento para su hacienda, guarda de su casa, maestra de sus hijos, provisora de sus excesos, y, finalmente, en las veras y burlas, en lo próspero y adverso, en la edad florida y en la vejez cansada, y por el proceso de toda la vida, dulce amor y paz y descanso.

Hasta aquí llegan las alabanzas que da Dios a aquesta mujer. Veamos ahora lo que después de esto se sigue.

CAPITULO II

Confía en ella el corazón de su marido; no le harán mengua los despojos.

Después que ha propuesto el sujeto de su razón y nos ha aficionado a él alabándolo, comienza a especificar las buenas partes de él, y aquello de que se compone y perfecciona, para que, asentando los pies las mujeres en aquestas pisadas y siguiendo estos pasos, lleguen a lo que es perfecta casada.

Y porque la perfección del hombre en cualquier estado suyo consiste principalmente en el bien obrar, por eso el Espíritu Santo no pone aquí partes de esta perfección de que hablo, sino solamente las obras loables a que está obligada la casada que pretende ser buena.

Y la primera es que ha de engendrar en el corazón de su marido una gran confianza. Pero es de ver cuál sea y de qué esta confianza que dice.

Porque pensarán algunos que es la confianza que ha de tener el marido de su mujer, que es honesta. Y aunque es verdad que con su bondad la mujer ha de alcanzar de su marido esta buena opinión, pero, a mi parecer, el Espíritu Santo no trata aquí de ello, y la razón por que no lo trata es justísima. Lo primero, porque su intento es componernos aquí una *Casada Perfecta,* y el ser honesta una mujer no se cuenta ni debe contar entre las partes de que esta perfección se compone, sino antes es como el sujeto sobre el cual todo este edificio se funda, y, para decirlo en una palabra, es como el ser y la substancia de la casada, porque, si no tiene esto, no es ya mujer, sino alevosa ramera y vilísimo cieno, y basura la más hedionda de todas y la más despreciada.

Y como en el hombre ser dotado de entendimiento y razón no pone en él loa, porque tenerlo es su propia naturaleza, mas si le faltase por caso, el faltarle pondría en él mengua grandísima, así la mujer no es tan loable por ser honesta, cuanto es torpe y abominable si no lo es. De manera que el Espíritu Santo en este lugar no dice a la mujer que sea honesta, sino presupone que ya lo es, y a la que así es enséñale lo que le falta y lo que ha de añadir para ser acabada y perfecta. Porque, como arriba dijimos, esto todo que aquí se refiere es como hacer un retrato o pintura adonde el pintor no hace la tabla, sino en la tabla que le ofrecen y dan pone él los perfiles, e induce después los colores, y levantando en su lugar las luces y bajando las sombras adonde con-

14

viene, trae a debida perfección su figura. Y por la misma manera Dios
en la honestidad de la mujer, que es como la tabla, la cual presupone
por hecha y derecha, añade ricas colores de virtud, todas aquellas que
son necesarias para acabar una tan hermosa pintura. Y sea esto lo primero.

Lo segundo porque no habla aquí Dios de lo que toca a esta fe, es
porque quiere que este negocio de honestidad y limpieza lo tengan las
mujeres tan asentado en su pecho, que ni aun piensen que puede ser lo
contrario. Y como dicen de Solón, el que dio leyes a los atenienses,
que, señalando para cada maleficio sus penas, no puso castigo para el que
diese muerte a su padre ni hizo memoria de este delito, porque dijo
que no convenía que tuviesen por posible los hombres ni por aconteca-
dero un mal semejante; así, por la misma razón, no trata aquí Dios con
la casada que sea honesta y fiel, porque no quiere que le pase aun por la
imaginación que es posible ser mala.

Porque si va a decir la verdad, ramo de deshonestidad es en la mujer
casta el pensar que puede no serlo, o que en no serlo hace algo que le
deba ser agradecido. Que como a las aves les es naturaleza el volar, así
las casadas han de tener por dote natural, en que no puede haber quiebra, el ser buenas y honestas; y han de estar persuadidas que lo contrario es suceso aborrecible y desventurado y hecho monstruoso; o, por
mejor decir, no han de imaginar que puede suceder lo contrario, más
que ser el fuego frío o la nieve caliente; entendiendo que el quebrar la
mujer a su marido la fe es perder las estrellas su luz y caerse los cielos,
y quebrantar sus leyes la naturaleza y volverse todo en aquella confu-
sión antigua y primera.

Ni tampoco ha de ser esto como algunas lo piensan, que con guardar el cuerpo entero al marido en lo que toca a las pláticas y a otros
ademanes y obrillas menudas, se tienen por libres. Porque no es honesta
la que no lo es y parece. Y cuanto está lejos del mal, tanto de la imagen
o semeja de él ha de estar apartada. Porque, como dijo bien un poeta
latino, aquella sola es casta en quien ni la fama mintiendo osa poner
mala nota. Y cierto, como al que se pone en el camino de Santiago,
aunque a Santiago no llegue, ya le llamamos romero, así sin duda es
principiada ramera la que se toma licencia para tratar de estas cosas,
que son el camino.

Pero, si no es esto, ¿qué confianza es la de que Dios habla en este
lugar? En lo que luego dice se entiende, porque añade: *No le harán
mengua los despojos*. Llama *despojos* lo que en español llamamos alhajas y aderezo de casa, como algunos entienden; o, como tengo por más
cierto, llama *despojos*, las ganancias que se adquieren por vía de mer-
cancías. Porque se ha de entender que los hombres hacen renta, y se
sustentan y viven, o de la labranza del campo, o del trato o contratación con otros hombres.

La primera manera de renta es ganancia inocente y santa ganancia,
porque es puramente natural, así porque en ella el hombre come de su
trabajo, sin que dañe, ni injurie, ni traiga a costa ni menoscabo a ninguno, como también porque en la manera como a las madres es natural
mantener con leche a los niños que engendran, y aun a ellos mismos,
guiados por su inclinación, les es también natural el acudir luego a los
pechos, así nuestra naturaleza nos lleva e inclina a sacar de la tierra,
que es madre y engendradora nuestra común, lo que conviene para
nuestro sustento.

La otra ganancia y manera de adquirir, que saca fruto y se enriquece de las haciendas ajenas, o con voluntad de sus dueños, como hacen los mercaderes y los maestros y artífices de otros oficios que venden sus obras, o por fuerza y sin voluntad, como acontece en la guerra, es ganancia poco natural, y adonde las más veces interviene alguna parte de injusticia y de fuerza, y ordinariamente dan con disgusto y desabrimiento aquella que dan las personas con quien se granjea. Por lo cual todo lo que en esta manera se gana, es en este lugar llamado *despojos,* por conveniente razón. Porque de lo que el mercader hinche su casa, el otro que contrata con él queda vacío y despojado, y aunque no por vía de guerra, pero como en guerra y no siempre muy justa.

Pues dice ahora el Espíritu Santo que la primera parte y la primera obra con que la mujer casada se perfecciona, es con hacer a su marido confiado y seguro, que, teniéndola a ella, para tener su casa abastada y rica, no tiene necesidad de correr la mar, ni de ir a la guerra, ni de dar sus dineros a logro, ni de enredarse en tratos viles e injustos, sino que con labrar él sus heredades, cogiendo su fruto, y con tenerla a ella por guarda y por beneficiadora de lo cogido, tiene riqueza bastante.

Y que pertenezca al oficio de la casada y que sea parte de su perfección aquesta guarda e industria, demás de que el Espíritu Santo lo enseña, también lo demuestra la razón. Porque cierto es que la naturaleza ordenó que se casasen los hombres, no sólo para fin que se perpetuase en los hijos el linaje y nombre de ellos, sino también a propósito de que ellos mismos en sí y en sus personas se conservasen; lo cual no les era posible, ni al hombre solo por sí, ni a la mujer sin el hombre. Porque para vivir no basta ganar hacienda, si lo que se gana no se guarda; que si lo que se adquiere se pierde, es como si no se adquiriese. Y el hombre que tiene fuerzas para desvolver la tierra, y para romper el campo, y para discurrir por el mundo, y contratar con los hombres, negociando su hacienda, no puede asistir a su casa a la guarda de ella, ni lo lleva su condición. Y al revés, la mujer que, por ser de natural flaco y frío, es inclinada al sosiego y a la escasez, y es buena para guardar, por la misma causa no es buena para el sudor y trabajo del adquirir. Y así la naturaleza, en todo proveída, los ayuntó para que, prestando cada uno dellos al otro su condición, se conservasen juntos los que no se pudieran conservar apartados. Y de inclinaciones tan diferentes, con arte maravillosa, y como se hace en la música con diversas cuerdas, hizo una provechosa y dulce armonía, para que cuando el marido estuviere en el campo, la mujer asista a la casa, y conserve y endure el uno lo que el otro cogiere.

Por donde dice bien un poeta, que los fundamentos de la casa son la mujer y el buey; el buey para que are, y la mujer para que guarde. Por manera que su misma naturaleza hace que sea de la mujer este oficio, y la obliga a esta virtud y parte de su perfección como a parte principal y de importancia.

Lo cual se conoce por los buenos y muchos efectos que hace; de los cuales es uno el que pone aquí Salomón, cuando dice que *Confía en ella el corazón de su marido, y que no le harán mengua los despojos;* que es decir que, con ella, se contenta con la hacienda que heredó de sus padres, y con la labranza y frutos de ella, y que ni se adeuda, ni menos se enlaza con el peligro y desasosiego de otras granjerías y tratos, que por doquiera que se mire es grandísimo bien. Porque, si vamos a la consciencia, vivir uno de su patrimonio es vida inocente y sin pecado, y los demás tratos por maravilla carecen de él. Si al sosiego, el uno descansa en su casa; el otro lo más de la vida vive en los mesones y en los caminos. La riqueza del uno no ofende a nadie; la del otro es murmurada y aborrecida de todos. El uno come de la tierra, que jamás se cansa ni enoja de comunicarnos sus bienes; al otro desámanle esos mismos que le enriquecen.

Pues si miramos la honra, cierto es que no hay cosa ni más vil, ni más indigna del hombre que el engañar y el mentir; y cierto es que, por maravilla, hay trato de éstos que carezca de engaño.

¿Qué diré de la institución de los hijos, y de la orden de la familia, y de la buena disposición del cuerpo y del ánimo, sino que todo va por la misma manera? Porque necesaria cosa es que quien anda ausente de su casa, halle en ella muchos desconciertos, que nacen y crecen y toman fuerzas con la ausencia del dueño; y forzoso es a quien trata de engañar que le engañen; y que a quien contrata y se comunica con gentes de ingenio y de costumbres diversas, se le peguen muchas malas costumbres.

Mas, al revés, la vida del campo y el labrar uno sus heredades es una como escuela de inocencia y verdad; porque cada uno aprende de aquellos con quien negocia y conversa. Y como la tierra en lo que se le encomienda es fiel, y en el no mudarse es estable, y clara y abierta en brotar afuera y sacar a luz sus riquezas, y, para bien hacer, liberal y bastecida, así parece que engendra e imprime en los pechos de los que la labran una bondad particular, y una manera de condición sencilla, y un trato verdadero y fiel y lleno de entereza y de buenas y antiguas costumbres, cual se halla con dificultad en las demás suertes de hombres. Allende de que los cría sanos y valientes y alegres y dispuestos para cualquier linaje de bien. Y de todos estos provechos, la raíz de donde nacen y en que se sustentan es la buena guarda e industria de la mujer que decimos.

Mas es de ver en qué consiste esta guarda. Consiste en dos cosas: en que no sea costosa, y en que sea hacendosa. Y digamos de cada una por sí.

No ha de ser costosa ni gastadora la perfecta casada, porque no tiene para qué lo sea. Porque todos los gastos que hacemos son para proveer o a la necesidad o al deleite; para remediar las faltas naturales con que nacemos, de hambre y desnudez, o para abastecer a los particulares antojos y sabores que nosotros nos hacemos por nuestro vicio. Pues a las mujeres, en lo uno, la naturaleza les puso muy grande tasa; y, en lo otro, las obligó a que ellas mismas se la pusiesen. Que si decimos verdad y miramos lo natural, las faltas y necesidades de las mujeres son mucho menores que las de los hombres. Porque lo que toca al comer, es poco lo que les basta, por razón de tener menos calor natural. Y así es en ellas muy feo ser golosas o comedoras.

Y ni más ni menos cuanto toca al vestir, la naturaleza las hizo por una parte ociosas para que rompiesen poco, y por otra aseadas para que lo poco les luciese mucho. Y las que piensan que a fuerza de posturas y vestidos han de hacerse hermosas, viven muy engañadas; porque la que lo es, revuelta, lo es; y la que no, de ninguna manera lo es ni lo parece, y cuando más se atavía es más fea. Mayormente que la buena casada, de quien vamos tratando, cualquiera que ella sea, fea o hermosa, no ha de querer parecer otra de lo que es, como se dirá en su lugar.

Así que, cuanto a lo necesario, la naturaleza libró de mucha costa a las mujeres; y, cuanto al deleite y antojo, las ató con muy estrechas obligaciones para que no fuesen costosas. Y una de ellas es el encogimiento y modestia y templanza que deben a su natural; que, aunque el desorden y demasía y el dar larga rienda al vano y no necesario deseo es vituperable en todo linaje de gentes, en el de las mujeres que nacieron para sujeción y humildad es mucho más vicioso y vituperable. Y, con ser esto así, no sé en qué manera acontece que cuanto son más obligadas a tener este freno, tanto, cuando le rompen, se desenfrenan más que los hombres y pasan la raya mucho más, y no tiene tasa ni fin su apetito.

Y así sea ésta la segunda causa que las obliga a ser muy templadas en los gastos de sus antojos, porque, si comienzan a destemplarse, se destemplan sin término, y son como un pozo sin suelo, que nada les basta, y como una carcoma, que de continuo roe, y como una llama encubierta, que se enciende sin sentir por la casa y por la hacienda hasta que la consume. Porque no es gasto de un día el suyo, sino de cada día; ni costa que se hace una vez en la vida, sino que dura por toda ella; ni son, como suelen decir, muchos pocos, sino muchos y muchos. Porque, si dan en golosear, toda la vida es el almuerzo y la merienda y la huerta y la comadre y el día bueno; y, si dan en galas, pasa el negocio de pasión y llega a increíble desatino y locura. Porque hoy un vestido, y mañana otro, y cada fiesta con el suyo; y lo que hoy hacen, mañana lo deshacen; y cuanto ven, tanto se les antoja.

Y aun pasa más adelante el furor, porque se hacen maestras e inventoras de nuevas invenciones y trajes, y hacen honra de sacar a luz lo que nunca fue visto. Y como todos los maestros gusten de tener discípulos que los imiten, ellas son tan perdidas que, en viendo en otra sus invenciones, las aborrecen, y estudian y se desvelan por hacer otras. Y crece la frenesía más, y ya no les place tanto lo galano y hermoso como lo costoso y preciado. Y ha de venir la tela de no sé dónde, y el brocado de más altos, y el ámbar que bañe el guante, y la cuera, y aun hasta el zapato, el cual ha de relucir en oro también como el tocado; y el manteo ha de ser más bordado que la basquiña; y todo nuevo, y todo reciente, y todo hecho de ayer para vestirlo hoy y arrojarlo mañana. Y como los caballos desbocados, cuando toman el freno, cuanto más corren tanto van más desapoderados; y como la piedra que cae de lo alto, cuanto más desciende tanto más se apresura, así la sed de éstas crece en ellas con el beber; y un gran desatino y exceso que hacen les es principio de otro mayor, y cuanto más gastan, tanto les place más el gastar.

Y aun hay en ello otro daño muy grande: que los hombres, si les acontece ser gastadores, las más veces lo son en cosas, aunque no necesarias, pero duraderas u honrosas, o que tienen alguna parte de utilidad y provecho, como los que edifican suntuosamente, y los que mantienen grande familia, o como los que gustan de tener muchos caballos. Mas el gasto de las mujeres es todo en el aire; el gasto muy grande, y aquello en que se gasta ni vale ni luce: en volantes y en guantes y en pebetes y cazoletas y azabaches y vidrios y musarañas, y en otras cosillas de la tienda, que ni se pueden ver sin asco ni menear sin hedor. Y muchas veces no gasta tanto un letrado en sus libros, como alguna dama en enrubiar los cabellos. ¡Dios nos libre de tan gran perdición!

Y no quiero ponerlo todo a su culpa, que no soy tan injusto, que gran parte de aquesto nace de la mala paciencia de sus maridos. Y pa-

sara yo agora la pluma a decir algo dellos, si no me detuviera la compasión que les he; porque si tienen culpa, pagan la pena de ello con las
setenas.

Pues no sea la perfecta casada costosa, ni ponga la honra en gastar
más que su vecina, sino tenga su casa más bien abastada que ella y más
reparada, y haga con su aliño y aseo que el vestido antiguo le está como
nuevo, y que, con la limpieza, cualquiera cosa que se pusiere le parezca
muy bien, y el traje usado y común cobre de su aseo de ella no usado
ni común parecer. Porque el gastar en la mujer es contrario de su oficio
y demasiado para su necesidad, y para los antojos vicioso y muy torpe, y
negocio infinito que asuela las casas y empobrece a los moradores y los
enlaza en mil trampas y los abate y envilece por diferentes maneras.

Y a este mismo propósito es y pertenece lo que se sigue.

CAPITULO III

[DE LA OBLIGACIÓN QUE TIENEN LOS CASADOS DE AMARSE Y DESCANSARSE EN LOS TRABAJOS MUTUAMENTE]

Pagóle con bien y no con mal todos los días de su vida.

Que es decir que ha de estudiar la mujer, no en empeñar a su marido, meterle en enojos y cuidados, sino en librarle de ellos y en serle perpetua causa de alegría y descanso. Porque ¿qué vida es la de aquel que ve consumir su patrimonio en los antojos de su mujer, y que sus trabajos se los lleva el río, o por mejor decir, el albañar, y que, tomando cada día nuevos censos y creciendo de continuo sus deudas, vive vil esclavo, aherrojado del joyero y del mercader?

Dios, cuando quiso casar al hombre, dándole mujer, dijo: *Hagámosle un ayudador su semejante.* De donde se entiende que el oficio natural de la mujer y el fin para que la crió, es para que sea ayudadora del marido y no su calamidad y desventura; ayudadora y no destruidora. Para que le alivie de los trabajos que trae consigo la vida casada, y no para que le añada nuevas cargas. Para repartir entre sí los cuidados y tomar ella su parte, y no para dejarlos todos al miserable, mayores y más acrecentados. Y, finalmente, no las crió Dios para que sean rocas donde quiebren los maridos, y hagan naufragio de las haciendas y vidas, sino para puertos deseados y seguros, en que viniendo a sus casas reposen, y se rehagan de las tormentas de negocios pesadísimos que corren fuera de ellas. Y así como sería cosa lastimera, si aconteciese a un mercader que, después de haber padecido, navegando, grandes fortunas, y después de haber doblado muchas puntas y vencido muchas corrientes y navegado por muchos lugares no navegados y peligrosos, habiéndole Dios librado de todos, y viniendo ya con su nave entera y rica, y él gozoso y alegre, para descansar en el puerto, quebrase en él y se anegase; así es lamentable miseria la de los hombres que bracean y forcejean todos los días contra las corrientes de los trabajos y fortunas de esta vida, y se vadean en ellas, y en el puerto de sus casas perecen; y les es la guarda destrucción, y el alivio mayor cuidado, y el sosiego olas de tempestad, y el seguro y el abrigo Scila y Caribdis, y peñasco áspero y duro.

Por donde lo justo y lo natural es que cada uno sea aquello mismo para que es; y que la guarda sea guarda, y el descanso paz, y el puerto seguridad, y la mujer dulce y perpetuo refrigerio y alegría de corazón y como un halago blando, que continuamente esté trayendo la mano y enmolleciendo el pecho de su marido, y borrando los cuidados de él;

20

y como dice Salomón: *Hale de pagar bien y no mal todos los días de su vida.*

Y dice, no sin misterio, que *le ha de pagar bien,* para que se entienda que no es gracia y liberalidad este negocio, sino justicia y deuda que la mujer al marido debe, y que su naturaleza cargó sobre ella criándola para este oficio, que es agradar y servir y alegrar, y ayudar en los trabajos de la vida y en la conservación de la hacienda a aquel con quien se desposa. Y que, como el hombre está obligado al trabajo del adquirir, así la mujer tiene obligación al conservar y guardar; y que aquesta guarda es como paga y salario que de derecho se debe a aquel servicio y sudor. Y que como él está obligado a llevar las pesadumbres de fuera, así ella le debe sufrir y solazar cuando viene a su casa, sin que ninguna excusa la desobligue.

Bien a propósito de esto es el ejemplo que San Basilio trae, y lo que acerca de él dice: *La víbora,* dice, *animal ferocísimo entre las sierpes, va diligente a casarse con la lamprea marina; llegada, silba, como dando señas de que está allí, para de esta manera atraerla de la mar, a que se abrace maridablemente con ella. Obedece la lamprea, y júntase con la ponzoñosa fiera sin miedo.—¿Qué digo en esto? ¿Qué—Que por más áspero y de más fieras condiciones que el marido sea, es necesario que la mujer le soporte y que no consienta por ninguna ocasión que se divida la paz.—¡Oh, que es un verdugo!—Pero es tu marido.—¡Es un beodo!—Pero el ñudo matrimonial le hizo contigo uno.—¡Un áspero, un desapacible!—Pero miembro tuyo ya, y miembro el más principal. Y porque el marido oiga lo que le conviene también, la víbora entonces, teniendo respeto al ayuntamiento que hace, aparta de sí su ponzoña. ¿Y tú no dejarás la crueza inhumana de tu natural por honra del matrimonio?* Esto es de Basilio.

Y demás de esto, decir Salomón que la buena casada *paga bien y no mal* a su marido, es avisarle a él que, pues ha de ser paga, lo merezca él primero, tratándola honrada y amorosamente. Porque, aunque es verdad que la naturaleza y estado pone obligación en la casada, como decimos, de mirar por su casa y de alegrar y descuidar continuamente a su marido, de la cual ninguna mala condición de él la desobliga, pero no por eso han de pensar ellos que tienen licencia para serles leones y para hacerlas esclavas; antes, como en todo lo demás, es la cabeza el hombre; así todo este trato amoroso y honroso ha de tener principio del marido. Porque ha de entender que es compañera suya, o por mejor decir parte de su cuerpo, y parte flaca y tierna, y a quien por el mismo caso se debe particular cuidado y regalo. Y esto San Pablo, o en San Pablo Jesucristo, lo manda así, y usa, mandándolo, de aquesta misma razón, diciendo: *Vosotros, los maridos, amad a vuestras mujeres;* y como a vaso más flaco poned más parte de vuestro cuidado en honrarlas y tratarlas bien. Porque así como a un vaso rico y bien labrado, si es de vidrio, le rodeamos de vasera; y como en el cuerpo vemos que a los miembros más tiernos y más ocasionados para recibir daño, la naturaleza los dotó de mayores defensas, así en la casa a la mujer, como a parte más flaca, se le debe mejor tratamiento. Demás de que el hombre, que es la cordura y el valor y el seso y el maestro, y todo el buen ejemplo de su casa y familia, ha de haberse con su mujer como quiere que ella se haya con él, y enseñarle con su ejemplo lo que quiere que ella haga con él mismo, haciendo que de su buena manera de él y de su amor aprenda ella a desvelarse en agradarle. Que si el que tiene más

seso y corazón más esforzado, y sabe condescender en unas cosas y
llevar con paciencia algunas otras, en todo con razón y sin ella quiere
ser impaciente y furioso, ¿qué maravilla es que la flaqueza y el poco
saber y el menudo ánimo de la mujer dé en ser desgraciado y penoso?

Y aun en esto hay otro mayor inconveniente: que como son pusilá-
nimes las mujeres de su cosecha, y poco inclinadas a las cosas que son
de valor, si no las alientan a ellas, cuando son maltratadas y tenidas en
poco de sus maridos, pierden el ánimo más y decáenseles las alas del
corazón, y no pueden poner ni las manos ni el pensamiento en cosa
que buena sea, de donde vienen a cobrar siniestros vilísimos. Y de la
manera que el agricultor sabio, a las plantas que miran y se inclinan
al suelo, y que si las dejasen se tenderían rastrando por él, no las deja
caer, sino, con horquillas y estacas que les arrima, las endereza y levanta para que crezcan al cielo, ni más ni menos el marido cuerdo no
ha de oprimir ni envilecer con malas obras y palabras el corazón de la
mujer, que es caedizo y apocado de suyo, sino al revés, con amor y con
honra la ha de levantar y animar para que siempre conciba pensamientos honrosos.

Y pues la mujer, como arriba dijimos, se dio al hombre para alivio
de sus trabajos, y para reposo y dulzura y regalo, la misma razón y naturaleza pide que sea tratada de él dulce y regaladamente. Porque ¿a
dó se consiente que desprecie ninguno a su alivio, ni que enoje a su
descanso, ni que traiga guerra perpetua y sangrienta con lo que tiene
nombre y oficio de paz? O ¿en qué razón se permite que esté ella obligada a pagarle servicio y contento, y que él se desobligue de merecér-
selo? Pues adéudelo él, y páguelo ella porque se lo debe; y aunque no
lo deba, lo pague; porque, cuando él no lo supiere adeudar, lo que debe
a Dios y a su oficio pone sobre ella esta deuda de agradar siempre a su
marido, guardando su persona y su casa, y no siéndole, como arriba está
dicho, costosa y gastadora, que es la primera de las dos cosas en que,
como dijimos, consiste esta guarda.

Y contentándonos con lo que de ella habemos escrito, vengamos
agora a la segunda, que es el ser hacendosa, a lo cual pertenece lo que
Salomón añade, diciendo:

CAPITULO IV

[POR QUÉ SE VALE EL ESPÍRITU SANTO DE LA MUJER DE UN LABRADOR PARA DECHADO DE LAS PERFECTAS CASADAS; Y CÓMO TODAS ELLAS, POR MÁS NOBLES Y RICAS QUE SEAN, DEBEN TRABAJAR Y SER HACENDOSAS]

> *Buscó lana y lino, y obró con el saber de sus manos.*

No dice que el marido le compró lino para que ella labrase, sino que ella lo *buscó;* para mostrar que la primera parte de ser hacendosa es que sea aprovechada y que de los salvados de su casa y de las cosas que sobran y que parecen perdidas, y de aquello de que no hace cuenta el marido, haga precio ella para proveerse de lino y de lana, y de las demás cosas que son como éstas, las cuales son como las armas y el campo adonde descubre su virtud la buena mujer. Porque ajuntando su artificio ella, y ayudándolo con la vela e industria suya y de sus criadas, sin hacer nueva costa y como sin sentir, cuando menos pensare, hallará su casa abastada y llena de riquezas.

Pero dirán, por ventura, las señoras delicadas de agora que esta pintura es grosera, y que aquesta casada es mujer de algún labrador, que hila y teje, y mujer de estado diferente del suyo, y que así no habla con ellas. A lo cual respondemos que esta casada es el perfecto dechado de todas las casadas, y la medida con quien, así las de mayores como las de menores estados, se han de ajustar cuanto a cada una le fuere posible; y es como el padrón de esta virtud, al cual la que más se avecina es más perfecta. Y bastante prueba de ello es que el Espíritu Santo, que nos hizo y nos conoce, queriendo enseñar a la casada su estado, la pinta de esta manera.

Mas porque quede más entendido, tomemos el agua de su principio y digamos así. Tres maneras de vidas son en las que se reparten y a las que se reducen todas las maneras de viviendas, que hay entre los que viven casados; porque o labran la tierra, o se mantienen de algún trato y oficio, o arriendan sus haciendas a otros y viven ociosos del fruto de ellas. Y así una manera de vida es la de los que labran, y llamésmosla vida de labranza; y otra la de los que tratan, y llamésmosla vida de contratación; y la tercera, de los que comen de sus tierras, pero labradas con el sudor de los otros, y tenga por nombre vida descansada.

A la vida de labranza pertenece no sólo el labrador, que con un par de bueyes labra su peguijar, sino también los que con muchas yuntas y con copiosa y gruesa familia rompen los campos y apacientan grandes ganados.

La otra vida que dijimos, de contratación, abraza al tratante pobre y al mercader grueso, y al oficial mecánico, y al artífice, y al soldado, y finalmente, a cualquiera que vende o su trabajo, o su arte o su ingenio.

La tercera, vida ociosa, el uso la ha hecho propia agora de los que se llaman nobles y caballeros y señores; los que tienen o renteros o vasallos, de donde sacan sus rentas.

Y si alguno nos preguntare cuál de estas tres vidas sea la más perfecta y mejor vida, decimos que la de la labranza es la primera y la verdadera; y que las demás dos, por la parte que se avecinan con ella y en cuanto le parecen, son buenas; y según que de ellas se desvían, son peligrosas. Porque se ha de entender que en esta vida primera, que decimos de labranza, hay dos cosas: ganancia y ocupación. La ganancia es inocente y natural, como arriba dijimos, y sin agravio o disgusto ajeno; la ocupación es loable y necesaria, y maestra de toda virtud.

La segunda vida de contratación se comunica con ésta en lo segundo, porque es también vida ocupada como ella y esto es lo bueno que tiene; pero diferénciase en lo primero, que es la ganancia, porque la recoge de las haciendas ajenas, y las más veces con disgusto de los dueños de ellas, y pocas veces sin alguna mezcla de engaño. Y así, cuanto a esto, tiene algo de peligro y es menos bien reputada.

En la tercera y última vida, si miramos a la ganancia, cuasi es lo mismo que la primera; a lo menos nacen ambas a dos de una misma fuente, que es la labor de la tierra, dado que cuando llega a los de la vida que llamamos ociosa, por parte de los mineros por donde pasa, cobra algunas veces algún mal color del arrendamiento y del rentero, y de la desigualdad que en esto suele haber; pero, al fin, por la mayor parte y cuasi siempre es ganancia y renta segura y honrada; y por esta parte, aquesta tercera vida es buena vida. Pero, si atendemos a la ocupación, es del todo diferente de la primera, porque aquélla es muy ocupada, y ésta es muy ociosa, y por la misma causa muy ocasionada a daños y males gravísimos; de manera que lo perfecto y lo natural, en esto de que vamos hablando, es el trato de la labranza.

Y pudiera yo aquí agora extender la pluma, alabándola; mas dejarélo, por no olvidar mi propósito y porque es negocio sentenciado ya por los sabios antiguos, y que ha pasado en cosa juzgada su sentencia; y también porque a los que sabemos que Dios puso al hombre en esta vida, y no en otra, cuando le crió, y antes que hubiese pecado y cuando más le regalaba y quería, bástanos esto para saber que de todas las maneras de vivir sobredichas es aquésta la más natural y la mejor.

Pues dejando aquesto por cosa asentada, añadimos, prosiguiendo adelante, que en todas las cosas que son de un mismo linaje y que comunican en una misma razón, si acontece que entre ellas haya grados de perfección diferentes, y que aquello mismo que todas tienen esté en unas más entero y en otras menos, la razón pide que la más aventajada y perfecta sea como regla y dechado de las demás; que es decir que todas han de mirar a la más aventajada y avecinarse más a ella, cuanto les fuere posible, y que la que más se le allegare, será de mejor suerte. Claro ejemplo tenemos de esto en las estrellas y en el sol, los cuales todos son cuerpos llenos de luz; y el sol tiene más que ninguno de ellos, y es más lúcido y resplandeciente, y así es el que tiene la presidencia en la luz, y a quien todas las cosas lúcidas miran y siguen y de quien cogen sus luces, tanto más cada una cuanto se les acerca más.

Pues digo agora que como, entre todas las suertes de vivir de los hombres casados, tenga el más alto y perfecto grado de seguridad y bien la labranza, y sea ella, como está concluído, la medida y la regla que han de seguir, y el dechado que han de imitar y el blanco adonde han de mirar y a quien se han de hacer vecinas las demás suertes cuanto pudieren, no convenía en ninguna manera que el Espíritu Santo, que pretende poner aquí una que sea como dechado de las casadas, pusiese, o una mercadera, mujer de los que viven de contratación, o una señora regalada y casada con un ocioso caballero. Porque la una y la otra suerte son suertes imperfectas y menos buenas, y por la misma causa inútiles para ser puestas por ejemplo general y por dechado, sino escogió la mejor suerte, e hizo una pintura de perfecta mujer en ella y púsola como delante de los ojos a todas las mujeres, así a las que tienen aquella condición de vida, como a las de diferentes estados, para que fuese común a todas: a las del mismo estado, para que se ajustasen del todo con ella; y a las de otra manera, para que se le acercasen e hiciesen semejantes cuanto les fuese posible. Porque, aunque no sea de todas el lino y la lana y el huso y la tela y el velar sobre sus criadas y el repartirles las tareas y las raciones, pero en todas hay otras cosas que se parecen a éstas y que tienen parentesco con ellas, y en que han de velar y se han de remirar las buenas casadas con el mismo cuidado que aquí se dice. Y a todas, sin que haya en ello excepción, les está bien, y les pertenece a cada una en su manera el no ser perdidas y gastadoras, y el ser hacendosas y acrecentadoras de sus haciendas.

Y si el regalo y el mal uso de agora ha persuadido que el descuido y el ocio es parte de nobleza y de grandeza, y si las que se llaman señoras hacen estado de no hacer nada y de descuidarse de todo, y si creen que la granjería y labranza es negocio vil y contrario de lo que es señorío, es bien que se desengañen con la verdad. Porque, si volvemos atrás los ojos y si tendemos la vista por los tiempos pasados, hallaremos que siempre que reinó la virtud, la labranza y el reino anduvieron hermanados y juntos. Y hallaremos que el vivir de la granjería de su hacienda era vida usada, y que les acarreaba reputación a los príncipes y grandes señores. Abraham, hombre riquísimo y padre de toda la verdadera nobleza, rompió los campos. Y David, rey invencible y glorioso, no sólo antes del reino apacentó las ovejas, pero, después de rey, los pechos de que se mantenía eran sus labranzas y sus ganados. Y de los romanos, señores del mundo, sabemos que del arado iban al consulado, que es decir, al mando y gobierno de toda la tierra, y volvían del consulado al arado.

Y si no fuera esta vida de nobles, y no sólo usada y tratada por ellos, sino también debida y conveniente a los mismos, nunca el poeta Homero en su poesía, que fue imagen viva de lo que a cada una persona y estado convino, introdujera a Elena, reina noble, que cuando salió a ver a Telémaco asentada en su cadira, una doncella suya le pone al lado en un rico canastillo copos de lana ya puestos a punto para hilar, y husadas ya hiladas y la rueca para que hilase. Ni en el palacio de Alcinoo, príncipe de su pueblo, riquísimo, de cien damas que tenía a su servicio, hiciera, como hace, hilanderas a las cincuenta. Y la tela de Penélope, princesa de Ítaca, y su tejer y destejer, no la fingiera el juicio de un tan grande poeta, si la tela y el urdir fuera ajeno de las mujeres principales. Y Plutarco escribe que en Roma a todas las mujeres, por mayores que fuesen, cuando se casaban y cuando las llevaba el ma-

rido a su casa, a la primera entrada de ella y como en el umbral, les
tenían, como por ceremonia necesaria, puesta una rueca para que lo
que primero viesen al entrar en su casa les fuese aviso de aquello en que
se habían de emplear en ella siempre.

Pero ¿qué es menester traer ejemplos tan pasados y antiguos, y poner
delante los ojos lo que de muy apartado cuasi se pierde de vista? Sin
salir de nuestras casas, dentro de España y casi en la edad de nuestros
abuelos, hallamos claros ejemplos de esta virtud, como de la reina cató-
lica doña Isabel, princesa bienaventurada, se lee.

Y si las que se tienen agora por tales y se llaman duquesas y reinas,
no se persuaden bien por razón, hagan experiencia de ello por algún
breve tiempo, y tomen la rueca y armen los dedos con la aguja y dedal,
y cercadas de sus damas y en medio de ellas hagan labores ricas con
ellas, y engañen algo de la noche con este ejercicio, y húrtense al vicioso sueño para entender en él, y ocupen los pensamientos mozos de sus
doncellas en estas haciendas, y hagan que, animadas con el ejemplo de
la señora, contiendan todas entre sí procurando de aventajarse en el ser
hacendosas. Y cuando para el aderezo o provisión de sus personas y
casas no les fuere necesaria aquesta labor —aunque ninguna casa hay
tan grande, ni tan real, adonde semejantes obras no traigan honra y
provecho—, pero cuando no para sí, háganlo para remedio y abrigo
de cien pobrezas y de mil necesidades ajenas.

Así que traten las duquesas y las reinas el lino, y labren la seda, y
den tarea a sus damas, y pruébense con ellas en estos oficios, y pongan
en estado y honra aquesta virtud; que yo me hago valiente de alcanzar
del mundo que las loe, y de sus maridos, los duques y reyes, que las
precien por ello y que las estimen; y aun acabaré con ellos que, en
pago de este cuidado, las absuelvan de otros mil importunos y memorables trabajos, con que atormentan sus cuerpos y rostros; y que las
excusen y libren del leer en los libros de caballerías, y del traer el soneto y la canción en el seno, y del billete y del donaire, de los recaudos,
y del terrero y del sarao y de otras cien cosas de este jaez, aunque
nunca las hagan.

Por manera que la buena casada, en este artículo de que vamos hablando, de ser hacendosa y casera, ha de ser o labradora en la forma
que dicho es, o semejante a labradora todo cuanto pudiere.

Y porque del ser hacendosa decíamos que era la primera parte ser
aprovechada, y que por esta causa Salomón no dijo que el marido le
compraba lino a esta mujer, sino que ella lo buscaba y compraba, es
de advertir lo que en esto acontece; que algunas, ya que se disponen a
ser hacendosas, por faltarles esta parte de aprovechadas, son más caras
y más costosas labrando que antes eran desaprovechadas holgando. Porque cuanto hacen y labran, ha de venir todo de casa del joyero y del
mercader, o fiado o comprado a mayores precios; y quiere la ventura
después que, habiendo venido mucho del oro y mucha de la seda y
aljófar, para todo el artificio y trabajo en un arañuelo de pájaros, o en
otra cosa semejante de aire.

Pues a estas tales mándenlas sus maridos que descansen y huelguen,
o ellas lo harán sin que se lo manden, porque muy menos malas son
para el sueño que para el trabajo y la vela; que lo casero y lo hacendoso de una buena mujer, gran parte de ello consiste en que ninguna
cosa de su casa quede desaprovechada, sino que todo cobre valor y

crezca en sus manos, y que, como sin saber de qué, se haga rica y saque tesoro, a manera de decir, de entre las barreduras de su portal.

Y si el descender a cosas menudas no fuera hacer particular esta doctrina que el Espíritu Santo quiso que fuese general y común, yo trujera agora a Vmd. por toda su casa, y en cada uno de los rincones de ella le dijera lo que hay de provecho; mas Vmd. lo sabe bien y lo hace mejor, y las que se aplican a esta virtud, de sí mismas lo entienden; como, al revés, las que son perdidas y desaprovechadas, por más que se les diga, nunca lo aprenden.

Pero veamos lo que después de aquesto se sigue.

CAPITULO V

*Fue como navío de mercader, que de lueñe
trae su pan.*

Pan llama la Sagrada Escritura a todo aquello que pertenece y ayuda a la provisión de nuestra vida. Pues compara a esta su casada Salomón a un *navío de mercader,* bastecido y rico. En lo cual hermosa y eficazmente da a entender la obra y el provecho de esto que tratamos y llamamos casero y hacendoso en la mujer.

La nao, lo uno corre la mar por diversas partes, pasa muchos senos, toca en diferentes tierras y provincias, y en cada una de ellas coge lo que en ellas hay bueno y barato; y con sólo tomarlo en sí y pasarlo a su tierra le da mayor precio, y dobla y tresdobla la ganancia. Demás de esto la riqueza que cabe en una nao y la mercadería que abarca no es riqueza la que basta a un hombre solo o a un género de gente particular, sino es provisión entera para una ciudad y para todas las diferencias de gentes que hay en ella; trae lienzos y sedas, y brocados y piedras ricas, y obras de oficiales hermosas y de todo género de bastimentos, y de todo gran copia.

Pues esto mismo acontece a la mujer casera, que, como la nave corre por diversas tierras buscando ganancia, así ella ha de rodear de su casa todos los rincones y recoger todo lo que pareciere estar perdido en ellos y convertirlo en utilidad y provecho, y tentar la diligencia de su industria y como hacer prueba de ella, así en lo menudo como en lo granado. Y como el que navega a las Indias, de las agujas que lleva y de los alfileres y de otras cosas de aqueste jaez que acá valen poco, y los indios las estiman en mucho, trae rico oro y piedras preciosas, así esta nave que vamos pintando ha de convertir en riqueza lo que pareciere más desechado, y convertirlo sin parecer que hace algo en ello, sino con tomarlo en la mano y tocarlo; como hace la nave, que sin parecer que se menea, nunca descansa; y cuando los otros duermen, navega ella y acrecienta, con sólo mudar el aire, el valor de lo que recibe. Y así la hacendosa mujer, estando asentada, no para; durmiendo, vela; y, ociosa, trabaja, y cuasi sin sentir cómo o de qué manera, se hace rica.

Visto habrá Vmd. alguna mujer como ésta, y dentro de su casa debe haber no pequeño ejemplo de aquesta virtud. Pero si no quiere acordarse de sí y quiere ver con cuánta propiedad y verdad es nao la casera, ponga delante los ojos una mujer que rodea su casa, y de lo que en ella parece perdido hace dinero, y compra lana y lino, y, junta con sus criadas, lo adereza y lo labra. Y verá que, estándose sentada con sus mujeres, volteando el huso en la mano y contando consejas —como la nave que, sin parecer que se muda, va navegando—, y pasando un día y sucediendo otro, y viniendo las noches y amaneciendo las mañanas, y corriendo, como sin menearse, la obra, se teje la tela y se labra el paño y se acaban las ricas labores; y cuando menos pensamos, llenas las velas de prosperidad, entra esta nuestra nave en el puerto y comienza a desplegar sus riquezas; y sale de allí el abrigo para los criados,, y el vestido para los hijos, y las galas suyas y los arreos para su marido, y las camas ricamente labradas, y los atavíos para las paredes y salas, y los labrados hermosos y el abastecimiento de todas las alhajas de casa, que es un tesoro sin suelo.

Y dice Salomón que trae esta nave de lueñe su pan; porque si Vmd. coteja el principio de esta obra con el fin de ella, y mide bien los caminos por donde se viene a este puerto, apenas se alcanzará cómo se pudo llegar a él, ni cómo fué posible de tan delgados y apartados principios venirse a hacer después un tan caudaloso río.

Mas pasemos a lo que después de esto se sigue.

CAPITULO VI

[PONDÉRASE LA OBLIGACIÓN DE MADRUGAR EN LAS CASADAS, Y SE PERSUA-
DE A ELLO CON UNA HERMOSA DESCRIPCIÓN DE LAS DELICIAS QUE SUELE
TRAER CONSIGO LA MAÑANA. AVÍSASE TAMBIÉN QUE EL LEVANTARSE TEM-
PRANO DE LA CAMA HA DE SER PARA ARREGLAR A LOS CRIADOS Y PROVEER
A LA FAMILIA]

> *Madrugó y repartió a sus gañanes las ra-
> ciones; la tarea a sus mozas.*

Es, como habemos dicho, esta casada que pinta aquí y pone por
ejemplo de las buenas casadas el Espíritu Santo, mujer de un hombre
de los que viven de labranza. Y la razón por qué pone por dechado a
una mujer de esta suerte y no de las otras maneras, también está dicha.
Pues como en las casas semejantes la familia que ha de ir a las cosas
del campo es menester que madrugue muy de mañana, y porque no
vuelve a casa hasta la noche, es menester también que lleven consigo
la provisión de la comida y almuerzo, y que se les reparta a cada uno,
así la ración de su mantenimiento como las obras y haciendas en que
han de emplear su trabajo aquel día. Pues como esto sea así, dice Salomón que su *buena casada* no encomendó este cuidado a alguna de sus
sirvientas, y se quedó ella regalando con el sueño de la mañana descui-
dadamente en su cama, sino que se levantó la primera y que ganó por
la mano al lucero y amaneció ella antes que el sol, y por sí misma y
no por mano ajena proveyó a su gente y familia, así en lo que habían
de hacer como en lo que habían de comer. En lo cual enseña y manda
a las que son de esta suerte que lo hagan así, y a las que son de suertes diferentes que usen de la misma vela y diligencia. Porque, aunque
no tengan gañanes ni obreros que enviar al campo, tienen cada una en
su suerte y estado otras cosas que son como éstas, y que tocan al buen
gobierno y provisión de su casa ordinario y de cada día, que las obligan
a que despierten y se levanten y pongan en ello su cuidado y sus manos.
   Y así con estas palabras, dichas y entendidas generalmente, avisa
de dos cosas el Espíritu Santo, y añade como dos nuevos colores de
perfección y virtud a esta mujer casada que va dibujando: la una es
que sea madrugadora, y la otra que, madrugando, provea ella luego y
por sí misma lo que la orden de su casa pide. Que ambas a dos son
importantísimas cosas.
   Y digamos de lo primero.
   Mucho se engañan los que piensan que, mientras ellas cuya es la
casa, y a quien propiamente toca el bien y el mal de ella, duermen y se
descuidan, cuidará y velará la criada, que no le toca y que, al fin, lo

30

mira todo como ajeno. Porque si el amo duerme, ¿por qué despertará el criado? Y si la señora, que es y ha de ser el ejemplo y la maestra de su familia, y de quien ha de aprender cada una de sus criadas lo que conviene a su oficio se olvida de todo, por la misma razón y con mayor razón los demás serán olvidadizos y dados al sueño. Bien dijo Aristóteles en este mismo propósito que «el que no tiene buen dechado no puede ser buen remedador». No podrá el siervo mirar por la casa, si ve que el dueño se descuida de ella.

De manera que ha de madrugar la casada para que madrugue su familia. Porque ha de entender que su casa es un cuerpo, que ella es el alma de él, y que como los miembros no se mueven, si no son movidos del alma, así sus criadas si no las menea ella y las levanta y mueve a sus obras, no se sabrán menear.

Y cuando las criadas madrugasen por sí, durmiendo su ama y no la teniendo por testigo y por guarda suya, es peor que madruguen, porque entonces la casa por aquel espacio de tiempo es como pueblo sin rey y sin ley, y como comunidad sin cabeza; y no se levantan a servir, sino a robar y destruir; y es el propio tiempo para cuando ellas guardan sus hechos. Por donde, como en el castillo que está en frontera o en el lugar que se teme de los enemigos, nunca falta la vela, así en la casa bien gobernada, en tanto que están despiertos los enemigos, que son los criados, siempre ha de velar el señor. Él es el que ha de ir al lecho el postrero, y el primero que ha de levantarse del lecho.

Y la señora y la casada que esto no hiciere, haga el ánimo ancho a su gran desventura, persuadida y cierta que le han de entrar los enemigos el fuerte, y que un día sentirá el daño, y otro verá el robo, y de contino el enojo y el mal recaudo y servicio, y que al mal de la hacienda acompañará también el mal de la honra. Y como dice Cristo en el Evangelio, *que mientras el padre de la familia duerme, siembra el enemigo la cizaña*, así ella con su descuido y sueño meterá la libertad y la deshonestidad por su casa, que abrirá las puertas y falseará las llaves, y quebrantará los candados y penetrará hasta los postreros secretos, corrompiendo a las criadas y no parando hasta poner su inficion en las hijas; con que la señora, que no supo entonces ni quiso por la mañana despedir de los ojos el sueño ni dejar de dormir un poco, lastimada y herida en el corazón, pasará en amargos suspiros muchas noches, velando.

—Mas es trabajoso el madrugar y dañoso para la salud.

—Cuando fuera así, siendo por otra parte tan provechoso y necesario para el buen gobierno de la casa, y tan debido al oficio de la que se llama señora de ella, se había de posponer aquel daño; porque más debe el hombre a su oficio que a su cuerpo, y mayor dolor y enfermedad es traer de contino su familia desordenada y perdida, que padecer un poco, o en el estómago de flaqueza o en la cabeza de pesadumbre.

Pero, al revés, el madrugar es tan saludable que la razón sola de la salud, aunque no despertara el cuidado y obligación de la casa, había de levantar de la cama, en amaneciendo, a las casadas. Y guarda en esto Dios, como en todo lo demás, la dulzura y suavidad de su sabio gobierno, en que aquello a que nos obliga es lo mismo que más conviene a nuestra naturaleza, y en que recibe por su servicio lo que es nuestro provecho.

Así que no sólo la casa, sino también la salud pide a la buena mujer que madrugue. Porque cierto es que es nuestro cuerpo del metal de los otros cuerpos y que la orden que guarda la naturaleza para el bien y conservación de los demás, esa misma es la que conserva y da salud a los hombres. Pues ¿quién no ve a aquella hora despierta el mundo todo junto, y que la luz nueva, saliendo, abre los ojos de los animales todos, y que, si fuese entonces dañoso dejar el sueño, la naturaleza, que en todas las cosas generalmente y en cada una por sí esquiva y huye el daño, y sigue y apetece el provecho, o que, para decir la verdad, es ella eso mismo que a cada una de las cosas conviene y es provechoso, no rompiera tan presto el velo de las tinieblas que nos adormecen, ni sacara por el Oriente los claros rayos del sol, o, si los sacara, no les diera tantas fuerzas para nos despertar? Porque si no despertase naturalmente la luz, no le cerrarían las ventanas tan diligentemente los que abrazan el sueño. Por manera que la naturaleza, pues nos envía la luz, quiere sin duda que nos despierte. Y pues ella nos despierta, a nuestra salud conviene que despertemos.

Y no contradice a esto el uso de las personas que agora el mundo llama señores, cuyo principal cuidado es vivir para el descanso y regalo del cuerpo, las cuales guardan la cama hasta las doce del día. Antes esta verdad, que se toca con las manos, condena aquel vicio, del cual ya por nuestros pecados o por sus pecados de ellos mismos, hacen honra y estado; y ponen parte de su grandeza en no guardar, ni aun en esto, el concierto que Dios les pone. Castigaba bien una persona, que yo conocí, esta torpeza, y nombrábala con su merecido vocablo. Y aunque es tan vil, como lo es el hecho, daráme Vmd. licencia para que lo ponga aquí, porque es palabra que cuadra. Así que, cuando le decía alguno que era *estado* en los señores este dormir, solía él responder que se erraba la letra, y por decir *establo* decían *estado*.

Y ello a la verdad es así, que aquel desconcierto de vida tiene principio y nace de otro mayor desconcierto, que está en el alma y es causa él también y principio de muchos otros desconciertos torpes y feos. Porque la sangre y los demás humores del cuerpo, con el calor del día y del sueño encendidos demasiadamente y dañados, no solamente corrompen la salud, mas también aficionan e inficionan el corazón feamente.

Y es cosa digna de admiración que, siendo estos señores en todo lo demás grandes seguidores, o por mejor decir, grandes esclavos de su deleite, en esto sólo se olvidan de él y pierden por un vicioso dormir lo más deleitoso de la vida, que es la mañana. Porque entonces la luz, como viene después de las tinieblas y se halla como después de haber sido perdida, parece ser otra y hiere el corazón del hombre con una nueva alegría; y la vista del cielo entonces y el colorear de las nubes y el descubrirse la aurora, que no sin causa los poetas la coronan de rosas, y el aparecer la hermosura del sol es una cosa bellísima. Pues el cantar de las aves, ¿qué duda hay sino que suena entonces más dulcemente? Y las flores y las yerbas y el campo todo despide de sí un tesoro de olor. Y como cuando entra el rey de nuevo en alguna ciudad se aderezа y hermosea toda ella, y los ciudadanos hacen entonces plaza y como alarde de sus mejores riquezas, así los animales, y la tierra y el aire y todos los elementos, a la venida del sol, se alegran y, como para recibirle, se hermosean y mejoran y ponen en público cada uno sus bienes. Y como los curiosos suelen poner cuidado y trabajo por ver semejantes recibimientos, así los hombres concertados y cuerdos, aun por sólo el gusto, no han de perder esta fiesta que hace toda la naturaleza al sol por las mañanas. Porque no es gusto de un solo sentido, sino general contentamiento de todos; porque la vista se deleita con el nacer de la luz, y con la figura del aire, y con el variar de las nubes; a los oídos las aves hacen agradable armonía; para el oler el olor que en aquella sazón el campo y las yerbas despiden de sí, es olor suavísimo. Pues el frescor del aire de entonces tiempla con grande deleite el humor calentado con el sueño, y cría salud y lava las tristezas del corazón, y no sé en qué manera le despierta a pensamientos divinos, antes que se ahogue en los negocios del día.

Pero si puede tanto con estos hijos de tinieblas el amor de ellas, que aun de día hacen noche y pierden el fruto de la luz con el sueño, y ni el deleite, ni la salud, ni la necesidad y provecho, que dicho habemos, son poderosos para los hacer levantar, Vmd., que es hija de luz, levántese con ella y abra la claridad de sus ojos cuando descubriere sus rayos el sol, y con pecho puro levante sus manos limpias al Dador de la luz, ofreciéndole con santas y agradecidas palabras su corazón; y después de hecho esto y de haber gozado del gusto del nuevo día, vuelta a las cosas de su casa, entienda en su oficio, que es lo otro que pide en esta letra el Espíritu Santo a la *buena casada,* como fin a quien se ordenó lo primero, que habemos dicho, del madrugar.

Porque no se entiende que, si madruga la casada, ha de ser para que, rodeada de botecillos y arquillas, como hacen algunas, se esté sentada tres horas afilando la ceja, y pintando la cara, y negociando con su espejo que mienta y la llame hermosa. Que, además del grave mal que hay en este artificio postizo, del cual se dirá en su lugar, es no conseguir el fin de su diligencia, y es faltar a su casa por ocuparse en cosas tan excusadas, que fuera menos mal el dormir.

Levántese, pues, y levantada gobierne su gente, y mire lo que se ha de proveer y hacer aquel día, y a cada uno de sus criados reparta su oficio; y como en la guerra el capitán, cuando ordena por hileras su escuadra, pone a cada un soldado en su propio lugar y le avisa a cada uno que guarde su puesto, así ella ha de repartir a sus criados sus obras y poner orden en todos.

En lo cual se encierran grandes provechos; porque lo uno, hácese lo que conviene con tiempo y con gusto; lo otro, para cuando alguna vez acontece que o la enfermedad o la ocupación tiene ausente a la señora, están ya los criados por el uso como maestros en todo aquello que deben hacer; y la voz y la orden de su ama, a la cual tienen hechos ya los oídos, aunque no la oigan entonces, les suena en ellos todavía y la tienen como presente, sin verla.

Y demás de esto, del cuidado del ama aprenden las criadas a ser cuidadosas, y no osan tener en poco aquello en que ven que se emplea la diligencia y el mandamiento de su señora; y como conocen que su vista y provisión de ella se extiende por todo, paréceles, y con razón, que en todo cuanto hacen la tienen como por testigo y presente; y así se animan, no sólo a tratar con fidelidad sus obras y oficios, sino también a aventajarse señaladamente en ellos. Y así crece el bien como espuma, y se mejora la hacienda, y reina el concierto y va desterrado el enojo. Y, finalmente, la vista y la presencia y la voz y el mando del ama, hacen a sus mozas no sólo que le sean provechosas, sino que ellas en sí no se hagan viciosas, lo cual también pertenece a su oficio.

Síguese.

CAPITULO VII

[LA PERFECTA CASADA NO SÓLO HA DE CUIDAR DE ABASTECER SU CASA Y
CONSERVAR LO QUE EL MARIDO ADQUIERE, SINO QUE HA DE ADELANTAR
TAMBIÉN LA HACIENDA]

*Vínole al gusto una heredad, y compróla,
y del fruto de sus palmas plantó viña.*

Esto no es algún nuevo precepto diferente de los pasados, ni otra
virtud particular que las dichas, sino antes es como una cosa que se
consigue y nace de ellas. Porque cierto es que la casada que fuere tan
tasada en sus gastos, y tan no curiosa por una parte, y por otra tan casera y veladora y aprovechada, no sólo conservará lo que su marido
adquiere, sino también ella lo acrecentará por su parte, que es lo que
aquí agora se dice; porque de tan grande industria y vela, el fruto no
puede ser sino grande. Por manera que a los demás títulos que, siguiendo esta doctrina de Dios, habemos dado a la buena mujer, añadimos
agora éste: que sea adelantadora de su hacienda, no como título diferente de los primeros, sino como cosa que se sigue de ellos y que declara la fuerza de los pasados, y lo que pueden y el hasta dónde han
de llegar.

Y así, decir que *compró heredamiento y que plantó viña del sudor
de su mano,* es avisarle que del ser casera, que se le pide, su propio
punto es no parar hasta esto, que es no sólo bastecer a su casa, sino
también adelantar su hacienda; no sólo hacer que lo que está dentro
de sus puertas esté bien proveído, sino hacer también que se acrecien-
ten en número los bienes y posesiones de fuera. Y es decirle que pre-
tenda y se precie ella también de, señalando como con el dedo alguna
parte de sus posesiones, poder decir claramente: *Éste es fruto de mis
trabajos; mi industria añadió esto a mi casa; de mis sudores fructificó
esta hacienda,* como lo han hecho en nuestros tiempos algunas.

Pero dirán que es esto pedir mucho.

Mas pregunto yo a las que lo dicen: ¿Qué es en esto lo que tienen
por mucho? ¿Tienen por mucho que de la diligencia y aprovechamiento
y labor de una mujer acompañada de sus mujeres salga cosa de tanto
valor como es esto? ¿O tienen por mucho que quiera ella gastar lo que
adquiere en estos aprovechamientos y haciendas y no en sus contentos
y galas? Si aquesto postrero es lo que les parece mucho en aquesta doctrina, no tienen razón, ni en tener otro gasto por más suyo, ni por más
apacible y gustoso, ni en pensar que se vende en la tienda cosa que,
comprada, las hermosee más que estas compras. Porque aquello pasa
en el aire, y el bien y honra y contento, juntamente con el buen nom-

34

bre que por esta otra vía se adquiere, como tiene raíces en la virtud, es duradero y perpetuo.

Mas si lo primero las espanta, porque no creen tanto bien de sus manos, lo uno hácense injuria a sí mismas y limitan su poder apocadamente; y lo otro, ellas saben que no es así y que pueden, si quieren aplicarse, pasar de esta raya, porque ¿adónde no llegará la que puede hacer y la que hiciere lo que sigue?

CAPITULO VIII

> *Ciñóse de fortaleza, y fortificó su brazo. Tomó gusto en el granjear; su candela no se apagó de noche. Puso sus manos en la tortera, y sus dedos tomaron el huso.*

Tenga valor la mujer, y plantará viña; ame el trabajo, y acrecentará su casa; ponga las manos en lo que es propio de su oficio y no se desprecie de él, y crecerán sus riquezas; no se desciña, esto es, no se enmollezca ni haga de la delicada, ni tenga por honra el ocio, ni por estado el descuido y el sueño, sino ponga fuerza en sus brazos, y acostumbre a la vela sus ojos, y saboréese en el trabajar, y no se desdeñe de poner las manos en lo que toca al oficio de las mujeres, por bajo y por menudo que sea, y entonces verá cuánto valen y adónde llegan sus obras.

Tres cosas le pide aquí Salomón, y cada una en su verso: que sea trabajadora, lo primero; y lo segundo, que vele; y lo tercero, que hile.

No quiere que se regale, sino que trabaje. Muchas cosas están escritas por muchos en loor del trabajo, y todo es poco para el bien que hay en él; porque es la sal que preserva de corrupción a nuestra vida y a nuestra alma. Mas yo no quiero decir aquí nada de lo general.

Lo que propiamente toca a la mujer casada, eso diré solamente; porque cuanto de suyo es la mujer más inclinada al regalo y más fácil a enmollecerse y desatarse con el ocio, tanto el trabajo le conviene más. Porque si los hombres, que son varones, con el regalo conciben ánimo y condición de mujeres y se afeminan, las mujeres, ¿qué serán si no lo que hoy día son muchas de ellas? Que la seda les es áspera, y la rosa dura, y les quebranta el tenerse en los pies, y del aire que suena se desmayan, y el decir la palabra entera les cansa, y aun hasta lo que dicen lo abortan, y no las ha de mirar el sol, y todas ellas son un melindre y un lixo y un asco. Y perdónenme porque les pongo este nombre, que es el que ellas más huyen, o, por mejor decir, agradézcanme que tan blandamente las nombro.

Porque quien considera lo que deben ser y lo que ellas mismas se hacen, y quien mira la alteza de su naturaleza y la bajeza en que ellas se ponen por su mala costumbre, y coteja con lo uno lo otro, poco dice en llamarlas así; y si las llamase *cieno*, que corrompe el aire y le inficiona, y *abominación* aborrecible, aun se podía tener por muy corto. Porque teniendo uso de razón y siendo capaces de cosas de virtud y loor, y teniendo ser que puede hollar sobre el cielo y que está llamado al gozo de los bienes de Dios, le deshacen tanto ellas mismas y se aniñan

36

así con delicadez y se envilecen en tanto grado, que una lagartija y una mariposilla que vuela tiene más tomo que ellas, y la pluma que va por el aire, y el aire mismo, es de más cuerpo y substancia.

Así que debe mirar mucho en esto la buena mujer, estando cierta que, en descuidándose en ello, se volverá en nada. Y como los que están de su naturaleza ocasionados a algunas enfermedades y males, se guardan con recato de lo que en aquellos males les daña, así ellas entiendan que viven dispuestas para esta dolencia de nadería y melindrería, o no sé cómo la nombre, y que en ella el regalo es rejalgar, y guárdense de él como huyen la muerte y conténtense con su natural poquedad y no le añadan bajeza, ni la hagan más apocada; y adviertan y entiendan que su natural es femenil, y que el ocio él por sí afemina, y no junten a lo uno lo otro, ni quieran ser dos veces mujeres.

He dicho el extremo de nada a que viene las muelles y regaladas mujeres, y no digo la muchedumbre de vicios que de esto mismo en ellas nacen, ni oso meter la mano en este cieno. Porque no hay agua encharcada y corrompida que críe tantas y tan malas sabandijas, como nacen vicios asquerosos y feos en los pechos de estas damas delicadas de que vamos hablando. Y en una de ellas, que pinta en los Proverbios el Espíritu Santo, se ve algo de esto, de la cual dice así: *Parlera y vagabunda, y que no sufre estar quieta, ni sabe tener los pies en su casa; ya en la puerta, ya en la ventana, ya en la plaza, ya en los cantones de la encrucijada, y tiende por dondequiera sus lazos. Vio un mancebo, y llególe a él, y prendióle, y díjole con cara relamida blanduras: «Hoy hago fiesta, y he salido en tu busca, porque no puedo vivir sin tu vista, y al fin he hecho en ti presa. Mi cámara he colgado con hermosas redes, y mi cuadra con tapices de Egipto; de rosas y de flores, de mirra y lináloe, está cubierto el suelo todo y la cama. Ven, y bebamos la embriaguez del amor, y gocémonos en dulces abrazos, hasta que apunte la aurora.»*

Y si todas las ociosas no salen a lo público de las calles, como ésta salía, sus escondidos rincones son secretos testigos de sus proezas, y no tan secretos que no se dejen ver y entender. Y la razón y la naturaleza de las cosas lo pide. Que cierto es que produce malezas el campo que no se rompe y cultiva; y que con el desuso el hierro se toma de orín y se consume, y que el caballo holgado se manca. Y demás de esto, si la casada no trabaja ni se ocupa en lo que pertenece a su casa, ¿qué otros estudios o negocios tiene en que se ocupar?

Forzado es que, si no trata de sus oficios, emplee su vida en los oficios ajenos, y que dé en ser ventanera, visitadora, callejera, amiga de fiestas, enemiga de su rincón, de su casa olvidada y de las casas ajenas curiosa; pesquisidora de cuanto pasa, y aun de lo que no pasa inventora, parlera y chismosa; de pleitos revolvedora, jugadora también y dada del todo a la risa y a la conversación y al palacio, con lo demás que por ordinaria consecuencia se sigue, y se calla aquí agora por ser cosa manifiesta y notoria.

Por manera que, en suma y como en una palabra, el trabajo da a la mujer o el ser, o el ser buena, porque sin él, o no es mujer sino asco, o es tal mujer, que sería menos mal que no fuese. Y si con esto que he dicho se persuaden a trabajar, no será menester que les diga y enseñe cómo han de tomar el huso y la rueca, ni me será necesario rogarles que velen, que son las otras dos cosas que les pide el Espíritu Santo, porque su misma afición buena se las enseñará.

Y así, dejando esto aquí, pasaremos a lo que se sigue.

CAPITULO IX

[HA DE SER LA PERFECTA CASADA PIADOSA CON LOS POBRES Y NECESITA-
DOS; PERO DEBE IR CON CUIDADO EN VER A QUIÉN ADMITE EN CASA Y
FAVORECE]

*Sus palmas abrió para el afligido, y sus
manos extendió para el menesteroso.*

A muy buen tiempo puso esto aquí Salomón, porque repitiendo tanto
lo que toca a la granjería y aprovechamiento, y aconsejando a la mujer
tantas veces y con tan encarecidas palabras que sea hacendosa y casera,
dejábala, al parecer, muy vecina al avaricia y escasez, que son males que
tienen parentesco con la granjería y que se le allegan no pocas veces.
Porque así como hay algunos vicios que tienen apariencia y semejanza
de algunas virtudes, así hay virtudes también que están como ocasionadas a vicios. Porque, aunque es verdad que la virtud consiste en el
medio, mas como este medio no se mide a palmos, sino es medio que
se ha de medir con la razón, muchas veces se aleja más del un extremo
que del otro; como parece en la liberalidad, que es virtud medida por
la razón entre los extremos del avaro y del pródigo, y se aparta mucho
menos del pródigo que del avaro. Y aun también acontece, que de la
virtud y del vicio, que en la verdad son principios muy diferentes, en
la vista pública y en lo que de fuera parece, nazcan frutos muy semejantes. Tanto es disimulado el mal, o tanto procura disimularse para
nuestro daño, o por mejor decir, tanta es la fuerza y excelencia del
bien y tan general su provecho, que aun el mal, para poder vivir y valer,
se le allega y se viste de él y desea tomar su color. Así vemos que el
prudente y recatado huye de algunos peligros, y que el temeroso y co-
barde huye también; adonde, aunque las causas sean diversas, es uno
y semejante el huir.

Y vemos, por la misma manera, que el hombre concertado granjea
y beneficia su hacienda, y el avariento también es granjero y que son
unos en el granjear, aunque en los motivos del granjear son diferentes.

Y puede tanto este parentesco y disimulación que, no solamente los
que miran de lejos y ven sólo lo que se parece, engañándose, nombran
por virtud lo que es vicio; mas también estos mismos que ponen las
manos en ello y lo obran, muchas veces no se entienden a sí, y se persuaden que les nace de raíz de virtud lo que les viene de inclinación
dañada y viciosa. Por donde todo lo semejante pide grande advertencia,
para que el mal, disimulado con el bien, no pueda engañarnos.

Y así, porque a Dios no aplace sino la virtud, y porque ser la mujer
muy granjera le puede nacer de avaricia y de vicio, para que no se canse

sin fruto y para que no ofenda a Dios en lo que piensa agradarle, aví-
sale aquí que sea limosnera; que es decirle que, dado que le tiene mandado que sea hacendosa y aprovechada y veladora y allegadora, pero
que no quiere que sea lacerada ni escasa, ni quiere que todo el velar y
adquirir sea para el arca y para la polilla, sino para la provisión y abrigo, no sólo de los suyos, sino también de los necesitados y pobres, porque en ninguna manera quiere que sea avarienta. Y por eso dice ele-
gantemente que *abra la palma*, que la avaricia cierra, y que *alargue y
tienda la mano*, que suele encoger la escasez.

Y dado que el ser piadoso y limosnero es virtud que conviene a
todos los que se tienen por hombres, pero con particular razón las mujeres deben esta piedad a la blandura de su natural, entendiendo que
ser una mujer de entrañas duras o secas con los necesitados es en ella
vituperable más que en hombre ninguno.

Y no es buena excusa decir que les va a la mano el marido; porque, aunque es verdad que pertenece a él el dispensar la hacienda, pero
no se entiende que, si veda a la mujer y le pone ley para que no haga
otros gastos perdidos, le quiere también cerrar la puerta a lo que es
piedad y limosna, a quien Dios con tan expreso mandamiento y con tan
grande encarecimiento la abre. Y cuando quisiese ser aún en esto escaso el marido, la mujer, si es en lo demás cual aquí la pintamos, no debe
por eso cerrar las entrañas a la limosna que es debida a su estado, ni
menos el confesor se lo vede. Porque, si el marido no quiere, está obligado a querer, y su mujer, si no le obedece en su mal antojo, confór-
mase con la voluntad que él debe tener de razón. Y en hacer esto, trata
con utilidad y provecho su alma de él y su hacienda; porque lo uno,
cumple con la obligación que ambos tienen de socorrer a los pobres; y
lo otro, asegura y acrecienta sus bienes con la bendición que Dios, cuya
palabra no puede faltar, tiene a la piedad prometida. Y porque muchos
nunca se fían bien de esta palabra, por eso muchos hombres son crudos
y lacerados. Que si se pusiesen a considerar que reciben de Dios lo que
tienen, no temerían de le tornar parte de ello, ni dudarían de que quien
es liberal no puede jamás ser desagradecido. Y quiero decir en esto que
Dios, el cual sin haber recibido nada de ellos, liberalmente los hizo
ricos, si repartieren después con Él sus riquezas, se las volverá con gran
logro.

Esto que he dicho entiendo de las limonas más ordinarias y comunes que se ofrecen cada día a los ojos; que en lo que fuese más grueso
y más particular, la mujer no ha de traspasar la ley del marido, y en
todo le ha de obedecer y servir. Y yo fío que ninguno habrá tan miserable ni malo que, si ella es de las que yo digo, tan casera, tan hacendosa, tan veladora y. tan concertada en todo y aprovechada, le vede
que haga bien a los pobres. Ni será ninguno tan ciego, que tema pobreza de la limosna que hace quien le enriquece la casa.

Así que abra sus entrañas y sus brazos y manos a la piedad la buena
mujer, y muestre que su grajería nace de virtud, en no ser escasa en
lo que según razón es debido. Y como el que labra el campo, de lo que
coge en él da sus primicias y diezmos a Dios, así ella, de las labores
suyas y de sus criadas, aplique su parte para vestir a Dios en los des-
nudos y hartarle en los hambrientos; y llámele como a la parte de sus
ganancias, y *abra*, como aquí dice, *sus manos al afligido, y al menesteroso sus palmas*.

Mas si dice que abra sus manos y su casa a los pobres, es mucho de advertir que no le dice que la abra generalmente a todos los que se profesan ser pobres. Porque a la verdad, una de las virtudes de la buena casada y mujer es el tener grande recato acerca de las personas que admite a su conversación, y a quién da entrada en su casa. Porque debajo de nombre de pobreza, y cubriéndose con piedad, a las veces entran en las casas algunas personas arrugadas y canas, que roban la vida y entiznan la honra, y dañan el alma de los que viven en ellas y los corrompen sin sentir y los emponzoñan, pareciendo que los lamen y halagan. San Pablo casi señaló con el dedo a este linaje de gentes, o a algunas gentes de este linaje, diciendo: *Tienen por oficio andar de casa en casa ociosas, y no solamente ociosas, mas también parleras y curiosas y habladoras de lo que no conviene.*

Y es ello así, que las tales de ordinario no entran sino a aojar todo lo bueno que vieren, y cuando menos mal hacen, hacen siempre este daño, que es traer novelas y chismerías de fuera, y llevarlas afuera de lo que ven, o les parece que ven en la casa donde entran, con que inquietan a quien las oye y les turban los corazones; de donde muchas veces nacen desabrimientos entre los vecinos y amigos, y materias de enojos y diferencias, y a veces hay discordias mortales. En las repúblicas bien ordenadas, los que antiguamente las ordenaron con leyes, ninguna cosa vedaron más que la comunicación con los extraños y de diferentes costumbres. Así, Moisén, o por decir, Dios por Moisén, a su pueblo escogido le avisa de esto en mil lugares con encarecimiento grandísimo. Porque lo que no se ve no se desea; que, como dice el versillo griego: *del mirar nace el amar.*

Y por el contrario, lo que se ve y se trata, cuanto peor es, tanto más ligeramente, por nuestra miseria, se nos apega. Y lo que es en toda una república, eso también en una sola casa, por la misma razón acontece. Que si los que entran en ella son de costumbres diferentes de las que en ellas se usan, unos con el ejemplo y otros con la palabra, alteran los ánimos bien ordenados, y poco a poco los desquician del bien. Y llega la vejezuela al oído, y dice a la hija y a la doncella que por qué huyen la ventana, o por qué aman la almohadilla tanto; que la otra fulana y fulana no lo hacen así. Y enséñales el mal aderezo, y cuéntales la desenvoltura del otro; y las marañas que o vio o inventó póneselas delante, y vuélveles el juicio; y comienza a teñir con esto el pecho sencillo y simple, y hace que figuren en el pensamiento, lo que con sólo ser pensado corrompe; y dañado el pensamiento, luego se tienta el deseo, el cual, en encendiéndose al mal, luego se resfría en el bien; y así luego se comienzan a desagradar de lo bueno y de lo concertado, y por sus pasos contados vienen a dejarlo del todo a la postre.

Por donde, acerca de Eurípides, dice bien el que dice:
Nunca, nunca jamás —que no me contento con decirlo una sola vez— el cuerdo casado consentirá que entren cualesquiera mujeres a conversar con la suya, porque siempre hacen mil daños. Unas, por su interés, tratan de corromper en ella la fe del matrimonio; otras, porque han faltado ellas, gustan de tener compañeras de sus faltas; otras, porque saben poco y de puro nescias. Pues contra estas mujeres, y las semejantes a éstas, conviénele al marido guarnecer muy bien con aldabas y con cerrojos las puertas de su casa. Que jamás estas entradas peregrinas ponen en ella alguna cosa sana, sino siempre hacen diversos daños.

Pero veamos ya lo que después de aquesto se sigue.

CAPITULO X

[DEL BUEN TRATO Y APACIBLE CONDICIÓN CON QUE SE DEBEN PORTAR LAS SEÑORAS CON SUS SIRVIENTAS Y CRIADAS]

> *No temerá de la nieve a su familia, porque toda su gente vestida con vestiduras dobladas.*

No es aquésta la menor parte de la virtud de aquesta *perfecta casada* que pintamos, ni la que da menos loor a la que es señora de su casa el buen tratamiento de su familia y criados; antes es como una muestra donde claramente se conoce la buena orden con que se gobierna todo lo demás. Y pues le había mostrado Salomón, en lo que es antes de esto, a ser limosnera con los extraños, convino que le avisase agora y le diese a entender que aqueste cuidado y piedad ha de comenzar de los suyos; porque, como dice San Pablo: *El que se descuida de la provisión de los que tiene en su casa, infiel es y peor que infiel.*

Y aunque habla aquí Salomón del vestir, no habla solamente de él, sino por lo que dice en este particular, enseña lo que ha de ser en todo lo demás que pertenece al buen estado de la familia. Porque así como se sirve de su trabajo de ella el señor, así ha de proveer con cuidado a su necesidad; y ha de compasar con lo uno lo otro, y tener gran medida en ambas cosas, para que ni les falte en lo que han menester, ni en lo que ellos han de hacer los cargue demasiadamente, como lo avisa y declara el sabio en el capítulo 33 del Eclesiástico. Porque lo uno es injusticia y lo otro escasez, y todo crueldad y maldad.

Y el pecar los señores en esto con sus criados, ordinariamente nace de soberbia y de desconocerse a sí mismos los amos. Porque si considerasen que así ellos como sus criados son de un mismo metal, y que la fortuna, que es ciega, y no la naturaleza proveída es quien los diferencia, y que nacieron de unos mismos principios, y que han de tener un mismo fin, y que caminan llamados para unos mismos bienes; y si considerasen que se puede volver el aire mañana, y a los que sirven agora, servirlos ellos después, y, si no ellos, sus hijos o sus nietos, como cada día acontece; y que, al fin, todos así los amos como los criados, servimos a un mismo Señor, que nos medirá como nosotros midiéremos; así que si considerasen esto, pondrían el brío aparte y usarían de mansedumbre y tratarían a los criados como a deudos, y mandarlos hían como quien siempre no ha de mandar.

Y aquí conviene que las mujeres hinquen los ojos más, porque se desvanecen más fácilmente, y hay tan vanas algunas que casi desconocen su carne y piensan que la suya es carne de ángeles y las de sus sirvientas de perros; y quieren ser adoradas de ellas y no acordarse de ellas sin son nacidas; y si se quebrantan en su servicio, y si pasan sin sueño las noches y si están ante ellas de rodillas los días, todo les parece que es poco y nada para lo que se les debe, o ellas presumen que se les ha de deber.

En lo cual, demás de lo mucho que ofenden a Dios, hacen su vida más miserable de lo que ella se es. Porque se hacen aborrecibles a los suyos, que es una encarecida miseria; porque ninguna enemistad es buena, y la de los criados, que viven dentro del seno de los amos y saben los secretos de casa y son sus ojos, y, aunque les pese, de su vida testigos, es peligrosa y pestilencial. Y de aquí ordinariamente salen las chismerías y los testimonios falsos, y las más veces los verdaderos. Y ésta es la causa por donde muchos hallan, cuando no piensan, las plazas llenas de sus secretos. Y como es peligrosa desventura hacer de los criados fieles crueles enemigos, con no debidos tratamientos, así el tratarlos bien es no sólo seguridad, sino honra y buen nombre.

Porque han de entender los señores que son como parte de su cuerpo sus gentes, y que es como un compuesto su casa, adonde ellos son la cabeza y la familia los miembros; y que por el mismo caso que los tratan bien, tratan bien y honradamente a su misma persona. Y como se honran de que en sus facciones y disposición no haya ni miembro torcido ni figura que desagrade, y como les añaden a todos sus miembros, cuanto es de sí, hermosura, y los procuran vestir con debido color, así se han de preciar de que en toda su gente relumbre su mucha liberalidad y bondad. Por manera que los de su casa ni estén en ella faltos, ni salgan de ella quejosos.

Conocí yo en aqueste reino una señora, que es muerta, o por mejor decir, que vive en el cielo, que del caballo troyano, que dicen, no salieron tantos hombres valerosos como de su casa sirvientas suyas doncellas y otras mujeres remediadas y honradas. A la cual, como le aconteciese echar de su casa, por razón de un desconcierto, a una criada suya, no tan bien remediada como las demás, le oí decir muchas veces que no se podía consolar cuando pensaba que de las personas que Dios le había dado —que así lo decía— había salido una de su casa con desgracia y poco remedio. Y yo sé que en esta bondad gastaba muy grandes sumas, y que, haciendo estos gastos y otros de semejantes virtudes, no sólo conservó y sustentó los mayorazgos de sus hijos, que estaban en su tutoría y les venían de muchos abuelos de antigua nobleza, sino que también los acrecentó e ilustró con nuevos y ricos vínculos; y así era bendita de todos. Deben, pues, amar esta bendición las mujeres de honra; y, si quieren ellas ser estimadas y amadas, aquéste es camino muy cierto.

Y no quiero decir que todo ha de ser blandura y regalo, que bien vemos que la buena orden pide algunas veces severidad; mas porque lo ordinario es pecar los amos en esto, que es ser descuidados en lo que toca al buen tratamiento de los que los sirven, por eso hablamos de ello, y no hablamos de cómo los han de ocupar, de que ellos se tienen cuidado.

Síguese:

CAPITULO XI

[DE CÓMO EL TRAJE Y MANERA DE VESTIR DE LA PERFECTA CASADA HA DE SER CONFORME A LO QUE PIDE LA HONESTIDAD Y LA RAZÓN. AFÉASE EL USO DE LOS AFEITES, Y CONDÉNANSE LAS GALAS Y ATAVÍOS, NO SÓLO CON RAZONES TOMADAS DE LA MISMA NATURALEZA DE LAS COSAS, SINO TAMBIÉN CON DICHOS Y SENTENCIAS DE LOS PADRES DE LA IGLESIA Y AUTORIDADES DE LA SAGRADA ESCRITURA]

*Hizo para sí aderezos de cama; holanda y
púrpura es su vestido.*

Porque había hablado de la piedad que deben las buenas casadas al pobre, y del cuidado que deben a la buena provisión de su gente trata ahora del tratamiento y buen aderezo de sus mismas personas. Y llega hasta aquí la clemencia de Dios y la dulce manera de su providencia y gobierno, que desciende a tratar de su vestido de la casada, y de cómo ha de aderezar y asear su persona; y, condescendiendo en algo con su natural, aunque no le place el exceso, tampoco se agrada del desaliño y mal aseo, y dice así: *Púrpura y holanda es su vestido.* Que es decir, que de esta *casada perfecta* es también parte no ser, en el tratamiento de su persona, alguna desaliñada y remendada, sino que, como ha de ser en la administración de la hacienda granjera, y con los pobres piadosa, y con su gente no escasa, así, por la misma forma, a su persona la ha de traer limpia y bien tratada, aderezándola honestamente en la manera que su estado lo pide, y trayéndose conforme a su cualidad, así en lo ordinario como en lo extraordinario también. Porque la que con su buen concierto y gobierno da luz y resplandor a los demás de su casa, que ella ande deslucida en sí, ninguna razón lo permite.

Pero es de saber por qué causa la vistió Salomón de *holanda* y de *púrpura*, que son las cosas de que en la Ley vieja se hacía la vestidura del gran sacerdote, porque sin duda tiene en sí algún grande misterio. Pues digo que quiere Dios declarar en esto a las buenas mujeres que no pongan en su persona sino lo que se puede poner en el altar; esto es, que todo su vestido y aderezo sea santo, así en la intención con que se pone como en la templanza con que se hace. Y díceles que quien les ha de vestir el cuerpo no ha de ser el pensamiento liviano, sino el buen concierto de la razón; y que de la compostura secreta del ánimo ha de nacer el buen traje exterior; y que este traje no se ha de cortar a la medida del antojo o del uso vituperable y mundano, sino conforme a lo que pide la honestidad y la vergüenza. Así que señala aquí Dios vestido santo para condenar lo profano.

43

Dice *púrpura* y *holanda,* mas no dice los bordados que se usan agora, ni los recamados, ni el otro tirado en hilos delgados. Dice *vestidos,* mas no dice diamantes ni rubíes. Pone lo que se puede tejer y labrar en su casa; pero no las perlas que se esconden en el abismo del mar. Concede ropas; pero no permite rizos, ni encrespos, ni afeites. El cuerpo se vista, pero la cabeza no se desgreñe ni se encrespe en pronóstico de su grande miseria. Y porque en esto, y señaladamente en los afeites del rostro, hay grande exceso, aun en las mujeres que en lo demás son honestas, y porque es aquéste su propio lugar, bien será que digamos algo de ellos aquí. Aunque, si va a decir la verdad, yo confieso a Vmd. que lo que me convida a tratar de esto, que es el exceso, eso mismo me pone miedo. Porque ¿quién no temerá de oponerse contra una cosa tan recibida? O ¿quién tendrá ánimo para osar persuadirles a las mujeres a que quieran parecer lo que son? O ¿qué razón sanará la ponzoña del solimán?

Y no sólo es dificultoso este tratado, pero es peligroso también, porque luego aborrecen a quien esto les quita. Y así querer ahora quitárselo yo, será despertar contra mí un escuadrón de enemigos. Mas ¿qué les va en que yo las condene, pues tienen tantos otros que las absuelven? Y si aman aquellos que, condescendiendo con su gusto de ellas, las dejan asquerosas y feas, muy más justo es que siquiera no me aborrezcan a mí, sino que me oigan con igualdad y atención; que tanto agora en esto les quiero decir será solamente enseñarles que sean hermosas, que es lo que principalmente desean. Porque yo no les quiero tratar del pecado que algunos hallan y ponen en el afeite, sino solamente quiero dárselo a conocer, demostrándoles que es un fullero engañoso que les da al revés de aquello que les promete; y que, como en un juego que hacen los niños, así él diciendo que las pinta, las burla y entizna; para que, conocido por tal, hagan justicia de él y le saquen a la vergüenza con todas sus redomillas al cuello.

Pues yo no puedo pensar que ninguna viva en este caso tan engañada que ya tenga por hermoso el afeite, a lo menos no conozca que es sucio y que no se lave las manos con que lo ha tratado, antes que coma. Porque los materiales de él, los más son asquerosos; y la mezcla de cosas tan diferentes, como son las que casan para este adulterio, es madre del mal olor, lo cual saben bien las arquillas que guardan este tesoro, y las redomas y las demás alhajas de él. Y si no es suciedad, ¿por qué, venida la noche, se le quitan y se lavan la cara con diligencia, y y ya que han servido al engaño del día quieren pasar siquiera la noche limpias? Mas ¿para qué son razones? Pues cuando nos lo negasen, a las que nos lo negasen les podríamos mostrar a los ojos sus dientes mismos, y sus encías negras y más sucias que un muladar con las reliquias que en ellas ha dejado el afeite. Y si las pone sucias, como de hecho las pone, ¿cómo se puede persuadir que las hace hermosas? ¿No es la limpieza el fundamento de la hermosura, y la primera y mayor parte de ella? La hermosura allega y convida a sí, y la suciedad aparta y ahuyenta. Luego ¿cómo podrán caber en uno lo hermoso y lo sucio? ¿Por ventura no es obra propia de la belleza parecer bien y hacer deleite en los ojos? ¿Pues qué ojos hay tan ciegos o tan botos de vista que no pasen con ella la tela del sobrepuesto, y que no cotejen con lo encubierto lo que se descubre; y que, viendo lo mal que dicen entre sí mismos, no se ofendan con la desproporción? Y no es menester que los ojos traspasen este velo, porque él de sí mismo, en cobrando un poco de

calor el cuerpo, se trasluce; y descúbrese por entre lo blanco un obscuro y verdinegro, y un entre azul y morado; y matízase el rostro todo,
y señaladamente las cuencas de los bellísimos ojos, con una variedad
de colores feísimos; y aun corren a las veces derretidas las gotas y aran
con sus arroyos la cara.

Mas si dicen que acontece esto a las que no son buenas maestras,
yo digo que ninguna lo es tan buena que, si ya engañare los ojos pueda
engañar las narices. Porque el olor de los adobíos, por más que se per-
fumen, va delante de ellas pregonando y diciendo que no es oro lo que
reluce, y que todo es asco y engaño, y va como con la mano desviando
la gente, en cuanto pasa la que yo no quiero nombrar.

Tomen mi consejo las que son perdidas por esto, y hagan máscaras
de buenas figuras y pónganselas; y el barniz pinte el lienzo y no el cuero,
y sacarán mil provechos. Lo uno que, ya que les agrada ser falsas hermosas, quedarán a lo menos limpias; lo otro, que no temerán que las
desafeite ni el sol, ni el polvo, ni el aire. Y lo último, con este artificio
podrán encubrir no sólo el color obscuro, sino también las facciones
malas. Porque cierta cosa es que la hermosura no consiste tanto en el
escogido color, cuanto en que las facciones sean bien figuradas, cada
una por sí y todas entre sí mismas proporcionadas. Y claro es que el
afeite ya que haga engaño en la color, pero no puede en las figuras
poner enmienda; que ni ensancha la frente angosta, ni los ojos pequeños los engrandece, ni corrige la boca desbaratada.

Pero dicen que vale mucho el buen color. Yo pregunto: ¿a quién
vale? Porque las de buenas figuras, aunque sean morenas, son hermosas, y no sé si más hermosas que siendo blancas; las de malas, aunque
se transformen en nieve, al fin quedan feas. Mas dirán que menos feas.
Yo digo que más; porque antes del barnib, si eran feas, estaban limpias;
mas, después de él, quedan feas y sucias, que es la más aborrecible fealdad de todas.

Pero valga mucho el buen color, si de veras es buen color; mas éste
ni es buen color ni casi lo es, sino un engaño de color que todos lo conocen, y una postura, que por momentos se cae, y un asco, que a todos
ofende, y una burla, que promete uno y da otro, y que afea y ensucia.

¿Qué locura es poner nombre de bien a lo que es mal, y trabajarse
en su daño, y buscar con su tormento ser aborrecidas, que es lo que
más aborrecen? ¿Qué es el fin del aderezo y de la cura del rostro, sino
el parecer bien y agradar a los miradores? Pues ¿quién es tan falto que
de estos adobíos se agrade? O ¿quién hay que no los condene? ¿Quién
es tan necio que quiera ser engañado, o tan boto que ya no conozca
este engaño? O ¿quién es tan ajeno de razón que juzgue por hermosura
del rostro lo que claramente ve que no es del rostro, lo que ve que es
sobrepuesto, añadido y ajeno? Querría yo saber de estas mendigantes
hermosas, si tendrían por hermosa la mano que tuviese seis dedos. ¿Por
ventura no la hurtarían a los ojos? ¿No harían alguna invención de
guante para encubrir aquel dedo añadido? Pues ¿tienen por feo en la
mano un dedo más, y pueden creer que dos dedos de enjundia sobre
el rostro les es hermoso? Todas estas cosas tienen una natural tasa y medida, y la buena disposición y parecer de ellas consiste en estar justas
en esto; y, si de ello les falta o sobra algo, eso es fealdad y torpeza.
De donde se concluye que éstas de quien hablamos, añadiendo posturas y excediendo lo natural, en caso que fuesen hermosas, se tornan
feas con sus mismas manos.

Bien y prudentemente aconseja, acerca de un poeta antiguo, un padre a su hija, y le dice: *No tengas, hija, afición con los oros, ni rodees tu cuello con perlas o con jacintos, con que las de poco saber se desvanecen. Ninguna necesidad tienes de este vano ornamento. Ni tampoco te mires al espejo para componerte la cara, ni con diversas maneras de lazos enlaces tus cabellos, ni te alcoholes con negro los ojos, ni te colores las mejillas; que la naturaleza no fué escasa con las mujeres, ni les dió cuerpo menos hermoso de lo que se les debe o conviene.*

Pues ¿qué diremos del mal de engañar y fingir a que se hacen, y cómo en cierta manera se ensayan y acostumbran en esto? Aunque esta razón no es tanto para que las mujeres se persuadan que es malo afeitarse, cuanto para que los maridos conozcan cuán obligados están a no consentir que se afeiten. Porque han de entender que allí comienzan a mostrárseles otras de lo que son, y a encubrirles la verdad; y allí comienzan a tentarles la condición y hacerles al engaño; y, como los hallaren pacientes en esto, así subirán a engaños mayores. Bien dice Aristóteles en este mismo propósito: *Que como en la vida y costumbres la mujer con el marido ha de andar sencilla y sin engaño, así en el rostro y en los aderezos de él ha de ser pura y sin afeite.* Porque la buena en ninguna cosa ha de engañar a aquel con quien vive, si quiere conservar el amor, cuyo fundamento es la caridad y la verdad, y el no encubrirse los que se aman en nada. Que así como no es posible mezclarse dos aguas olorosas, mientras están en sus redomas cada una, así en tanto que la mujer cierra el ánimo con la encubierta del fingimiento, y con la postura y afeites esconde el rostro, entre su marido y ella no se puede mezclar amor verdadero. Porque, si damos caso que el marido la ame así, claro es que no ama a ella en este caso, sino a la máscara pintada que se parece, y es como si amase en la farsa al que representa una doncella hermosa. Y, por otra parte, ella, viéndose amada de esta manera, por el mismo caso no le ama a él, antes le comienza a tener en poco, y en el corazón se ríe de él y le desprecia, y conoce cuán fácil es engañarle, y al fin le engaña y le carga.

Y esto es muy digno de considerar, y más lo que se sigue tras esto, que es el daño de la conciencia y la ofensa de Dios. Que, aunque prometí no tratarlo, pero al fin la conciencia me obliga a quebrantar los que puse. Y no les diga nadie, ni ellas se lo persuadan a sí, que o no es pecado o es muy ligero pecado, porque es muy al revés, ca él es pecado grave en sí, y que, demás de esto, anda acompañado de otros muchos pecados, unos que nacen de él y otros de donde él nace.

Porque, dejando aparte el agravio que hacen a su mismo cuerpo, que no es suyo, sino del Espíritu Santo, que le consagró para sí en el bautismo, y que por la misma causa ha de ser tratado como templo santo, con honra y respeto; así que, aunque pasemos callando por este agravio que hacen a sus miembros, atormentándolos y ensuciándolos en diferentes maneras, y aunque no digamos la injuria que hacen a quien las crió, haciendo enmienda en su obra, y como reprendiendo o, a lo menos, no admitiendo su acuerdo y consejo —porque sabida cosa es que lo que hace Dios, o feo o hermoso, es a fin de nuestro bien y salud—; así que, aunque callemos esto que las condena, el fin que ellas tienen y lo que las mueve e incita a este oficio, por más que ellas lo doren y apuren, ni se puede apurar ni callar. Porque pregunto: ¿por qué la casada quiere ser más hermosa de lo que su marido quiere que sea? ¿Qué pretende, afeitándose, a su pesar? ¿Qué ardor es aquel que le menea las manos para acicalar el cuero como arnés y poner en arco las cejas? ¿Adónde amenaza aquel arco? Y aquel resplandor, ¿a quién ciega? El colorado y el blanco y el rubio y dorado y aquella artillería toda, ¿qué pide? ¿Qué desea? ¿Qué vocea? No pregunta sin causa el cantarcillo común, ni es más castellano que verdadero:

¿Para qué se afeita la mujer casada?

Y torna a la pregunta, y repite la tercera vez preguntando:

¿Para qué se afeita?

Porque si va a decir la verdad, la respuesta de aquel *para qué* es amor propio desordenadísimo, apetito insaciable de vana excelencia, codicia fea, deshonestidad arraigada en el corazón, adulterio, ramería, delito que jamás cesa.

—¿Qué pensáis las mujeres que es afeitaros?

—Traer pintado en el rostro vuestro deseo feo.

Mas no todas las que os afeitáis deseáis mal. Cortesía es creerlo. Pero si con la tez del afeite no descubrís vuestro mal deseo, a lo menos despertáis el ajeno. De manera que con esas posturas sucias, o publicáis vuestra sucia ánima, o ensuciáis las de aquellos que os miran. Y todo es ofensa de Dios. Aunque no sé yo qué ojos os miran, que, si bien os miran, no os aborrezcan. ¡Oh asco, oh hedor, oh torpeza!

Mas ¡qué bravo! —diréis algunas—. No estoy bravo, sino verdadero.

Y si tales son los padres de quien aqueste desatino nace, ¿cuáles serán los frutos que de él proceden, sino enojos y guerra continua y sospechas mortales y lazos de perdidos, y peligros y caídas y escándalos y muerte y asolamiento miserable?

Y si todavía os parezco muy bravo, oíd, ya no a mí, sino a San Cipriano, las que lo decís, el cual dice de esta manera: «En este lugar el temor que debo a Dios y el amor de la caridad que me junta con todos, me obliga a que avise no sólo a las vírgenes y a las viudas, sino a las casadas también, y universalmente a todas las mujeres, que en ninguna manera conviene ni es lícito alterar la obra de Dios y su hechura, añadiéndole color rojo o alcohol negro, o arrebol colorado, o cualquier otra compostura que mude o corrompa las figuras naturales. Dice Dios: *Hagamos al hombre a la imagen y semejanza nuestra.* ¿Y osa alguna mudar en otra figura lo que Dios hizo? Las manos ponen en el mismo Dios, cuando lo que él formó lo procuran ellas reformar y desfigurar; como si no supiesen que es obra de Dios todo lo que nace, y del demonio todo lo que se muda de su natural. Si algún grande pintor retratase con colores que llegasen a lo verdadero las facciones y rostro de alguno, con toda la demás disposición de su cuerpo, y, acabado ya y perficionado el retrato, otro quisiese poner las manos en él, presumiendo de más maestro, para reformar lo que ya estaba formado y pintado, ¿paréceos que tendría el primero justa y grave causa para indignarse? ¿Pues piensas tú no ser castigada por una osadía de tan malvada locura, por la ofensa que haces al divino Artífice? Porque, dado caso que por la alcahuetería de los afeites no vengas a ser con los hombres deshonesta y adúltera, habiendo corrompido y violado lo que hizo en ti Dios, convencida quedas de peor adulterio. Eso que pretendes hermosearte, eso que procuras adornarte, contradicción es que haces contra la obra de Dios y traición contra la verdad. Dice el Apóstol, amonestándonos: *Desechad la levadura vieja para que seáis nueva masa, así como sois sin levadura, porque nuestra pascua es Cristo sacrificado. Así que celebremos la fiesta, no con la levadura vieja ni con la levadura de malicia y de tacañería, sino con la pureza de sencillez y verdad.* ¿Por ventura guardas esta sencillez y verdad, cuando ensucias lo sencillo con adulterinos colores, y mudas en mentira lo verdadero con posturas de afeites? Tu Señor dice *que no tienes poder para tornar blanco o negro uno de tus cabellos;* y ¿tú pretendes ser más poderosa, por sobrepujar lo que tu Señor tiene dicho, con pretensión osada y con sacrílego menosprecio? Enrojas tus cabellos y, en el mal agüero de lo que te está por venir, les comienzas a dar color semejante al del fuego; y pecas con grave maldad en tu cabeza, esto es, en la parte más principal de tu cuerpo. Y como del Señor esté escrito que *su cabeza y sus cabellos eran blancos como la nieve,* tú maldices lo cano y abominas lo blanco, que es semejante a la cabeza de Dios. Ruégote, la que esto haces, ¿no temes en el día de la resurrección, cuando venga, que el Artífice que te crió no te reconozca? ¿Que cuando llegues a pedirle sus promesas y premios te deseche, aparte y excluya? ¿Que te diga con fuerza y severidad de juez: esta obra no es mía, ni es la nuestra esta imagen: ensuciaste la tez con falsa postura; demudaste el cabello con deshonesto color; hiciste guerra y venciste a tu cara; con la mentira corrompiste tu rostro; tu figura no es ésa. No podrá ver a Dios, pues no traes los ojos que Dios hizo en ti, sino los que te inficionó el demonio; tú le has seguido; los ojos pintados y relumbrantes de la serpiente has en ti remedado; figurástete de él, y arderás juntamente con él?» Hasta aquí son palabras de San Cipriano.

Y San Ambrosio, habla no menos agramente que él, y dice así: «De aquí nace aquello que es vía e incentivo de vicios: que las mujeres, temiendo desagradar a los hombres, se pintan las caras con colores ajenos; y en el adulterio que hacen de su cara, se ensayan para el adulterio que desean hacer de su persona. Mas ¡qué locura aquesta tan grande, desechar el rostro natural y buscar el pintado! ¡Y mientras temen de ser condenadas de sus maridos por feas, condenarse por tales ellas a sí mismas! Porque la que procura mudar el rostro con que nació, por el mismo caso da sentencia ella contra sí, y lo condena por feo; y mientras procura agradar a los otros, ella misma a sí se desagrada primero.

»Di, mujer: ¿qué mejor juez de tu fealdad podemos hallar que a ti misma, pues temes ser vista cual eres? Si eres hermosa, ¿por qué con el afeite te encubres? Si fea y disforme, ¿por qué te nos mientes hermosa, pues ni te engañas a ti, ni del engaño ajeno sacas fruto? Porque el otro, en ti afeitada no ama a ti, sino a otra; y tú no quieres como otra ser amada. Enséñasle en ti a ser adúltero, y, si pone en otra su amor, recibes pena y enojo: ¡Mala maestra eres contra ti misma! Más tolerable en parte es ser adúltera que andar afeitada; porque allí se corrompe la castidad, y aquí la misma naturaleza.» Éstas son palabras de San Ambrosio.

Pero entre todos San Clemente Alejandrino es el que escribe más extendidamente, diciendo: «Las que hermosean lo que se descubre, y lo que está secreto lo afean, no miran que son como las composturas de los egipcios, los cuales adornan las entradas de sus templos con arboledas, y ciñen sus portales con muchas columnas, y edifican los muros de ellos con piedras peregrinas, y los pintan con escogidas pinturas, y

los mismos templos los hermosean con plata y con mármoles traídos
desde Etiopía, y los sagrarios de los templos los cubren con planchas de
oro. Mas en lo secreto de ellos, si alguno penetrare allá, y, si con priesa
de ver lo escondido, buscare la imagen de Dios que en ellos mora, y si
la guarda de ellos o algún otro sacerdote con vista grave, y cantando
primero algún himno en su lengua y descubriendo apenas un poco del
velo, le mostrare la imagen, es cosa de grandísima risa ver lo que ado-
ran; porque no hallaréis en ellos algún dios, como esperábades, sino
un gato, o un cocodrilo, o alguna sierpe de las de la tierra, u otro animal semejante, no digno del templo, sino dignísimo de cueva o de escon-
drijo o de cieno; que, como un poeta antiguo les dijo:

> Son fieras sobre púrpura asentadas
> los dioses a quien sirven los gitanos.

»Tales, pues, me parecen a mí las mujeres que se visten de oro, y
se componen los rizos y se untan las mejillas, y se pintan los ojos y se
tiñen los cabellos, y que ponen toda su mala arte en este aderezo muelle
y demasiado; y que adornan este muro de carne y hacen verdaderamente, como en Egipto, para atraer a sí a los desventurados amantes.
Porque si alguno levantase el velo del templo; digo, si apartase las tocas,
la tintura, el bordado, el oro, el afeite, esto es, el velo, y la cobertura
compuesta de todas aquestas cosas, por ver si hallaría dentro lo que de
veras es hermoso, abominaríalas, a lo que yo entiendo, sin duda. Porque no hallará, en su secreto de ellas, por moradora, según que era
justo, a la imagen de Dios, que es lo digno de precio; mas hallará que,
en su lugar, ocupa una fornicaria y una adúltera lo secreto del alma, y
averiguará que es verdadera fiera, mona con albayalde afeitada, o sierpe
engañosa que, tragando lo que es de razón en el hombre, por medio
del deseo del vano aplacer, tiene el alma por cueva, adonde, mezclando
toda su ponzoña mortal y rebosando el tóxico de su engaño y error,
trueca a la mujer en ramera aqueste dragón alcahuete. Porque el darse
al afeite, de ramera es, y no de buena mujer. Como claramente se ve,
porque las que con esto tienen cuenta, no la tienen jamás con sus casas.
Su cuenta es el desenlazar las bolsas de sus maridos, y el consumirles
las haciendas en sus vanos antojos; y, para que testifiquen muchos que
parecen hermosas, el ocuparse asentadas todos los días al arte del afeitarse con personas alquiladas a ello.

»Así que procuran de guisar bien su carne, como cosa desabrida y
de mala vista. Y, entre ella, por el afeite se están deshaciendo en su
casa, con temor que no se les eche de ver que es postiza la flor; mas,
venida la tarde, como de cueva, luego se hace afuera aquesta adulte-
rada hermosura, a quien ayuda entonces para ser tenida en algo la embriaguez y la falta de luz. Menandro, el poeta, lanza de su casa a la
mujer que se enrubia, y dice:

> ¡Ve fuera desta casa, que la buena
> no trata de hacer rubios los cabellos!

»Y no dice que se barnizaba la cara, ni menos que se pintaba los
ojos. Mas las miserables no ven que, con añadir lo postizo, destruyen
lo hermoso, natural y propio; y no ven que matizándose cada día, y
estirándose el cuero, y emplastándose con mezclas diversas, secan el

4

cuerpo, y consumen la carne, y con el exceso de los corrosivos marchitan la flor propia; y así vienen a tornarse amarillas, y a hacerse dispuestas y fáciles a que la enfermedad se las lleve, por tener con los
afeites la carne, que se sobrepintan, gastada, y vienen a deshonrar al
Fabricador de los hombres, como a quien no repartió la hermosura
como debía. Y son con razón inútiles para cuidar por su casa, porque
son como cosas pintadas, asentadas para no más de ser vistas, y no
hechas para ser caseras cuidadosas.

»Por lo cual aquella bien considerada mujer, acerca del poeta cómico, dice: *¿Qué hecho podremos hacer las mujeres que de precio sea o
de valor, pues repintándonos y enfloreciéndonos cada día, borramos de
nosotras mismas la imagen de las mujeres valerosas, y no servimos sino
de trastos de casa, y de estropiezos para los maridos y de afrenta de
nuestros hijos?*

»Y asimismo, Antífanes, escritor también de comedias, mofa de
aquesta perdición de mujeres, poniendo las palabras que convienen a lo
que comúnmente todas hacen, y dice: *Llega, pasa, torna, no se pasa;
viene, para, límpiase; revuelve, relímpiase, péinase, sacúdese, friégase,
espéjase; vístese, almízclase, aderézase, rocíase con olores, y al fin, si
hay algo que no, ahógase, mátase.* Merecedoras, no de una, sino de dos-
cientas mil muertes, que se coloran con las freces del cocodrilo, y se
untan con la espuma de la hediondez, y que para las abéñolas hacen
hollín y albayalde para embarnizar las mejillas. Pues las que así enfa-
dan a los poetas gentiles, ¿la verdad cómo no las desechará y condenará?

»Pues Alexi, otro cómico, ¿qué dice de ellas reprendiéndolas? ¿Qué?
Pondré lo que dijo, procurando avergonzar con la curiosidad de sus razones su desvergüenza perpetua, sino que no pudo llegar a tanto su buen
decir. Y verdaderamente que yo me avergonzaría, si pudiese defender-
las con alguna buena razón, de que las tratase así la comedia.

»Pues dice: "Demás de esto acaban a sus maridos, porque su primero
y principal cuidado es el sacarles algo, y el pelar a los tristes mezquinos;
ésta es su obra, y todas las demás en su comparación les son acceso-
rias. ¿Es por ventura alguna de ellas pequeña? Embute los chapines de
corcho. ¿Es otra muy luenga? Trae una suela sencilla, y anda la cabeza
metida en los hombros, y hurta esto al altor. ¿Es falta de carnes? Afó-
rrase de manera que todos dicen que no hay más que pedir. ¿Crece en
barriga? Estréchase con fajas, como si trenzase el cabello, con que va
derecha y cenceña. ¿Es sumida de vientre? Como con puntales hace la
ropa adelante. ¿Es bermeja de cejas? Encúbrelas con hollín. ¿Es acaso
morena? Anda luego el albayalde por alto. ¿Es demasiadamente muy
blanca? Friégase con la tez del humero.-¿Tiene algo que sea hermoso?
Siempre lo tras descubierto. ¿Pues qué, si los dientes son buenos? Forzoso es que se ande riendo. Y para que vean todos que tiene gentil
boca, aunque no esté alegre, todo el santo día se ríe, y trae entre los
dientes siempre algún palillo de murta delgado, para que, quiera que
no, en todos tiempos esté abierta la boca."

»Esto he alegado de las letras profanas, como para remedio contra
este mal artificio y deseo excesivo del afeite, porque Dios procura nuestra salud por todas las vías posibles; mas luego apretaré con las Letras
sagradas; que al malo público, natural le es apartarse de aquello en
que peca, siendo reprendido, por la vergüenza que padece. Pues así
como los ojos vendados, o la mano envuelta en emplastos, a quien lo

ve hace indicio de enfermedad, así el color postizo y los afeites de fuera dan a entender que el alma en lo de dentro está enferma.

»Amonesta nuestro divino Ayo y Maestro *que no lleguemos al río ajeno,* figurando por el *río ajeno* la mujer destemplada y deshonesta, que corre para todos, y que para el deleite de todos se derrama con posturas lascivas. *Contiénete,* dice, *del agua ajena, y de la fuente ajena no bebas;* amonestándonos que huyamos la corriente de semejante deleite, si queremos vivir luengamente, porque el hacerlo así añade años de vida. Grandes vicios son los del comer y beber, pero no tan grandes con mucha parte como la afición excesiva del aderezo y afeite, porque, para satisfacer al gusto, la mesa llena basta y la taza abundante; mas a las aficionadas a los oros, y a los carmesíes, y a las piedras preciosas, no les es suficiente ni el oro que hay sobre la tierra o en sus entrañas de ella, ni la mar de Tiro, ni lo que viene de Etiopía, ni el río Pactolo, que corre oro, ni, aunque se transformen en Midas, quedarán satisfechas algunas de ellas, sino pobres siempre, y deseando más siempre, aparejadas a morir con el haber. Y si es la riqueza ciega, como de veras lo es, las que tienen puesta en ella toda su afición y sus ojos, ¿cómo no serán ciegas? Y es que, como no ponen término a su mala codicia, vienen a dar en licencia desvergonzada; porque les es necesario el teatro, y la procesión, y la muchedumbre de los miradores, y el vaguear por las iglesias y el detenerse en las calles para ser contempladas de todos; porque cierto es que se aderezan para contentar a los otros.

»Dice Dios por Jeremías: *Aunque te rodees de púrpura y te enjoyes con oro y te pintes los ojos con alcohol, vana es tu hermosura.*

»Mas ¿qué desconcierto tan grande, que el caballo y el pájaro y todos los demás animales, de la yerba y del prado salgan alindados, cada uno con su propio aderezo; el caballo con crines, el pájaro con pinturas diversas, y todos con su color natural, y que la mujer, como de peor condición que las bestias, se tenga a sí misma con tanto grado por fea, que haya menester hermosura postiza, comprada y sobrepuesta? Preciadoras de lo hermoso del rostro, y no cuidadosas de lo feo del corazón; porque sin duda, como el hierro en la cara del esclavo muestra que es fugitivo, así las floridas pinturas del rostro son señal y pregón de ramera. Porque los volantes, y las diferencias de los tocados, y las invenciones del coger los cabellos, y los visajes que hacen de ellos, que no tienen número, y los espejos costosos a quien se aderezan, para cazar a los que a manera de niños ignorantes hincan los ojos en las buenas figuras, cosas son de mujeres raídas, y tales que no se engañará quien peor las nombrare, transformadoras de sus caras en máscaras.

»Dios nos avisa que *no atendamos a lo que parece, sino a lo que se encubre, porque es lo que se ve temporal, y lo que no, sempiterno;* y ellas locamente inventan espejos, adonde como si fuera alguna obra loable, se vea su artificiosa figura, a cuyo engaño le venía mejor la cubierta y el velo. Que, como cuenta la fábula, a Narciso no le fue útil el haber contemplado su rostro. Y si veda Moisén a los hombres, que no hagan alguna imagen, compitiendo en el arte con Dios, ¿cómo les será a las mujeres lícito en sus mismas caras formar nuevos gestos, en revocación de lo hecho?

»Al profeta Samuel, cuando Dios le envió a ungir en rey a uno de los hijos de Jesé, pareciéndole que el más anciano de ellos era hermoso y dispuesto, y queriéndole ungir, díjole Dios: *No mires a su rostro, ni atiendas a su buena disposición de ese hombre, que le tengo desechado;*

que el hombre mira a los ojos, y Dios tiene cuenta con el corazón. Y
así el profeta no ungió al hermoso de cuerpo, sino consagró al hermoso
de ánimo. Pues si la belleza de cuerpo, aun aquella que es natural, tiene
Dios en tanto menos que la belleza del alma, ¿qué juzgará de la postiza y fingida el que todo lo falso desecha y aborrece? *En fe caminamos,
y no en lo que es evidente a la vista.*

»Manifiestamente nos enseñó en Abraham el Señor que ha de menospreciar quien le siguiere la parentela, la tierra, la hacienda y riquezas y bienes visibles. Hízole peregrino, y luego que despreció su natural
y el bien que se veía, le llamó amigo suyo. Y era Abraham noble en
tierra y muy abundante en riqueza; que, como se lee, cuando venció a
los reyes que prendieron a Loth, armó de sola su casa trescientas y die-
ciocho personas.

»Sola es Esther la que hallamos haberse aderezado sin culpa, porque se hermoseó con misterio y para el rey su marido; demás de que
aquella su hermosura fue rescate de toda una gente condenada a la
muerte.

»Y así lo que se concluye de todo lo dicho es que el afeitarse y el
hermosearse, a las mujeres hace rameras y a los hombres hace afeminados y adúlteros. Como el poeta trágico lo dio bien a entender cuando
dijo:

> De Frigia vino a Esparta el que juzgara
> —según lo dice el cuento de los griegos—
> las diosas. Hermosísimo en vestido,
> en oro reluciente, y rodeado
> de traje barbaresco y peregrino.
> Amó, y partióse así, llevando hurtada,
> a quien también le amaba, al monte de Ida,
> estando Menelao de casa ausente.

»¡Oh belleza adúltera! El aderezo bárbaro trastornó a toda Grecia.
A la honestidad de Lacedemonia corrompió la vestidura, la policía y el
rostro. El ornamento excesivo y peregrino hizo ramera a la hija de
Júpiter.

»Mas en aquéllos no fue gran maravilla, que no tuvieron maestro
que les cercenase los deseos viciosos, ni menos quien les dijese: *No for-
nicarás, ni desearás fornicar,* que es decir: No caminarás al fornicio con
el deseo, ni encenderás su apetito con el afeite, ni con el exceso del aderezo demasiado.»

Hasta aquí son palabras de San Clemente.

Y Tertuliano, varón doctísimo y vecino a los apóstoles dice: «Vosotras tenéis obligación de agradar a solos vuestros maridos. Tanto más
los agradaréis a ello, cuanto menos procuráredes parecer bien a los
otros. Estad seguras; ninguna a su marido le es fea; cuando la escogió
se agradó, porque o sus costumbres o su figura se la hicieron agradable. No piense ninguna que, si se compone templadamente, la aborre-
cerá o desechará su marido, que todos los maridos apetecen lo casto.
El marido cristiano no hace caso de la buena figura, porque no se ceba
de lo que los gentiles se ceban: el gentil, en ser cosa nuestra, la tiene
por sospechosa, por el mal que de nosotros juzga. Pues dime: tu belleza, ¿para quién la aderezas, si ni el gentil la cree ni el cristiano la pide?
¿Para qué te desentrañas por agradar al receloso o al no deseoso?

»Y no digo esto por induciros a que seáis algunas desaliñadas y fieras, ni os persuado el desaseo; sino dígoos lo que pide la honestidad,

el modo, el punto, la templanza con que aderezaréis vuestro cuerpo. No habéis de exceder de lo que al aderezo simple y limpio se debe, de lo que agrada al Señor. Porque sin duda le ofenden las que se untan con unciones de afeites el rostro, las que se manchan con arrebol las mejillas, las que con hollín alcoholan los ojos. Porque sin duda les desagrada lo que Dios hace, y arguyen en sí mismas de faltar a la obra divina, reprenden al Artífice que a todos nos hizo. Repréndenle, pues le enmiendan, pues le añaden.

»Que estas añadiduras tómanlas del contrario de Dios, esto es, del demonio. Porque ¿quién otro será maestro de mudar la figura del cuerpo, sino el que transformó en malicia la imagen del alma? Él sin duda es el que compuso este artificio, para en nosotros poner en Dios las manos en cierta manera. Lo con que se nace, obra de Dios es; luego lo que se finge y artiza, obra será del demonio.

»Pues ¿qué maldad es a la obra de Dios sobreponer lo que ingenia el demonio? Nuestros criados no toman ni prestado de los que nos son enemigos; el buen soldado no desea mercedes del que a su capitán es contrario; que es aleve encargarse del enemigo de aquel a quien sirve. ¿Y recibirá ayuda y favor de aquel *malo* el cristiano, si ya le llamo bien con tal nombre, si es ya de Cristo, porque es más de aquel cuyas enseñanzas aprende?

»Mas ¡cuán ajena cosa es de la enseñanza cristiana, de lo que profesáis en la fe; cuán indigno del nombre de Cristo traer cara postiza las que se os mandó que en todo guardéis sencillez! ¡Mentir con el rostro las que se os veda mentir con la lengua! ¡Apetecer lo que no se os da, las que os debéis abstener de lo ajeno! ¡Buscar el parecer bien, las que tenéis la honestidad por oficio! Creedme, benditas: mal guardaréis lo que Dios os manda, pues no conserváis las figuras que os pone.

»Y aun hay quien con azafrán muda de su color los cabellos. Afréntanse de su nación; duélense por no haber nacido alemanas o inglesas, y así procura desnaturalizarse en el cabello siquiera. ¡Mal agüero se hacen colorando su cabeza de fuego!

»Persuádense que les está bien lo que ensucian. Y cierto, las cabezas mismas padecen daño con la fuerza de las lejías. Y cualquiera agua, aunque sea pura, acostumbrada en la cabeza, destruye el cerebro y más el ardor del sol con que secan el cabello y le avivan. ¿Qué hermosura puede haber en daño semejante, o qué belleza en una suciedad tan enorme?

»Poner la cristiana en su cabeza azafrán, es como ponerlo al ídolo en el altar; porque en todo lo que se ofrece a los espíritus malos —sacados los usos necesarios y saludables a que Dios lo ordenó—, el usar de ello puede ser habido por cultura de ídolos. Mas dice el Señor: *¿Quién de vosotras puede mudar su cabello o de negro en blanco, o de blanco en negro?* ¿Quién? —Estas que desmienten a Dios. —¿Veis?, dicen; en lugar de hacerle de negro blanco, le hacemos rubio, que es mudanza más fácil. —Demás de que también procuran de mudarle de blanco en negro, las que les pesa de haber llegado a ser viejas. ¡Oh desatino! ¡Oh locura! ¡Que se tiene por vergonzosa la edad deseada, que no se asconde el deseo de hurtar de los años, que se desea la edad pecadora, que se repara y se remienda la ocasión del mal hacer! ¡Dios os libre a las que sois hijas de la sabiduría de tan gran necedad!

»La vejez se descubre más cuando más se procura encubrir. ¡Esa debe ser, sin duda, la eternidad que se nos promete: traer moza la cabeza! ¡Esa la incorruptibilidad de que nos vestiremos en la casa de Dios! ¡La que da la inocencia! ¡Bien os dais priesa al Señor! ¡Bien os apresuráis por salir de este malvado siglo, las que tenéis por feo el estar vecinas a la salida!

»A lo menos, decidme: ¿De qué os sirve esta pesadumbre de aderezar la cabeza? ¿Por qué no se les permite que reposen a vuestros cabellos, ya trenzados, ya sueltos, ya derramados, ya levantados en alto? Unas gustan de recogerlos en trenzas; otras los dejan andar sin orden y que vuelen ligeros con sencillez nada buena; otras, demás de esto, les añadís y apegáis no sé qué monstrosas y demasías de cabellos postizos, formados a veces como chapeo, o como vaina de la cabeza, o como cobertera de vuestra mollera, a veces echados a las espaldas, o sobre la cerviz empinados. ¡Maravilla es cuánto procuráis estrellaros con Dios, contradecir sus sentencias! Sentenciado está *que ninguno puede acrecentar su estatura*. Vosotras, si no a la estatura, a lo menos añadís al peso, poniendo también sobre vuestras caras y cuellos no sé qué costras de saliva y de masa.

»Si no os avergonzáis de una cosa tan desmedida, avergonzaos siquiera de una cosa tan sucia. No pongáis como iguales sobre vuestra cabeza santa y cristiana los despojos de otra cabeza por ventura sucia, por ventura criminosa y ordenada al infierno; antes alanzad de vuestra cabeza libre esa como postura servil. En balde os trabajáis por parecer bien tocadas; en balde os servís en el cabello de los maestros que mejor lo aderezan, que el Señor manda que le cubráis. Y creo que lo mandó porque algunas de vuestras cabezas jamás fuesen vistas.

»Plega a Él que yo, el más miserable de todos, en aquel público y alegre día del regocijo cristiano, alce la cabeza, siquiera puesto a vuestros pies; que entonces veré si resucitáis con albayalde, con colorado, con azafrán, con esos rodetes de cabeza. Y veré si a la que saliere así pintada, la subirán los ángeles en las nubes al recibimiento de Cristo. Si son estas cosas buenas, si son de Dios, también entonces se vendrán a los cuerpos y resucitarán, y cada una conocerá su lugar. Pero no resucitarán más de la carne y el espíritu puros. Luego las cosas que ni resucitarán con el espíritu ni con la carne, porque no son de Dios, condenadas son. Absteneos, pues, de lo que es condenado. Tales os vea Dios agora, cuales os ha de ver entonces.

»Mas diréis que yo, como varón y como de linaje contrario, vedo lo lícito a las mujeres. ¡Como si permitiese yo algo de esto a los hombres! ¿Por ventura el temor de Dios y el respeto de la gravedad que se debe, no quita muchas cosas a los varones también? Porque, sin ninguna duda, así a los varones por causa de las mujeres, como a las mujeres por contemplación de los hombres, les nace de su naturaleza viciosa el deseo de bien parecer. Que también nuestro linaje sabe hacer sus embustes, sabe atusarse la barba, entresacarla, ordenar el cabello, componerle y dar color a las canas; quitar, luego que comienza a nacer, el vello del cuerpo; pintarles en partes con afeites afeminados, y en partes alisarle con polvos de cierta manera; sabe consultar el espejo en cualquiera ocasión, mirarse en él con cuidado.

»Mas la verdad es que el conocimiento que ya profesamos de Dios, y el despojo del desear aplacer, y la pausa que prometemos de los excesos viciosos, huye de estas cosas todas, que en sí no son de fruto y a la honestidad hacen notable daño. Porque adonde Dios está, allí está la limpieza, y con ella la gravedad ayudadora y compañera suya.

Pues, ¿cómo seremos honestos si no curamos de lo que sirve a la honestidad como propio instrumento, que es el ser graves? O ¿cómo conservaremos la gravedad, maestra de lo honesto y de lo casto, si no guardamos lo severo, así en la cara como en el aderezo, como en todo lo que en nuestros ojos se ve?

»Por lo cual también en los vestidos poned tasa con diligencia, y desechad de vosotras y de ellos las galas demasiadas. Porque ¿qué sirve traer el rostro honesto y aderezado con la sencillez que pide nuestra profesión y doctrina, y lo demás del cuerpo rodeado de esas burlerías de ropas ajironadas y pomposas y regaladas?

»¡Qué fácil es de ver cuán junta anda esa pompa con la lascivia, y cuán apartada de las reglas honestas, pues ofrece al apetito de todos la gracia del rostro, ayudada con el buen atavío! Tanto que, si esto falta, no agrada aquello, y queda como descompuesto y perdido. Y al revés, cuando la belleza del rostro falta, el lucido traje cuasi suple por ella. Aun a las edades quietas ya y metidas en el puerto de la templanza, las galas de los vestidos lucidos y ricos las sacan de sus casillas, e inquietan con ruines deseos su madurez grave y severa, pesando más el sainete del traje que la frialdad de los años.

»Por tanto, benditas, lo primero, no deis entrada en vosotras a las galas y riquezas de los vestidos, como a rufianes que sin duda son y alcahuetes. Lo otro, cuando alguna usare de semejantes arreos, forzándola a ello o su linaje, o sus riquezas, o la dignidad de su estado, use de ellos con moderación cuanto le fuere posible, como quien profesa castidad y virtud, y no dé riendas a la licencia con color que le es fuerza. Porque, ¿cómo podremos cumplir con la humildad que profesamos los que somos cristianos, si no cubijáis como con tierra el uso de vuestras riquezas y galas, que sirve a la vanagloria? Porque la vanagloria anda con la hacienda.

»Mas diréis: —¿No tengo de usar de mis cosas? —¿Quién os lo veda que uséis? Pero usad conforme al Apóstol, que nos enseña que *usemos de este mundo, como si no usásemos de él;* porque, como dice, *todo lo que en él se parece, vuela. Los que compraren,* dice, *compren como si no poseyesen.* Y esto ¿por qué? Porque había dicho primero: *El tiempo se acaba.* Y si el Apóstol muestra que aun las mujeres han de ser tenidas, como si no se tuviesen, por razón de la brevedad de la vida, ¿qué será de estas sus vanas alhajas? ¿Por ventura muchos no lo hacen así, que se ponen en vida casta por el reino del cielo, privándose de su voluntad del deleite permitido y tan poderoso? ¿No se ponen entredicho algunas de las cosas que Dios cría, y se contienen del beber vino, y se destierran del comer carne, aunque pudieran gozar de ello sin peligro ni solicitud, pero hacen sacrificio a Dios de la afición de sí mismos, en la abstinencia de los manjares? Harto habéis gozado ya de vuestras riquezas y regalos; harto del fruto de vuestros dotes. ¿Habéis por caso olvidado lo que os enseña la voz de salud? Nosotros somos *aquellos en quien vienen a concluirse los siglos.* Nosotros, los que, siendo ordenados de Dios antes del mundo, para sacar provecho y para dar valor a los tiempos, nos enseña el mismo que castiguemos, o como, si dijésemos, que castremos el siglo. Nosotros somos la circuncisión general de la carne y del espíritu, porque cercenamos todo lo seglar del alma y del cuerpo.

»¡Dios, sin duda, nos debió de enseñar cómo se cocerían las lanas, o en el zumo de las yerbas o en la sangre de las ostras! ¡Olvidósele, cuando lo crió todo, mandar que naciesen ovejas de color de grana o moradas! ¡Dios debió de inventar los telares, do se tejen y labran las telas, para que labrasen y tejiesen telas delicadas y ligeras y pesadas en sólo el precio! ¡Dios debió de sacar a luz tantas formas de oro, para luz y ornamento de las piedras preciosas! ¡Dios enseñaría horadar las orejan con malas heridas, sin tener respeto al tormento de su criatura, ni al dolor de la niñez que entonces se comienza a doler, para que de aquellos agujeros del cuerpo, soldadas ya las heridas, cuelguen no sé qué malos granos, los cuales, los partos se engieren por todo el cuerpo en lugar de hermosura! Y aun hay gentes que al mismo oro de que hacéis honra y gala vosotras, le hacen servir de prisiones, como en los libros de los gentiles se escribe.

»De manera que estas cosas, por ser raras, son buenas, y no por sí. La verdad es que los ángeles malos fueron los que las enseñaron; ellos descubrieron la materia y los mismos demostraron el arte. Juntóse con el ser raro la delicadeza del artificio, y de allí nació el precio, y del precio la mala codicia que de ello las mujeres tienen, las cuales se pierden por lo preciosos y costoso. Y porque estos mismos ángeles, que descubrieron los metales ricos —digo, la plata y el oro—, y que enseñaron cómo se debían labrar, fueron también maestros de las tinturas con que los rostros se embellecen y se coloran las lanas; por eso fueron condenados de Dios, como en Enoch se refiere. Pues ¿en qué manera agradaremos a Dios, si nos preciamos de las cosas de aquellos que despertaron contra sí la ira y el castigo de Dios?

»Mas háyalo Dios enseñado, háyalo permitido, nunca Isaías haya dicho mal de las púrpuras, de los joyeles; nunca haya embotado las ricas puntas de oro; pero no por eso, haciendo lisonja a nuestro gusto, como los gentiles lo hacen, debemos tener a Dios por maestro y por inventor de estas cosas, y no por juez y pesquisador del uso de ellas. ¡Cuánto mejor y con más aviso andaremos si presumiéremos que Dios lo proveyó todo, y lo puso en la vida para que hubiese en ella alguna prueba de la templanza de los que le siguen, de manera que, en medio de la licencia del uso, se viese por experiencia el templado! ¿Por ventura los señores que bien gobiernan sus casas no dejan de industria alguna cosa a sus criados, y se las permiten para experimentar en qué manera usan de ellas, si moderadamente, si bien? Pues ¡qué loado es allí el que se abstiene de todo, el que se recela de la condescendencia del amo! Así, pues, como dice el Apóstol: *Todo es lícito, pero no edifica todo*. El que se recelare en lo lícito, ¿cuánto mejor temerá lo vedado?

»Decidme: ¿qué causa tenéis para mostraros tan enjaezadas, pues estáis apartadas de lo que a las otras las necesita? Porque si vais a los templos de los ídolos, ni salís a los juegos públicos, ni tenéis que ver con los días de fiesta gentiles; que siempre, por causa de estos ayuntamientos y por razón de ver y de ser vistas, se sacan a plaza las galas, o para que negocie lo deshonesto, o para que se engría lo altivo, o para hacer el negocio de la deshonestidad, o para fomentar la soberbia. Ninguna causa tenéis para salir de casa, que no sea grave y severa, que no pida estrechez y encogimiento. Porque, o es visita de algún fiel enfermo, o es ver la misa o el oír la palabra de Dios. Cada cosa de éstas es negocio santo y grave, y negocio para que no es menester vestido y aderezo, ni extraordinario ni pulido ni disoluto. Y si la necesidad de la amistad o de las buenas obras, os llama a que veáis las infieles, pregunto: ¿Por qué no iréis aderezadas de lo que son vuestras armas, por eso mismo porque vais a las que son ajenas de vuestra fe, para que haya diferencia entre las siervas del demonio y de Dios; para que les sea como ejemplo y se edifiquen de veros; para que, como dice el Apóstol, *sea Dios ensalzado en vuestro cuerpo?* Y es ensalzado con la honestidad y con el hábito que a la honestidad le conviene.

»Pero dicen algunas: —Antes porque no blasfemen de su nombre en nosotras, si ven que quitamos algo de lo antiguo que usábamos.

»Luego ni quitemos de nosotros los vicios pasados; seamos de unas mismas costumbres, pues queremos ser de un mismo traje. ¿Y entonces con verdad no blasfemarán de Dios los gentiles? ¡Gran blasfemia es por cierto que se diga de alguna que anda pobre después que es cristiana! ¿Temerá nadie de parecer pobre después que es más rica, o de parecer sin aseo después que es más limpia? Pregunto: ¿A los cristianos cómo les convienen que anden: conforme al gusto de los gentiles, o conforme al de Dios? Lo que habemos de procurar es no dar causa a que con razón nos blasfemen. ¡Cuánto será más digno de blasfemia, si las que sois llamadas *sacerdotes de honestidad* salís vestidas y pintadas como las deshonestas se visten y afeitan! O ¿qué más hacen aquellas miserables que se sacrifican al público deleite y al vicio, a las cuales, si antiguamente las leyes las apartaron de las matronas y de los trajes que las matronas usaban, ya la maldad de este siglo, que siempre crece, las ha igualado en esto con las honestas mujeres, de manera que no se pueden reconocer sin error?

»Verdad es que las que se afeitan como ellas, poco se diferencian de ellas. Verdad es que los afeites de la cara, las Escrituras nos dicen que andan siempre con el cuerpo burdel, como debidos a él y como sus allegados. Que aquella poderosa ciudad de quien se dice que *preside sobre siete montes,* y quien mereció que la llamase *ramera* Dios, ¿con qué traje, veamos, corresponde a su nombre? En carmesí se asienta sin duda, y en púrpura y en oro y en piedras preciosas, que son cosas malditas, y sin que pintada ser no pudo la que es *ramera maldita.*

»La Thamar, porque se engalanó y se pintó, por eso a la sospecha de Judas fue tenida por mujer que vendía su cuerpo. Y como la encubría el rebozo, y como el aderezo daba a entender ser ramera, hizo que la tuviesen por tal. Quísola y recuestóla, y puso su concierto con ella. De donde aprendemos que conviene en todas maneras cortar el camino, aun a lo que hace mala sospecha de nosotros. Que ¿por qué la entereza del ánima casta ha de querer ser manchada con la sospecha ajena? ¿Por qué se esperará de vos lo que huís como la muerte? ¿Por qué mi traje no publicará mis costumbres, para que por lo que el traje dice, no ponga llaga la torpeza en el alma, y para que pueda ser tenida por honesta, la que desama el ser deshonesta?

»Mas dirá por caso alguna: —No tengo necesidad de satisfacer a los hombres, ni busco el ser aprobada de ellos; *Dios es el que ve el corazón.*

»Todos sabemos eso; mas también nos acordamos de lo que Él mismo por su Apóstol escribe: *Vean los hombres que vivís bien.* ¿Y para qué, sino para que la mala sospecha no os toque, y para que seáis buen ejemplo a los malos, y ellos os den testimonio? O ¿qué es, si esto no es: *Resplandezcan vuestras buenas obras?* O ¿para qué nos llama el Señor *luz de la tierra?* ¿Para qué nos compara a *ciudad puesta en el monte,* si nos sumimos y lucir no queremos en las tinieblas? Si escondiéredes debajo del celemín la candela de vuestra virtud, forzoso será quedaros a obscuras, y de fuerza estropezaran en vosotras diversas gentes. Las obras de buen ejemplo, ésas son las que nos hacen lumbreras del mundo; que el bien entero y cabal no apetece lo obscuro, antes se goza en ser visto, y en ser demostrado se alegra. A la castidad cristiana no le basta ser casta, sino parecer también que lo es. Porque ha de ser tan cumplida, que del ánima mane al vestido, y del secreto de la conciencia salga a la sobrehaz, para que se vean sus alhajas de fuera, y sean cual convienen ser para conservar perpetuamente la fe.

»Porque conviene mucho que desechemos los regalos muelles, porque su blandura y demasía excesiva afeminan la fortaleza de la fe y la enflaquecen. Que, cierto, no sé yo si la mano acostumbrada a vestirse del guante sufrirá pasmarse con la dureza de la cadena. Ni sé si la pierna hecha al calzado bordado consentirá que el cepo la estreche. Temo mucho que el cuello embarazado con los lazos de las esmeraldas y perlas no dé lugar a la espada.

»Por lo cual, benditas, ensayémonos en lo más áspero, y no sentiremos. Dejemos lo apacible y alegre, y luego nos dejará su deseo. Estemos aprestadas para cualquier suceso duro, sin tener cosa que temamos perder. Que estas cosas ligaduras son que detienen nuestra esperanza. Desechemos las galas del suelo, si deseamos las celestiales. No améis el oro, que fue materia del primer pecado del pueblo de Dios. Obligadas estáis a aborrecer lo que fue perdición de aquella gente; la que, apartándose de Dios, adoró. Y aun ya desde entonces el oro es yesca del fuego. Las sienes y frentes de los cristianos en todo tiempo y en éste principalmente, no el oro, sino el hierro la traspasa y enclava. Las estolas del martirio nos están prestas y a punto. Los ángeles las tienen en las manos para vestírnoslas. ¡Salid, salid aderezadas con los afeites y con los trajes vistosos de los apóstoles! Poneos el blanco de la sencillez, el colorado de la honestidad; alcoholad con la vergüenza los ojos, y con el espíritu modesto y callado. En las orejas poned como arracadas las palabras de Dios. Añudad a vuestros cuellos el yugo de Cristo. Sujetad a vuestros maridos vuestras cabezas y quedaréis así bien hermosas. Ocupad vuestras manos con la lana, enclavad en vuestra casa los pies, y agradarán más así que si los cercásedes de oro. Vestid seda de bondad, holanda de santidad, púrpura de castidad y pureza, que, afeitadas de esta manera, será vuestro enamorado el Señor.»

Esto es de Tertuliano.

Mas no son necesarios los arroyos, pues tenemos la voz del Espíritu Santo, que por la boca de sus apóstoles San Pedro y San Pablo condena este mal clara y abiertamente. Dice San Pedro: *Las mujeres estén sujetas a sus maridos, las cuales ni traigan por defuera descubiertos los cabellos, ni se cerquen de oro, ni se adornen con aderezo de vestiduras precioso; sino su aderezo sea en el hombre interior, que está en el corazón escondido, la entereza, y el espíritu quieto y modesto, el cual es de precio en los ojos de Dios; que de esta manera en otro tiempo se aderezaban aquellas santas mujeres.*

Y San Pablo escribe semejantemente: *Las mujeres se vistan decentemente, y su aderezo sea modesto y templado, sin cabellos encrespados, y sin oro y perlas, y sin vestiduras preciosas, sino cual conviene a las mujeres que han profesado virtud y buenas obras.*

Éste, pues, sea su verdadero aderezo; y para lo que toca a la cara, hagan como hacía alguna señora de este reino. Tiendan las manos y reciban en ellas el agua sacada de la tinaja, que con el aguamanil su sirviente les echare, y llévenla al rostro; y tomen parte de ella en la boca, y laven las encías, y tornen los dedos por los ojos, y llévenlos por los oídos y detrás de los oídos también, y hasta que todo el rostro quede limpio no cesen; y después, dejando el agua, límpiense con un paño áspero, y queden así más hermosas que el sol.

Añade:

CAPITULO XII

[LA BUENA MUJER HA DE SER DICHA, GLORIA, FELIZ SUERTE Y BENDICIÓN
DE SU MARIDO]

*Señalado en las puertas su marido, cuando
se asentare con los gobernadores del pueblo.*

En las puertas de la ciudad eran antiguamente las plazas, y en las
plazas estaban los tribunales y asientos de los jueces y de los que se
juntaban para consultar sobre el buen gobierno y regimiento del pueblo.
Pues dice que en las plazas y lugares públicos, y adondequiera que se
hiciese junta de hombres principales, el hombre, cuya mujer fuere, cual
es la que aquí se dice, será por ella conocido y señalado y preciado
entre todos. Y dice esto Salomón, o en Salomón el Espíritu Santo, no
sólo para mostrar cuánto vale la virtud de la buena, pues da honra a sí
y ennoblece a su marido, sino para enseñarle en esta virtud de la *perfecta casada,* de que vamos hablando, que es lo sumo de ella y la raya
hasta donde ha de llegar, que es el ser corona y luz y bendición y alteza de su marido.

Pues es así que todos conocen y acatan y reverencian y tienen por
dichoso y bienaventurado al que le ha cabido esta buena suerte. Lo
uno, por haberle cabido, porque no hay joya ni posesión tan preciosa ni
envidiada como la buena mujer. Y lo otro, por haber merecido que le
supiese, porque, así como este bien es precioso y raro, y don propiamente dado de Dios, así no le alcanzan de Dios sino los que, temiéndole
y sirviéndole, se lo merecen con señalada virtud. Así lo testifica el mismo Dios en el Eclesiástico: *Suerte buena es la mujer buena, y es parte
de buen premio de los que sirven a Dios, y será dada al hombre por
sus buenas obras.* De arte que el que tiene buena mujer es estimado
por dichoso en tenerla, y por virtuoso en haberla merecido tener.

De donde se entiende que el carecer de este bien, en muchos es por
su culpa de ellos. Porque, a la verdad, el hombre vicioso y distraído y
de aviesa y revesada condición, que juega su hacienda y es un león en
su casa, y sigue a rienda suelta la deshonestidad, no espere ni quiera
tener buena mujer, porque ni la merece ni Dios la quiere a ella tan mal
que la quiera juntar a compañía tan mala; y porque él mismo con su
mal ejemplo y vida desvariada la estraga y corrompe.

Pero torna Salomón a lo casero de la mujer, y dice:

CAPITULO XIII

[LA INDUSTRIA Y CUIDADO DE LA BUENA CASADA HAN DE LLEGAR NO SÓLO
A LO QUE BASTA EN SU CASA, SINO AUN A LO QUE SOBRA]

> *Lienzo tejió y vendiólo; franjas dio al ca-*
> *naneo.*

Cananeo llama al mercader y al que decimos cajero, porque los de
aquella nación ordinariamente trataban de esto, como si dijésemos agora
al portugués. Y va siempre añadiendo una virtud a otra virtud, y lleva
poco a poco a la mayor perfección esta pintura que hace, y quiere que
la industria y cuidado de la buena casada llegue, no sólo a lo que basta
en su casa, sino aun a lo que sobra; y que las sobras las venda y las
convierta en riqueza suya, y en arreo y provisión ajena.

Y baste lo que ya acerca de esto arriba tenemos dicho.

CAPITULO XIV

[DE LA TEMPLANZA Y MEDIO QUE HA DE OBSERVAR LA PERFECTA MUJER
EN SU CONDICIÓN Y TRATO]

*Fortaleza y buena gracia su vestido: reirá
hasta el día postrero.*

Aunque esta buena casada ha de ser para mucho, que es lo que aquí
Salomón llama *fortaleza,* no por eso tiene licencia para ser desabrida en
la condición, y en su manera y trato desagraciada, sino, como el vestido ciñe y rodea todo el cuerpo, así ella toda y por todas partes ha de
andar cercada y como vestida de un valor agraciado y de una gracia
valerosa. Quiero decir, que ni la diligencia, ni la vela, ni la asistencia
a las cosas de su casa la ha de hacer áspera y terrible; ni menos la
buena gracia y la apacible habla y semblante han de ser muelle ni des-
atado, sino que, templando con lo uno lo otro, conserve el medio en
ambas a dos cosas, y haga de entrambas una agradable y excelente
mezcla.

Y no ha de conservar por un día o por un breve espacio aqueste
tenor, sino por toda la vida hasta el día postrero de ella. Lo cual es
propio de todas las cosas que, o son virtud, o tienen raíces de virtud;
ser perseverantes y casi perpetuas. Y en esto se diferencian de las no
tales, que éstas, como nacen de antojo, duran por antojo; pero aqué-
llas, como se fundan en firme razón, permanecen por luengos tiempos.

Y los que han visto alguna mujer de las que se allegan a esta que
aquí se dice, podrán haber experimentado lo uno y lo otro. Lo uno,
que a todo tiempo y a toda sazón se halla en ella dulce y agradable
acogida; lo otro, que esta gracia y dulzura suya no es gracia que desata
el corazón del que la ve ni le enmollece, antes le pone concierto y le es
como una ley de virtud, y así le deleita y aficiona, que juntamente le
limpia y purifica; y borrando de él las tristezas, lava las torpezas también y es gracia que aun la engendra en los miradores.

Y la fuerza de ella y aquello en que propiamente consiste, lo declara más enteramente lo que se sigue:

CAPITULO XV

[CUÁNTO IMPORTA QUE LAS MUJERES NO HABLEN MUCHO Y QUE SEAN
APACIBLES Y DE CONDICIÓN SUAVE]

> *Su boca abrió en sabiduría, y ley de piedad
> en su lengua.*

Dos cosas hacen y componen este bien de que vamos hablando:
razón discreta y habla dulce. Lo primero llama *sabiduría*, y *piedad* lo
segundo, o, por mejor decir, *blandura*. Pues entre todas las virtudes
sobredichas, o para decir verdad, sobre todas ellas, la buena mujer se
ha de esmerar en ésta, que es ser *sabia* en su razón, y *apacible* y dulce
en su hablar.

Y podemos decir que con esto lucirá y tendrá como vida todo lo
demás de virtud que se pone en esta mujer, y que sin ello quedará todo
lo otro como muerto y perdido. Porque una mujer necia y parlera,
como lo son de contino las necias, por más bienes otros que tenga, es
intolerable negocio. Y ni más ni menos la que es brava y de dura y áspera conversación, ni se puede ver ni sufrir. Y así podemos decir que
todo lo sobredicho hace como el cuerpo de esta virtud de la casada
que dibujamos; mas esto de agora es como el alma, y es la perfección
y el remate y la flor de todo este bien.

Y cuanto toca a lo primero, que es cordura y discreción o *sabiduría*,
como aquí se dice, la que de suyo no la tuviere, o no se la hubiere dado
el don de Dios, con dificultad le persuadiremos a que le falta y a que le
busque. Porque lo más propio de la necedad es no conocerse y tenerse
por sabia. Y ya que la persuadamos, será mayor dificultad ponerla en
el buen saber, porque es cosa que se aprende mal cuando no se aprende
en la leche. Y el mejor consejo que le podemos dar a las tales, es rogarles que callen, y que, ya que son poco sabias, se esfuercen a ser
mucho calladas. Que como dice el sabio: *Si calla el necio, a las veces
será tenido por sabio y cuerdo.* Y podrá ser y será así que, callando y
oyendo y pensando primero consigo lo que hubieren de hablar, acierten
a hablar lo que merezca ser oído. Así que de este mal ésta es la medicina más cierta, aunque ni es bastante medicina ni fácil.

Mas como quiera que sea, es justo que se precien de callar todas,
así aquellas a quien les conviene encubrir su poco saber, como aquellas
que pueden sin vergüenza descubrir lo que saben; porque en todas es
no sólo condición agradable, sino virtud debida el silencio y el hablar
poco. Y el abrir su boca *en sabiduría*, que el sabio aquí dice, es no la
abrir sino cuando la necesidad lo pide, que es lo mismo que abrirla
templadamente y pocas veces, porque son pocas las que lo pide la ne-

cesidad. Porque así como la naturaleza, como dijimos y diremos, hizo a las mujeres para que, encerradas, guardasen la casa, así las obligó a que cerrasen la boca. Y como las desobligó de los negocios y contrataciones de fuera, así las libertó de lo que se consigue a la contratación, que son las muchas pláticas y palabras. Porque el hablar nace del entender, y las palabras no son sino como imágenes o señales de lo que el ánimo concibe en sí mismo. Por donde, así como a la mujer buena y honesta la naturaleza no la hizo para el estudio de las ciencias ni para los negocios de dificultades, sino para un solo oficio simple y doméstico, así les limitó el entender, y por consiguiente les tasó las palabras y las razones.

Y así como es esto lo que su natural de la mujer y su oficio le pide, así por la misma causa es una de las cosas que más bien le está y que mejor la parece. Y así solía decir Demócrito *que el aderezo de la mujer y su hermosura era el hablar escaso y limitado.* Porque como en el rostro la hermosura de él consiste en que se respondan entre sí las facciones, así la hermosura de la vida no es otra cosa sino el obrar cada uno conforme a lo que su naturaleza y oficio le pide. El estado de la mujer en comparación del marido es estado humilde. Y es como dote natural de las mujeres la mesura y vergüenza; y ninguna cosa hay que se compadezca menos o que desdiga más de lo humilde y vergonzoso, que lo hablador y lo parlero.

Cuenta Plutarco que Fidias, escultor noble, hizo a los elienses una imagen de Venus, que afirmaba los pies sobre una tortuga, que es animal mudo y que nunca desampara su concha; dando a entender que las mujeres, por la misma manera, han de guardar siempre la casa y el silencio. Porque verdaderamente el saber callar es su sabiduría propia, y aquella de quien habla aquí Salomón, aunque para aprendida, es muy dificultosa a aquellas que de su cosecha no la tienen, como decíamos. Y esto cuanto a lo primero.

Mas lo segundo, que toca a la aspereza y desgracia de la condición, que por la mayor parte nace más de voluntad viciosa que de naturaleza errada, es enfermedad más curable. Y deben advertir mucho en ello las buenas mujeres; porque, si bien se mira, no sé yo si hay cosa más monstruosa y que más disuene de lo que es, que ser una mujer áspera y brava. La aspereza hízose para el linaje de los leones o de los tigres. Y aun los varones, por su compostura natural y por el peso de los negocios en que de ordinario se ocupan, tienen licencia para ser algo ásperos; y el sobrecejo y el ceño y la esquivez en ellos está bien a las veces. Mas la mujer si es leona, ¿qué le queda de mujer? Mire su hechura toda, y verá que nació para piedad. Y como a las onzas las uñas agudas y los dientes largos y la boca fiera y los ojos sangrientos las convidan a crueza, así a ella la figura apacible de toda su disposición la obliga a que no sea el ánimo menos mesurado que el cuerpo parece blando. Y no piensen que las crió Dios y las dio al hombre sólo para que le guarden la casa, sino también para que le consuelen y alegren; para que en ella el marido cansado y enojado halle descanso y los hijos amor y la familia piedad, y todos generalmente acogimiento agradable.

Bien las llama el hebreo a las mujeres *la gracia de casa.* Y llámalas así en su lengua con una palabra que en castellano, ni con decir *gracia,* ni con otras muchas palabras de buena significación, apenas comprendemos todo lo que en aquélla se dice. Porque dice *aseo,* y dice *hermosura,* y dice *donaire,* y dice *luz* y *deleite* y *concierto* y *contento,* el vocablo con que el hebreo las llama. Por donde entendemos que de la buena mujer es tener estas cualidades todas; y entendemos también que la que no va por aquí, no debe ser llamada ni la gracia, ni la luz ni el placer de su casa, sino el trasto de ella y el estropiezo, o por darles su nombre verdadero, el trasgo y la estantigua, que a todos los turba y asombra. Y sucede que, como a las casas que son por esta causa asombradas, después de haberlas conjurado, al fin los que las viven las dejan; así la habitación donde reinan en figura de mujer estas fieras, el marido teme entrar en ella, y la familia desea salir de ella y todos la aborrecen, y lo más presto que pueden la santiguan y huyen.

¿Qué dice el sabio?: *El azote de la lengua de la mujer brava por todos se extiende; enojo fiero la mujer airada y borracha, es su afrenta perpetua.* Conocí yo una mujer que, cuando comía, reñía, y cuando venía la noche, reñía también; y el sol cuando nacía la hallaba riñendo; y esto hacía el día santo y el día no santo, y la semana y el mes; y por todo el año no era otro su oficio sino reñir. Siempre se oía el grito y la voz áspera, y la palabra afrentosa y el deshonrar sin freno; y ya sonaba el azote, y ya volaba el chapín, y nunca la oí que no me acordase de aquello que dice el poeta:

> Thesifone, ceñida de crudeza
> la entrada, sin dormir de noche y día,
> ocupa; suena el grito, la braveza,
> el lloro, el crudo azote, la porfía.

Y así era su casa una imagen del infierno en esto, con ser en lo demás un paraíso; porque las personas de ella eran no para mover a la braveza, sino para dar contento y descanso a quien lo mirara bien. Por donde, cargando yo el juicio algunas veces en ello, me resolví en que de todo aquel vocear y reñir no se podía dar causa alguna que colorada fuese, sino era querer digerir con aquel ejercicio las cenas, en las cuales de ordinario esta señora excedía.

Y es así que en estas bravas, si se apuran bien todas las causas de esta su desenfrenada y continua cólera, todas ellas son razones de disparate. La una, porque le parece que cuando riñe es señora; la otra, porque la desgració el marido, y halo de pagar la hija o la esclava; la otra, porque su espejo no le mintió, ni la mostró hoy tan linda como ayer, de cuanto ve levanta alboroto. A la una embravece el vino, a la otra su no cumplido deseo, y a la otra su mala ventura.

Pero pasemos más adelante.

Dice:

CAPITULO XVI

[NO HAN DE SER LAS BUENAS MUJERES CALLEJERAS, VISITADORAS Y VAGABUNDAS, SINO QUE HAN DE AMAR MUCHO EL RETIRO, Y SE HAN DE ACOSTUMBRAR A ESTARSE EN CASA]

Rodeó todos los rincones de su casa, y no comió el pan de balde

Quiere decir que, en levantándose la mujer, ha de proveer las cosas de su casa y poner en ellas orden, y que no ha de hacer lo que muchas de las de agora hacen; que unas, en poniendo los pies en el suelo, o antes que los pongan, estando en la cama, negocian luego con el almuerzo, como si hubiesen pasado cavando la noche. Otras se asientan con su espejo a la obra de su pintura, y se están en ella enclavadas tres o cuatro horas, y es pasado el medio día y viene a comer el marido, y no hay puesta cosa puesta en concierto.

Y habla Salomón de esta diligencia aquí, no porque antes de agora no hubiese hablado de ella, sino por dejarla, con el repetir, más firme en la memoria, como cosa importante y como quien conocía de las mujeres cuán mal se hacen al cuidado y cuán inclinadas son al regalo.

Y dícelo también porque, diciéndole a la mujer que rodee su casa, le quiere enseñar el espacio por donde ha de menear los pies la mujer y los lugares por donde ha de andar, y, como si dijésemos, el campo de su carrera, que es su casa propia, y no las calles, ni las plazas, ni las huertas, ni las casas ajenas. *Rodeó, dice, los rincones de su casa;* para que se entienda que su andar ha de ser en su casa, y que ha de estar presente siempre en todos los rincones de ella; y que, porque ha de estar siempre allí presente, por eso no ha de andar fuera nunca; y que, porque sus pies son para rodear sus rincones, entienda que no los tienen para rodear los campos y las calles.

¿No dijimos arriba que el fin para que ordenó Dios la mujer y se la dio por compañía al marido, fue para que le guardase la casa, y para que lo que él ganase en los oficios y contrataciones de fuera, traído a casa, lo tuviese en guarda la mujer y fuese como su llave? Pues si es por natural oficio guarda de casa, ¿cómo se permite que sea callejera y visitadora y vagabunda? ¿Qué dice San Pablo a su discípulo Tito que enseñe a las mujeres casadas? *Que sean prudentes,* dice, *y que sean honestas, y que amen a sus maridos, y que tengan gran cuidado de sus casas.* Adonde lo que decimos *que tengan cuidado de sus casas,* el original dice así: *y que sean guardas de sus casas.*

¿Por qué les dió a las mujeres Dios las fuerzas flacas y los miembros muelles, sino porque las crió, no para ser postas, sino para estar en su rincón asentadas? Su natural propio pervierte la mujer callejera. Y como los peces, en cuanto están dentro del agua, discurren por ella y andan y vuelan ligeros, mas, si acaso los sacan de allí, quedan sin se poder menear, así la buena mujer, cuanto para de sus puertas adentro ha de ser presta y ligera, tanto para fuera de ellas se ha de tener por coja y torpe. Y pues no las dotó Dios ni del ingenio que piden los negocios mayores, ni de fuerzas las que son menester para la guerra y el campo, mídanse con lo que son y conténtense con lo que es de su suerte, y entiendan en su casa y anden en ella, pues las hizo Dios para ella sola. Los chinos, en naciendo, les tuercen a las niñas los pies, porque, cuando sean mujeres, no les tengan para salir fuera, y porque, para andar en su casa, aquellos torcidos les bastan.

Como son los hombres para lo público, así las mujeres para el encerramiento; y como es de los hombres el hablar y el salir a luz, así de ellas el encerrarse y encubrirse. Aun en la iglesia, adonde la necesidad de la religión las lleva y el servicio de Dios, quiere San Pablo que estén así cubiertas, que apenas los hombres las vean; ¿y consentirá que por su antojo vuelen por las plazas y calles, haciendo alarde de sí? ¿Qué ha de hacer fuera de su casa la que no tiene partes ningunas de las que piden las cosas que fuera de ellas se tratan? Forzoso es que, como la experiencia lo enseña, pues no tienen saber para los negocios de substancia, traten, saliendo, de poquedades y menudencias; y forzoso es que, pues no son para las cosas de seso y de peso, se ocupen en lo que es perdido y liviano; y forzoso es que, pues no es de su oficio ni natural hacer lo que pide valor, hagan el oficio contrario. Y así es que las que en sus casas cerradas y ocupadas las mejorarán, andando fuera de ellas las destruyen. Y las que con andar por sus rincones ganarán las voluntades y edificarán las conciencias de sus maridos, visitando las calles, corrompen los corazones ajenos, y enmollecen las almas de los que las ven, las que, por ser ellas muelles, se hicieron para la sombra y para el secreto de sus paredes.

Y si es de lo propio de la mujer el vaguear por las calles, como Salomón en los Proverbios lo dice, bien se sigue que ha de ser propiedad de la buena el salir pocas veces en público. Dice bien uno acerca del poeta Menandro:

> A la buena mujer le es propio y bueno
> el de contino estar en su morada;
> que el vaguear de fuera es de las viles.

Y no por esto piensen que no serán conocidas o estimadas, si guardan su casa; porque, al revés, ninguna cosa hay que así las haga preciar como el asistir en ella a su oficio, como de Theano, la pitagórica, que siendo preguntada por otra cómo vendría a ser señalada y nombrada, escriben que dijo: *Que hilando y tejiendo y teniendo cuenta con su rincón.* Porque siempre a las que así lo hacen, les sucede lo que luego se sigue.

Esto es:

CAPITULO XVII

[DE CÓMO PERTENECE AL OFICIO DE LA PERFECTA CASADA HACER BUENO
AL MARIDO, Y DE LA OBLIGACIÓN QUE TIENE LA QUE ES MADRE DE CRIAR
POR SÍ A LOS HIJOS]

Levantáronse sus hijos y loáronla y alabóla
también su marido.

Parecerá a alguno que tener una mujer hijos y maridos tales que la
alaben, más es buena dicha de ella que parte de su virtud. Y dirán
que no es ésta alguna de las cosas que ella ha de hacer para ser la que
debe, sino de las que, si lo fuere, le sucederán. Mas, aunque es verdad
que a las tales les sucede esto, pero no se ha de entender que es suceso que les adviene por caso, sino bien que les viene porque ellas lo
hacen y lo obran. Porque al oficio de la buena mujer pertenece, y esto
nos enseña Salomón aquí, hacer buen marido y criar buenos hijos, y
tales que no sólo con debidas y agradecidas palabras le den loor, pero
mucho más con buenos hechos y obras. Que es pedirle tanta bondad y
virtud cuanta es menester, no sólo para sí, sino también para sus hijos
y su marido. Por manera que sus buenas obras de ellos sean propios y
verdaderos loores de ella, y sean como voces vivas que en los oídos de
todos canten su loor.

Y cuanto a lo del marido, cierto es, lo primero, que el Apóstol dice,
que muchas veces la mujer cristiana y fiel, al marido que es infiel le
gana y hace su semejante. Y así no han de pensar que pedirles esta
virtud es pedirles lo que no pueden hacer, porque, si alguno puede con
el marido, es la mujer sola. Y si la caridad cristiana obliga al bien del
extraño, ¿cómo puede pensar la mujer que no está obligada a ganar y
a mejorar su marido?

Cierto es que son dos cosas las que entre todas tienen para persuadir eficacia: el amistad y la razón. Pues veamos cuál de estas dos cosas
falta en la mujer, que es tal cual decimos aquí; o veamos si hay algún
otro que ni con muchas partes se iguale con ella en esto. El amor que
hay entre dos, mujer y marido, es el más estrecho, como es notorio, porque le principia la naturaleza y le acrecienta la gracia, y le enciende la
costumbre, y le enlazan estrechísimamente otras muchas obligaciones.

Pues la razón y la palabra de la mujer discreta es más eficaz que
otra ninguna en los oídos del hombre. Porque su aviso es aviso dulce;
y como las medicinas cordiales, así su voz se lanza luego y se apega
más con el corazón. Muchos hombres habría en Israel tan prudentes, y
de tan discreta y más discreta razón que la mujer de Tecua; y para
persuadir a David y para inducirle a que tornase a su hijo Absalón a su

gracia, Joab, su capitán general, avisadamente se aprovechó del aviso de sola esta mujer, y sola ésta quiso que con su buena razón y dulce palabra ablandase y torciese a piedad el corazón del rey justamente indignado; y sucedióle su intento. Porque, como digo, mejórase y esfuérzase mucho cualquiera buena razón en la boca dulce de la sabia y buena mujer. Que ¿quién no gusta de agradar a quien ama? O ¿quién no se fía de quien es amado? O ¿quién no da crédito al amor y a la razón, cuando se juntan? La razón no se engaña, y el amor no se quiere engañar. Y así, conforme a esto, tiene la buena mujer tomados al marido todos los puertos, porque ni pensará que se engaña la que tan discreta es, ni sospechará que le quiere engañar la que como su mujer le ama.

Y si los beneficios en la voluntad de quien los recibe crían deseo de agradecimiento, y la aseguran para que sin recelo se fíe de aquel de quien los ha recibido, y ambas a dos cosas hacen poderosísimo el consejo que da el beneficiador al beneficiado, ¿qué beneficio hay que iguale al que recibe el marido de la mujer que vive como aquí se dice? De un hombre extraño, si oímos que es virtuoso y sabio, nos fiamos de su parecer; ¿y dudará el marido de obedecr a la virtud y discreción que cada día ve y experimenta? Y porque decimos *cada día,* tienen aún más las mujeres, para alcanzar de sus maridos lo que quisieren, esta oportunidad y aparejo, que pueden tratar con ellos cada día y cada hora, y a las horas de mejor coyuntura y sazón. Y muchas veces lo que la razón no puede, la importunidad lo vence, y señaladamente la de la mujer que, como dicen los experimentados, es sobre todas. Y verdaderamente es caso, no sé si diga vergonzoso o donoso, decir que las buenas no son poderosas para concertar sus maridos, siendo las malas valientes para inducirlos a cosas desatinadas que los destruyen. La mujer por sí puede mucho, y la virtud y razón también a sus solas es muy valiente; y juntas entrambas cosas se ayudan entre sí y se fortifican de tal manera que lo ponen todo debajo de los pies. Y ellas saben que digo verdad; y que es verdad que se puede probar con ejemplo de muchas, que con su buen aviso y discreción ha enmendado mil malos siniestros en sus maridos, y ganádoles el alma y enmendádoles la condición, en unos brava, en otros distraída, en otros por diferentes maneras viciosa. De arte que las que se quejan agora de ellos y de su desorden, quéjense de sí primero y de su negligencia, por la cual no los tienen cual deben.

Mas si con el marido no pueden, con los hijos que son parte suya y los traen en las manos desde su nacimiento, y les son en la niñez como cera, ¿qué pueden decir sino confesar que los vicios de ellos y los desastres en que caen por sus vicios, por la mayor parte son culpas de sus padres?

Y porque agora hablamos de las madres, entiendan las mujeres que, si no tienen buenos hijos, gran parte de ello es porque no les son ellas enteramente sus madres. Porque no ha de pensar la casada que el ser madre es engendrar y parir un hijo; que en lo primero siguió su deleite, y a lo segundo les forzó la necesidad natural. Y si no hiciesen por ellos más, no sé en cuánta obligación los pondrían. Lo que se sigue después del parto es el puro oficio de la madre, y lo que puede hacer bueno al hijo y lo que de veras le obliga. Por lo cual téngase por dicho esta *perfecta casada* que no lo será si no cría a sus hijos; y que la obligación que tiene por su oficio a hacerlos buenos, esa misma le pone necesidad a que los críe a sus pechos.

Porque con la leche, no digo que se aprende —que eso fuera mejor, porque contra lo mal aprendido es remedio el olvido—, sino digo que se bebe y convierte en substancia y como en naturaleza todo lo bueno y lo malo que hay en aquella de quien se recibe. Porque el cuerpo ternecico de un niño, y que salió como comenzado del vientre, la teta le acaba de hacer y formar. Y según quedare bien formado el cuerpo, así le avendrá al alma después, cuyas costumbres ordinariamente nacen de sus inclinaciones de él. Y si los hijos salen a los padres de quien nacen, ¿cómo no saldrán a las amas *con quien pacen,* si es verdadero el refrán español? ¿Por ventura no vemos que, cuando el niño está enfermo, purgamos al ama que le cría y que, con purificar y sanar el mal humor de ella, le damos salud a él? Pues entendamos que, como es una la salud, así es uno el cuerpo; y si los humores son unos, ¿cómo no lo serán las inclinaciones, las cuales por andar siempre hermanadas con ellos, en castellano con razón las llamamos *humores?* De arte que, si el ama es borracha, habemos de entender que el desdichadito beberá con la leche el amor del vino; si colérica, si tonta, si deshonesta, si de viles pensamientos y ánimo, como de ordinario lo son, será el niño lo mismo.

Pues si el no criar los hijos es ponerlos a tan claro y manifiesto peligro, ¿cómo es posible que cumpla con lo que debe la casada que no los cría, esto es decir, la que en la mejor parte de su casa y para cuyo fin se casó principalmente, pone tan mal recaudo? ¿Qué le vale ser en todo lo demás diligente, si en lo que es más es así descuidada? Si el hijo sale perdido, ¿qué vale la hacienda ganada? O ¿qué bien puede haber en la casa donde los hijos, para quien es, no son buenos?

Y si es parte de esta virtud conyugal, como habemos ya visto, la piedad generalmente con todos, las que son tan sin piedad, que entregan a un extraño el fruto de sus entrañas y la imagen de virtud y de bien que en él había comenzado la naturaleza a obrar, consienten que otro la borre y permiten que imprima vicios en lo que del vientre salía con principio de buenas inclinaciones, cierto es que no son buenas casadas, ni aun casadas, si habemos de hablar con verdad. Porque de la casada es engendrar hijos legítimos, y los que se crían así, mirándolo bien, son llanamente bastardos.

Y porque Vmd. vea que hablo con verdad y no con encarecimiento, ha de entender que la madre, en el hijo que engendra, no pone sino una parte de su sangre, de la cual la virtud del varón, figurándola, hace carne y huesos. Pues el ama que cría pone lo mismo, porque la leche es sangre, y en aquella sangre la misma virtud del padre, que vive en el hijo, hace la misma obra. Sino que la diferencia es ésta: que la madre puso este su caudal por nueve meses, y el ama por veinticuatro; y la madre, cuando el parto era un tronco sin sentido ninguno, y el ama, cuando comienza ya a sentir y reconocer el bien que recibe, la madre influye en el cuerpo, el ama en el cuerpo y en el alma. Por manera que, echando la cuenta bien, el ama es la madre, y la que le parió es peor que madrastra, pues enajena de sí a su hijo y hace borde lo que había nacido legítimo, y es causa que sea mal nacido el que pudiera ser noble; y comete en cierta manera un género de adulterio, poco menos feo y no menos dañoso que el ordinario. Porque en aquél vende al marido por hijo el que no es de él, y aquí el que no lo es de ella, y hace sucesor de su casa al hijo del alma y de la moza, que las más veces es una villana o esclava.

Bien conforma con esto lo que se cuenta haber dicho un cierto mozo romano de la familia de los Gracos, que volviendo de la guerra vencedor y rico de muchos despojos y viniéndole al encuentro para recibirle alegres y regocijadas su madre y su ama juntamente, él, vuelto a ellas, repartiendo con ellas de lo que traía, como a la madre diese un anillo de plata y al ama un collar de oro, y como la madre indignada de esto se doliese de él, le respondió que no tenía razón: «Porque, dijo, vos no me tuvisteis en el vientre más de por espacio de nueve meses, y ésta me ha sustentado a sus pechos por espacio de dos años enteros. Lo que yo tengo de vos es sólo el cuerpo, y aun ése me distes por manera no muy honesta; mas la dádiva que de ésta tengo, díomela ella con pura y sencilla voluntad. Vos, en naciendo yo, me apartaste de vos y me alejastes de vuestros ojos; mas ésta, ofreciéndose, me recibió, desechado, en sus brazos amorosamente, y me trató así, que por ella he llegado y venido al punto y estado en que ahora estoy.»

Manda San Pablo en la doctrina que da a las casadas *que amen a sus hijos.* Natural es a las madres amarlos, y no había para qué San Pablo encargase con particular precepto una cosa tan natural. De donde se entiende que el decir que los amen, es decir que los críen; y que el dar leche la madre a sus hijos, a eso San Pablo llama *amarlos,* y con gran propiedad; porque el no criarlos es venderlos y hacerlos no hijos suyos, y como desheredarlos de su natural; que todas ellas son obras de fiero aborrecimiento, y tan fiero que vencen en ello aun a las fieras. Porque ¿qué animal tan crudo hay que no críe lo que produce, que fíe de otro la crianza de lo que pare? La braveza del león sufre con mansedumbre a sus cachorrillos que importunamente le desjueguen las tetas. Y el tigre, sediento de sangre, da alegremente la suya a los suyos. Y si miramos a lo delicado, el flaco pajarillo, por no dejar sus huevos, olvida el comer y se enflaquece; y cuando los ha sacado, rodea todo el aire volando y trae alegre en el pico lo que él desea comer, y no lo come porque ellos lo coman.

Mas ¿qué es menester salirnos de casa? La naturaleza dentro de ella misma declara casi a voces su voluntad, enviando luego después del parto leche a los pechos. ¿Qué más clara señal esperamos de lo que Dios quiere, que ver lo que hace? Cuando les levanta a las mujeres los pechos, les manda que críen; engrosándoles los pezones, les avisa que han de ser madres; los rayos de la leche que viene son como aguijones con que las despierta a que alleguen a sí lo que parieron.

Pero a todo esto se hacen sordas algunas, y excúsanse con decir que es trabajo, y que es hacerse temprano viejas parir y criar. Es trabajo, yo lo confieso; mas si esto vale, ¿quién hará su oficio? No esgrima la espada el soldado, ni se oponga al enemigo, porque es caso de peligro y sudor. Y porque se lacera mucho en el campo, desampare el pastor sus ovejas. Es trabajo el parir y criar; pero entiendan que es un trabajo hermanado, y que no tienen licencia para dividirlo. Si les duele el criar, no paran; y, si les agrada el parir, críen también. Si en esto hay trabajo, el del parto es sin comparación el mayor. Pues ¿por qué las que son tan valientes en lo que es más, se acobardan en aquello que es menos? Bien se dejan entender las que lo hacen así; y cuando no por sus hijos, por lo que deben a su vergüenza habían de traer más cubiertas y disimuladas sus inclinaciones. El parir, aunque duele agriamente, al fin se lo pasan. Al criar no arrostran, porque no hay deleite que los alcahuete.

Aunque, si se mira bien, ni aun esto les falta a las madres que crían, antes en este trabajo la naturaleza sabia y prudente repartió gran parte de gusto y de contento. El cual, aunque no le sentimos los hombres, pero la razón nos dice que le hay, y en los extremos que hacen las madres con sus niños lo vemos. Porque ¿qué trabajo no paga el niño a la madre, cuando ella le tiene en el regazo, desnudo; cuando él juega con la teta, cuando la hiere con la manecilla, cuando la mira con risa, cuando gorjea? Pues cuando se le anuda al cuello y la besa, paréceme que aún la deja obligada.

Críe, pues, *la casada perfecta* a su hijo, y acabe en él el bien que formó, y no dé la obra de sus entrañas a quien se la dañe, y no quiera que torne a nacer mal lo que había nacido bien, ni que le sea maestra de vicios la leche, ni haga bastardo a su sucesor, ni consienta que conozca a otra antes que a ella por madre, ni quiera que, en comenzando a vivir, se comience a engañar. Lo primero en que abra los ojos su niño sea en ella, y de su rostro de ella se figure el rostro de él. La piedad, la dulzura, el aviso, la modestia, el buen saber, con todos los demás bienes que le habemos dado, no sólo los traspase con la leche en el cuerpo del niño, sino también los comience a imprimir en el alma tierna de él con los ojos y con los semblantes; y ame y desee que sus hijos le sean suyos del todo, y no pongan su hecho en parir muchos hijos, sino en criar pocos buenos. Porque los tales con las obras la ensalzarán siempre y muchas veces con las palabras, diciendo lo que se sigue:

CAPITULO XVIII

[QUÉ ALABANZAS MERECE LA PERFECTA CASADA, Y CÓMO, PARA SERLO, ES
MENESTER QUE ESTÉ ADORNADA DE MUCHAS PERFECCIONES]

> *Muchas hijas allegaron riquezas; mas tú
> subiste sobre todas.*

Hijas llama el hebreo a cualesquier mujeres.

Por *riquezas* habemos de entender no sólo los bienes de la hacienda,
sino también los del alma, como son el valor, la fortaleza, la industria,
el cumplir con su oficio, con todo lo demás que pertenece a lo perfecto
de esta virtud; o por decirlo más brevemente, *riquezas* aquí se toman
por esta virtud conyugal puesta en su punto.

Y dice Salomón que los hijos de la *perfecta casada*, loándola, la
encumbran sobre todas, y dicen que de las buenas ella es la más buena.
Lo cual dice o escribe Salomón que lo dirán, conforme a la costumbre de los que loan, en lo cual es ordinario, lo que es loado ponerlo
fuera de toda comparación, y más cuando en los que alaban se ayunta
a la razón la afición. Y a la verdad, todo lo que es perfecto en su género tiene aquesto, que si lo miramos con atención, hinche así la vista
del que lo mira, que no le deja pensar que hay igual.

O digamos de otra manera; y es que no se hace la comparación con
otras casadas que fueron perfectas, sino con otras que parecieron quererlo así. Y esto cuadra muy bien, porque esta mujer que aquí se loa
no es alguna particular, que fue tal como aquí se dice, sino es el dechado y como la idea común que comprende todo este bien; y no es
una perfecta, sino todas las perfectas, o por mejor decir, esa misma
perfección. Y así no se compara con otra perfección de su género, porque no hay otra y en ella está toda, sino compárase con otras cualidades que caminan a ella y no le llegan, y que en la apariencia son este
bien, mas no en los quilates. Porque a cada virtud la sigue e imita otra,
que no es ella, ni es virtud; como la osadía parece fortaleza, y no lo es;
y el desperdiciado no es liberal, aunque lo parece. Y por la misma manera hay casadas que se quieren mostrar cabales y perfectas en su oficio; y quien no atendiere bien, creerá que lo son, y a la verdad no
atinan con él.

Y esto por diferentes maneras; porque unas, si son caseras, son
avarientas; otras, que velan en la guarda de la hacienda, en lo demás
se descuidan; unas crían los hijos, y no curan de los criados; otras son
grandes curadoras y acariciadoras de la familia, y con ella hacen bando
contra el marido. Y porque todas ellas tienen algo de esta perfección
que tratamos, parece que la tienen toda, y de hecho carecen de ella;

73

porque no es cosa que se vende por partes. Y aun hay algunas que se esfuerzan a todo, pero no se esfuerzan a ello por razón, sino por inclinación o por antojo; y así son movedizas, y no conservan siempre un tenor, ni tienen verdadera virtud, aunque se asemejan mucho a lo bueno. Porque esta virtud, como las demás, no es planta que se da en cualquier tierra, ni es fruta de todo árbol, sino quiere su propio tronco y raíz, y no nace ni mana si no es de una fuente, que es la que se declara en lo que se sigue.

CAPITULO XIX

[DE CÓMO LA MUJER QUE ES BUENA HA DE CUIDAR DE IR LIMPIA Y ASEADA PARA MOSTRAR ASÍ SU ÁNIMO COMPUESTO Y CONCERTADO. QUE HA DE PROCURAR ADORNAR PRINCIPALMENTE CON EL TEMOR SANTO DE DIOS]

> *Engaño es el buen donaire, y burlería la hermosura: la mujer que teme a Dios, ésa es digna de loor.*

Pone la hermosura de la buena mujer, no en las figuras del rostro, sino en las virtudes secretas del alma, las cuales todas se comprenden en la Escritura debajo de esto que llamamos *temer a Dios.* Mas, aunque este *temor de Dios,* que hermosea el alma de la mujer como principal hermosura, se ha de buscar y estimar en ella, no carece de cuestión lo que de la belleza corporal dice aquí el sabio, cuando dice que es *vana* y que es *burlería.*

Porque se suele dudar si es conveniente a la buena casada ser bella y hermosa. Bien es verdad que esta duda no toca tan derechamente en aquella a que las *perfectas casadas* son obligadas, como en aquella que deben buscar y escoger los maridos que desean ser bien casados. Porque el ser hermosa o fea una mujer es cualidad con que se nace, y no cosa que se adquiere por voluntad, ni de que se puede poner ley ni mandamiento a las buenas mujeres.

Mas como la hermosura consista en dos cosas: la una que llamamos buena proporción de figuras, y la otra que es limpieza y aseo —porque sin lo limpio no hay nada hermoso— aunque es verdad que ninguna, si no lo es, se puede figurar como hermosa, dado que lo procure, como se ve en que muchas lo procuran y en que ninguna de ellas sale con ello; pero lo que toca al aseo y limpieza, negocio es que la mayor parte de él está puesto en su cuidado y voluntad, y negocio de cualidad que, aunque no es de las virtudes que ornan el ánimo, es fruto de ellas e indicio grande de la limpieza y buen concierto que hay en el alma, el cuerpo limpio y bien aseado. Porque así como la luz encerrada en la lanterna la esclarece y traspasa y se descubre por ella, así el alma clara y con virtud resplandeciente, por razón de la mucha hermandad que tiene con su cuerpo y por estar íntimamente unida con él, le esclarece a él y le figura y compone, cuanto es posible, de su misma composición y figura. Así que, si no es virtud del ánimo la limpieza y aseo del cuerpo, es señal de ánimo concertado y limpio y aseado. A lo menos es cuidado necesario en la mujer, para que se conserve y se acreciente el amor de su marido con ella; si ya no es él por ventura tal que se delente y envicie en el cieno.

Porque ¿cuál vida será la del que ha de traer a su lado siempre, en la mesa donde se sienta para tomar gusto, y en la cama que se ordena para descanso y reposo, un desaliño y un asco, que ni se puede mirar sin torcer los ojos, ni tocar sin tapar las narices? O ¿cómo será posible que se allegue el corazón a lo que naturalmente aborrece y rehuye el sentido? Serále, sin duda, un perpetuo y duro freno al marido el desaseo de su mujer, que todas las veces que inclinare o quisiere inclinar a ella su ánimo, le irá deteniendo, y le apartará y como torcerá a otra parte. Y no será esto solamente cuando la viere, sino todas las veces que entrare en su casa, aunque no la vea. Porque la casa forzosamente y la limpieza de ella olerá a la mujer a cuyo cargo está su aliño y limpieza; y cuanto ella fuere aseada o desaseada, tanto, así la casa como la mesa y el lecho, tendrán de sucio o de limpio.

Así que, de esto que llamamos belleza, la primera parte, que consiste en el ser una mujer aseada y limpia, cosa es que el serlo está en la voluntad de la mujer que lo quiere ser, y cosa que le conviene a cada una quererla, y que pertenece a esto perfecto que hablamos y lo compone y hermosea, como las demás partes de ello.

Pero la otra parte, que consiste en el escogido color y figuras, ni está en la mano de la mujer tenerla, y así no pertenece a aquesta virtud, ni por aventura conviene al que se casa buscar mujer que sea muy aventajada en belleza. Porque, aunque lo hermoso es bueno, pero están ocasionadas a no ser buenas las que son muy hermosas. Bien dijo acerca de esto el poeta Simónides:

> Es bella cosa al ver la hembra hermosa;
> bella para los otros, que al marido
> costoso daño es y desventura.

Porque lo que muchos desean hase de guardar de muchos, y así corre mayor peligro y todos se aficionan al buen parecer. Y es inconveniente gravísimo que en la vida de los casados, que se ordenó para que ambas las partes descansase cada una de ellas y se descuidase en parte con la compañía de su vecina, se escoja tal compañía que de necesidad obligue a vivir con recelo y cuidado; y que, buscando el hombre mujer para descuidar de su casa, la tome tal que le atormente con recelo todas las horas que no estuviere en ella.

Y no sólo esta belleza es peligrosa porque atrae a sí y enciende en su codicia los corazones de los que la miran, sino también porque despierta a las que la tienen a que gusten de ser codiciadas. Porque, si todas generalmente gustan de parecer bien y de ser vistas, cierto es que las que lo parecen no querrán vivir ascondidas. Demás de que a todos nos es natural el amar nuestras cosas, y por la misma razón el desear que nos sean preciadas y estimadas; y es señal que es una cosa preciada cuando muchos la desean y aman; y así las que se tienen por bellas, para creer que lo son, quieren que se lo testifiquen las aficiones de muchos. Y si va a decir verdad, no son ya honestas las que toman sabor en ser miradas y recuestadas deshonestamente.

Así que quien busca mujer muy hermosa camina con oro por tierra de salteadores, y con oro que no se consiente encubrir en la bolsa, sino que se hace él mismo afuera, y se les pone a los ladrones delante los ojos; y que, cuando no causase otro mayor daño y cuidado, en esto solo hace que el marido se tenga por muy afrentado, si tiene juicio y valor. Porque, en la mujer semejante, la ocasión que hay para no ser buena por ser codiciada de muchos, esa misma hace en muchos grande sospecha de que no lo es; y aquesta sospecha basta para que ande en lenguas menoscabada y perdida su honra. Y si este bien de beldad tuviera algún tomo, pudieran por él ponerse a este riesgo los hombres.

Mas ¿quién no sabe lo que vale y lo que dura esta flor? ¿Cuán presto se acaba? ¿Con cuán ligeras ocasiones se marchita? ¿A qué peligros está sujeta? ¿Y los censos que paga? *Toda la carne es heno,* dice el profeta, *y toda la gloria de ella* —que es su hermosura toda y su resplandor— *como flor de heno.* Pues ¡bueno es que por el gusto de los ojos, ligero y de una hora, quiera un hombre cuerdo hacer amargo el estado en que ha de perseverar cuanto le perseverare la vida; y que, para que su vecino mire con contento a su mujer, muera él herido de mortal descontento y que negocie con sus pesares propios los placeres ajenos!

Y si aquesto no basta, sea su pena su culpa, que ella misma le labrará; de manera que, aunque le pese, algún día y muchos días conozca sin provecho y condene su error y diga, aunque tarde, lo que aquí dice de este su perfecto dechado de mujeres el Espíritu Santo: *Engaño es el buen donaire, y burlería la hermosura: la mujer que teme a Dios, ésa es digna de ser loada.*

Porque se ha de entender que ésta es la fuente de todo lo que es verdadera virtud, y la raíz de donde nace todo lo que es bueno, y lo que sólo puede hacer y hace que cada uno cumpla entera y perfectamente con lo que debe, *el temor y respeto de Dios* y el tener cuenta con su ley; y lo que en esto no se funda nunca llega a colmo, y, por bueno que parece, se hiela en flor. Y entendemos por *temor de Dios,* según el estilo de la Escritura Sagrada, no sólo el efecto del temor, sino el emplearse uno con voluntad y con obras en el cumplimiento de sus mandamientos, y lo que, en una palabra, llamamos *servicio de Dios.*

Y descubre esta raíz Salomón a la postre, no porque su cuidado ha de ser el postrero, que antes, como decimos, el principio de todo este bien es ella; sino lo uno, porque temer a Dios y guardar con cuidado su ley no es más propio de la casada que de todos los hombres. A todos nos conviene meter en este negocio todas las velas de nuestra voluntad y afición, porque, sin él, ninguno puede cumplir ni con las obligaciones generales de cristiano ni con las particulares de su oficio. Y lo otro, dícelo al fin por dejarlo más firme en la memoria, y para dar a entender que este cuidado de Dios no solamente lo ha de entender por primero, sino también por postrero. Quiero decir que comience y demedie y acabe todas sus obras, y todo aquello a que le obliga su estado, de Dios y en Dios y por Dios; y que haga lo que conviene, no sólo con las fuerzas que Dios le da para ello, sino última y principalmente por agradar a Dios que se las da.

Por manera que el blanco adonde ha de mirar en cuanto hace, ha de ser Dios, así para pedirle favor y ayuda en lo que hiciere, como para hacer lo que debe puramente por él. Porque lo que se hace, y no por Él, no es enteramente bueno; y lo que se hace sin Él, como cosa de nuestra cosecha, es de muy bajos quilates. Y esto es cierto, que una empresa tan grande y adonde se ayuntan tan diversas y tan dificultosas obligaciones como es satisfacer una casada a su estado, nunca se hizo, ni aun medianamente, sin que Dios proveyese de abundante favor. Y así el temor y servicio de Dios ha de ser en ella lo principal y lo primero, no solamente porque le es mandado, sino también porque le es necesario;

porque las que por aquí no van siempre se pierden, y, demás de ser malas cristianas, en ley de casadas nunca son buenas, como se ve cada día. Unas se esfuerzan por temor del marido, y así no hacen bien más de lo que han de ver y entender. Otras, que trabajan porque le aman y quieren agradar, en entibiándose el amor, desamparan el trabajo. A las que mueve la codicia, no son caseras, sino escasas; y demás de escasas, faltas por el mismo caso en otras virtudes de las que pertenecen a su oficio, y así por una muestra de bien, no tienen ninguno. Otras que se inclinan por honra, y que aman el parecer buenas por ser honradas, cumplen con lo que parece y no con lo que es; y ninguna de ellas consigue lo que pretenden, ni tienen un ser en lo que hacen, sino con los días mudan los intentos y pareceres, porque caminan o sin guía o con mala guía, y así, aunque trabajan, su trabajo es vano y sin fruto.

Mas, al revés, las que se ayudan de Dios y enderezan sus obras y trabajos a Dios, cumplen con todo su oficio enteramenee, porque Dios quiere que le cumplan todo. Y cúmplenlo, no en apariencia, sino en verdad, porque Dios no se engaña; y andan en su trabajo con gusto y deleite, porque Dios les da fuerzas; y perseveran en él, porque Dios persevera; y son siempre unas, porque el que las alienta es el mismo; y caminan sin error, porque no le hay en su guía; y crecen en el camino y van pasando adelante, y en breve espacio traspasan largos espacios, porque su hecho tiene todas las buenas cualidades y condiciones de la virtud; y, finalmente, ellas son las que consiguen el precio y el premio, porque quien le da es Dios, a quien ellas en su oficio miran y sirven.

Y el premio es el que Salomón, concluyendo toda aquesta doctrina, pone en lo que se sigue:

CAPITULO XX

[DEL PREMIO Y GALARDÓN QUE TIENE DIOS APAREJADO PARA LA PERFECTA CASADA, NO SÓLO EN LA OTRA VIDA, SINO AUN EN ESTE MUNDO]

Dalde del fruto de sus manos, y lóenla en las puertas sus obras.

Los frutos de la virtud, quiénes y cuáles sean, San Pablo los pone en la Epístola que escribió a los Gálatas, diciendo: *Los frutos del Espíritu Santo son amor, y gozo, y paz, y sufrimiento, y largueza, y bondad, y larga espera, y mansedumbre, y fe, y modestia, y templanza, y limpieza.* Y a esta rica compañía de bienes, que ella por sí sola parecía bastante, se añade o sigue otro fruto mejor, que es gozar en vida eterna de Dios.

Pues estos frutos son los que aquí el Espíritu Santo quiere y manda que se den a la buena mujer, y los que llama fruto de sus manos, esto es, de sus obras de ella. Porque, aunque todo es don suyo, y el bien obrar y el galardón de la buena obra, pero por su infinita bondad quiere que, porque le obedecimos y nos rendimos a su movimiento, se llame y sea fruto de nuestras manos e industria lo que principalmente es don de su liberalidad y largueza. Vean, pues, ahora las mujeres cuán buenas manos tienen las buenas, cuán ricas son las labores que hacen y de cuán grande provecho.

Y no sólo sacan provecho de ellas, sino honra también: aunque suelen decir *que no caben en uno.* El provecho son bienes y riquezas del cielo; la honra es una singular alabanza en la tierra. Y así añade: *Y lóenla en las plazas sus obras.* Porque mandar Dios que la loen es hacer cierto que la alabarán; porque lo que él dice se hace, y porque la alabanza sigue como sombra a la virtud y se debe a sola ella.

Y dice *en las plazas,* porque no sólo en secreto y en particular, sino también en público y en general sonarán sus loores como a la letra acontece. Porque, aunque todo aquello en que resplandece algún bien es mirado y preciado, pero ningún bien se viene tanto a los ojos humanos, ni causa en los pechos de los hombres tan grande satisfacción como una mujer perfecta; ni hay otra cosa en que ni con tanta alegría, ni con tan encarecidas palabras, abran los hombres las bocas, o cuando tratan consigo a solas, o cuando conversan con otros, o dentro de sus casas, o en las plazas en público. Porque unos loan lo casero; otros encarecen la discreción; otros suben al cielo la modestia, la pureza, la piedad, la suavidad dulce y honesta. Dicen del rostro limpio, del vestido aseado, de las labores y de las velas. Cuentan las criadas remediadas, el mejoro de la hacienda, el trato con las vecinas amigable y pacífico; no olvidan sus limosnas, repiten cómo amó y cómo ganó a su marido; encarecen la crianza de los hijos y el buen tratamiento de sus criados; sus hechos, sus dichos, sus semblantes alaban. Dicen que fue santa para con Dios y bienaventurada para con su marido; bendicen por ella a su casa y ensalzan a su parentela, y aun a los que la merecieron ver y hablar llaman dichosos; y como la santa Judith, la nombran *gloria de su linaje y corona de todo su pueblo: y por mucho que digan, hallan siempre más que decir.*

Los vecinos dicen esto a los ajenos, y los padres dan con ella doctrina a sus hijos, y de los hijos pasa a los nietos, y extiéndese la fama por todas partes creciendo, y pasa con clara y eterna voz su memoria de unas generaciones en otras; y no le hacen injuria los años, ni con el tiempo envejece, antes con los días florece más, porque tiene su raíz junto a las aguas, y así no es posible que descaezca, ni menos puede ser que con la edad caiga el edificio que está fundado en el cielo; ni en manera alguna es posible que muera el loor de la que todo cuanto vivió no fue sino una perpetua alabanza de la bondad y grandeza de Dios, a quien sólo se debe eternamente el ensalzamiento y la gloria. Amén.

EXPOSICION DEL CANTAR DE LOS CANTARES DE SALOMON

PRÓLOGO

Ninguna cosa es más propia a Dios que el amor, ni al amor hay cosa más natural que volver al que ama en las condiciones e ingenio del que es amado. De lo uno y de lo otro tenemos clara experiencia. Cierto es que Dios ama, y cada uno que no esté muy ciego lo puede conocer en sí por los señalados beneficios que de su mano continuamente recibe: el ser, la vida, el gobierno de ella y el amparo de su favor, que en ningún tiempo ni lugar nos desampara. Que Dios se precie más de esto que de otra cosa, y que le sea propio el amor entre todas sus virtudes, vese en sus obras, que todas se ordenan a solo este fin, que es hacer repartimiento y poner en posesión de sus grandes bienes a las criaturas, haciendo que su semejanza de Él resplandezca en todas, y midiéndose a sí a la medida de cada una de ellas para ser gozado de ellas, que como dijimos, es propia obra del amor.

Señaladamente se descubre este beneficio y amor de Dios en el hombre, al cual crió en el principio a su imagen y semejanza, como a otro Dios, y a la postre se hizo a la figura y usanza suya, volviéndose hombre últimamente por naturaleza, y mucho antes por trato y conversación, como se ve claramente por todo el discurso de las Sagradas Letras; en las cuales, por esta causa, es cosa maravillosa el cuidado que pone el Espíritu Santo en conformarse con nuestro estilo, remedando nuestro lenguaje, e imitando en sí toda la variedad de nuestro ingenio y condiciones: hace del alegre y del triste; muéstrase airado y muéstrase arrepentido; amenaza a veces, y a veces se vence con mil blanduras; y no hay afición, ni cualidad tan propia a nosotros, ni tan extraña a él en que no se trasforme; y todo a fin que no huyamos de él, ni nos extrañemos de su gracia, y que, vencidos, o por afición o por vergüenza, hagamos lo que nos manda, que es aquello en que consiste nuestra mayor felicidad. Testigos de esto son los versos y canciones de David, las pláticas y sermones de los santos profetas, los consejos de la Sabiduría, y, finalmente, toda la vida y doctrina de Jesucristo, luz y verdad, y todo el bien y esperanza nuestra.

Pues entre las demás Escrituras divinas, una es la canción suavísima que Salomón, rey y profeta, compuso, en la cual debajo de un enamorado razonamiento entre dos, pastor y pastora, más que en alguna otra Escritura, se muestra Dios herido de nuestros amores con todas aquellas pasiones y sentimientos, que este afecto suele y

83

puede hacer en los corazones más blandos y más tiernos: ruega
y arde, y pide celos; vase como desesperado, y vuelve luego, y va-
riando entre esperanza y temor, alegría y tristeza, ya canta de contento, ya publica sus quejas, haciendo testigos a los montes y árboles
de ellos, y a los animales y a las fuentes, de la pena grande que
padece. Aquí se ven pintados al vivo los amorosos fuegos de los
divinos amantes, los encendidos deseos, los perpetuos cuidados,
las recias congojas que el ausencia y el temor en ellos causan, juntamente con los celos y sospechas que entre ellos se mueven. Aquí se
oye el sonido de los ardientes suspiros, mensajeros del corazón, y
de las amorosas quejas y dulces razonamientos, que van unas veces
vestidos de esperanza y otras de temor. Y, en breve, todos aquellos
sentimientos que los apasionados amantes probar suelen, aquí se ven
tanto más agudos y delicados, cuanto más vivo y acendrado es el
divino amor que el mundano. A cuya causa la lección de este Libro
es dificultosa a todos y peligrosa a los mancebos, y a todos los que
aún no están muy adelantados y muy firmes en la virtud; porque en
ninguna Escritura se explica la pasión del amor con más fuerza y
sentido que en ésta. Del peligro no hay que tratar; la dificultad, que
es mucha, trabajaré yo de quitar cuanto alcanzaren mis fuerzas,
que son bien pequeñas.

Cosa cierta y sabida es que en estos *Cantares,* como en persona
de Salomón y de su Esposa, la hija del rey de Egipto, debajo de
amorosos requiebros explica el Espíritu Santo la Encarnación de Cristo y el entrañable amor que siempre tuvo a su Iglesia, con otros
misterios de gran secreto y de gran peso. En este sentido espiritual
no tengo que tocar, que de él hay escritos grandes libros por personas santísimas y muy doctas que, ricas del mismo Espíritu que habló
en este Libro, entendieron gran parte de su secreto, y como lo entendieron lo pusieron en sus escrituras, que están llenas de espíritu
y de regalo. Así que en esta parte no hay que decir, o porque está
ya dicho, o porque es negocio prolijo y de grande espacio.

Solamente trabajé en declarar la corteza de la letra, así llanamente, como si en este Libro no hubiera otro mayor secreto del que
muestran aquellas palabras desnudas y, al parescer, dichas y res-
pondidas entre Salomón y su Esposa, que será solamente declarar
el sonido de ellas, y aquello en que está la fuerza de la comparación y del requiebro; que, aunque es trabajo de menos quilates que
el primero, no por eso carece de grandes dificultades, como luego
veremos.

Porque se ha de entender que este Libro en su primer origen se
escribió en metro, y es todo él una égloga pastoril, donde con palabras y lenguaje de pastores, hablan Salomón y su Esposa, y algunas
veces sus compañeros, como si todos fuesen gente de aldea.

Hace dificultoso su entendimiento, primeramente, lo que suele
poner dificultad en todos los escritos adonde se explican algunas
grandes pasiones o afectos, mayormente de amor, que, al parecer,

van las razones cortadas y desconcertadas; aunque, a la verdad, entendido una vez el hilo de la pasión que mueve, responden maravillosamente a los afectos que explican, los cuales nacen unos de otros por natural concierto. Y la causa de parescer así cortadas, es que en el ánimo, enseñoreado de alguna vehemente pasión, no alcanza la lengua al corazón, ni se puede decir tanto como se siente, y aun esto que se puede no se dice todo, sino a partes y cortadamente, unas veces al principio de la razón, y otras el fin sin el principio; que así como el que ama siente mucho lo que dice, así le paresce que, en apuntándolo él, está por los demás entendido; y la pasión con su fuerza y con increíble presteza le arrebata la lengua y el corazón de su afecto en otro; y de aquí son sus razones cortadas y llenas de obscuridad. Parecen también desconcertadas entre sí, porque responden al movimiento que hace la pasión en el ánimo del que las dice, la cual quien no la siente o ve, juzga mal de ellas; como juzgaría por cosa de desvarío y de mal seso los meneos de los que bailan el que viéndolos de lejos no percibiese el son a quien siguen; lo cual es mucho de advertir en este Libro y en todos los semejantes.

Lo segundo que pone obscuridad es ser la lengua hebrea en que se escribió, de su propiedad y condición, lengua de pocas palabras y de cortas razones, y ésas llenas de diversidad de sentidos; y juntamente con esto por ser el estilo y juicio de las cosas en aquel tiempo y en aquella gente tan diferente de lo que se platica agora; de donde nace parecernos nuevas, y extrañas, y fuera de todo buen primor las comparaciones de que usa este Libro, cuando el Esposo o la Esposa quieren más loar la belleza del otro, como cuando compara el cuello a una torre, y los dientes a un rebaño de ovejas, y así otras semejantes.

Como a la verdad cada lengua y cada gente tenga sus propiedades de hablar, adonde la costumbre usada y recibida hace que sea primor y gentileza, lo que en otra lengua y a otras gentes pareciera muy tosco, y así es de creer que todo esto que agora, por su novedad y por ser ajeno de nuestro uso, nos desagrada, era todo el bien hablar y toda la cortesanía de aquel tiempo entre aquella gente. Porque claro es que Salomón era no solamente muy sabio, sino rey e hijo de rey, y que cuando no lo alcanzara por letras y por doctrina, por la crianza sola y por el trato de su casa y corte supiera hablar su lengua mejor y más cortesanamente que otro ninguno.

Lo que yo hago en esto son dos cosas: la una es volver en nuestra lengua palabra por palabra el texto de este Libro; en la segunda, declaro con brevedad no cada palabra por sí, sino los pasos donde se ofrece alguna obscuridad en la letra, a fin que quede claro su sentido así en la corteza y sobrehaz, poniendo al principio el capítulo todo entero, y después de él su declaración. Acerca de lo primero procuré conformarme cuanto pude con el original hebreo, cotejando juntamente todas las traducciones griegas y latinas que de él hay, que son muchas, y pretendí que respondiese esta interpretación con el original, no sólo en las sentencias y palabras, sino aun en el concierto y aire de ellas, imitando sus figuras y maneras de hablar cuanto es posible a nuestra lengua, que, a la verdad, responde con la hebrea en muchas cosas. De donde podrá ser que algunos no se contenten tanto, y les parezca que en algunas partes la razón queda corta y dicha muy a la vizcaína y muy a lo viejo, y que no hace corra el hilo del decir, pudiéndolo hacer muy fácilmente con mudar algunas palabras y añadir otras; lo cual yo no hice por lo que he dicho, y porque entiendo ser diferente el oficio del que traslada, mayormente Escrituras de tanto peso, del que las explica y declara. El que traslada ha de ser fiel y cabal y, si fuere posible, contar las palabras para dar otras tantas, y no más ni menos, de la misma cualidad y condición y variedad de significaciones que las originales tienen, sin limitarlas a su propio sentido y parecer, riedad de sentidos a que da ocasión el original, si se leyese, y queden para que los que leyeren la traducción puedan entender toda la valibres para escoger de ellos el que mejor les pareciere. El extenderse diciendo, y el declarar copiosamente la razón que se entiende, y el guardar la sentencia que más agrada, jugar con las palabras añadiendo y quitando a nuestra voluntad, eso quédese para el que declara, cuyo propio oficio es; y nosotros usamos de él después de puesto cada un capítulo en la declaración que se sigue. Bien es verdad que, trasladando el texto, no pudimos tan puntualmente ir con el original; y la cualidad de la sentencia y propiedad de nuestra lengua nos forzó a que añadiésemos algunas palabrillas, que sin ellas quedara obscurísimo el sentido; pero éstas son pocas, y las que son van encerradas entre dos rayas de esta manera ( ).

Vmd. reciba en todo esto mi voluntad, que lo demás no me satisface mucho, ni curo que satisfaga a otros; básteme haber cumplido con lo que se me mandó, que es lo que en todas las cosas más pretendo y deseo.

CANTAR DE CANTARES

I

Propiedad es de la lengua hebrea doblar así unas mismas palabras, cuando quiere encarecer alguna cosa, o en bien o en mal. Así que decir *Cantar de Cantares* es lo mismo que solemos decir en castellano *Cantar entre cantares*, es *hombre entre hombres;* esto es, señalado y eminente entre todos, y más excelente que otros muchos. Entendemos de esto, que nos mostró la riqueza de su amor y regalos el Espíritu Santo más en este *Cantar* que en otro alguno. Pues dice así:

CAPITULO I

[ARGUMENTO]

[El alma, recién convertida y herida del amor de Dios, desea con ansia unirse a Él, desengañada del amor de las criaturas; pero, conociendo su flaqueza, le pide que la lleve tras sí con los atractivos de su gracia. Confiesa con humildad los yerros pasados, y para no volver a ellos suplica a su Esposo que la muestre el verdadero camino. El Esposo la manda que siga las huellas de los santos y se gobierne por sus ejemplos; que se sujete al yugo de la obediencia, mortificando sus sentidos y abrazándose con las demás leyes de la penitencia. Hácelo así la Esposa, confiada en la asistencia de su Esposo; y él corresponde regalándola con nueva luz y más viva inspiración de amor; con lo cual, alegre ella, desea con mayor ansia gozar tranquilamente de la vista de su Esposo.]

1. (ESPOSA.) *Béseme de besos de su boca; porque buenos (son) tus amores más que el vino.*

2. *Al olor de tus ungüentos buenos: (Que es) ungüento derramado tu nombre; por eso las doncellas te amaron.*

3. *Llévame en pos de ti: correremos. Metióme el rey en sus retretes: regocijarnos hemos y alegrarnos hemos en ti; membrársenos han tus amores más que el vino. Las dulzuras te aman.*

4. *Morena yo, pero amable, hijas de Jerusalén, como las tiendas de Cedar, como las cortinas de Salomón.*

5. *No miréis que soy algo morena, que miróme el sol: los hijos de mi madre porfiaron contra mí; pusiéronme (por) guarda de viñas: la mi viña no me guardé.*

6. *Enséñame, ¡oh Amado de mi alma!, dónde apacientas, dónde sesteas al mediodía; porque seré como descarriada entre los ganados de tus compañeros.*

7. (ESPOSO.) *Si no te lo sabes, ¡oh hermosa entre las mujeres!, salte (y sigue) por las pisadas del ganado, y apacentarás tus cabritos junto a las cabañas de los pastores.*

8. *A la yegua mía en el carro de Faraón te comparé, amiga mía.*

9. *Lindas (están) tus mejillas en los cerquillos, tu cuello en los collares.*

10. *Tortolicas de oro te haremos esmaltadas de plata.*

11. (ESPOSA.) *Cuando estaba el rey en su reposo el mi nardo dio su olor.*

12. *Manojuelo de mirra el mi Amado a mí; morará entre mis pechos.*

13. *Racimo de Copher mi Amado a mí, de las viñas de Engaddi.*

14. (ESPOSO.) *¡Ay, cuán hermosa, Amiga mía (eres tú), cuán hermosa!; tus ojos de paloma.*
15. (ESPOSA.) *¡Ay, cuán hermoso, Amigo mío (eres tú), y cuán gracioso! Nuestro lecho (está) florido.*
16. *Las vigas de nuestra casa son de cedro, y el techo de ciprés.*

EXPOSICION

1. *Béseme de besos de su boca; porque buenos (son) tus amores más que el vino.*

Ya dije que todo este Libro es una égloga pastoril, en que dos enamorados, Esposo y Esposa, a manera de pastores, se hablan y se responden a veces. Pues entenderemos que en este primer capítulo comienza a hablar la Esposa, que habemos de fingir que tenía a su Amado ausente, y estaba de ella tan penada, que la congoja y deseo la traía muchas veces a desfallecer y desmayarse. Como parece claro por aquello que después, en el proceso de su razonamiento, dice cuando ruega a sus compañeros que avisen al Esposo, de la enfermedad y desmayo en que está por sus amores, y por el ardiente deseo que tiene de verle; que es efecto naturalísimo del amor, y nace de lo que se suele decir comúnmente, que el ánima del amante vive más en aquel a quien ama que en sí mismo. Por donde, cuanto el Amado más se aparta y ausenta, ella, que vive en él por continuo pensamiento y afición, le va siguiendo, y comunica menos con su cuerpo, y, alejándose de él, le deja desfallecer y le desampara en cuanto puede; y no puede tan poco que, ya que no rompa las ataduras que la tienen en su cuerpo presa, no las enflaquezca sensiblemente. De lo cual dan muestra la amarillez del rostro y la flaqueza del cuerpo y desmayos del corazón, que proceden de este enajenamiento del alma. Que es también todo el fundamento de aquellas quejas que siempre usan los aficionados, y los poetas las encarecen y suben hasta el cielo, cuando llaman a lo que aman *almas suyas*, y publican haberles sido robado el corazón, tiranizada su libertad y puestas a saco-mano sus entrañas; que no es encarecimiento ni manera de bien decir, sino verdad que pasa así, por la manera que tengo dicho. Y así la propia medicina de esta afición, y lo que más en ella se pretende y desea es cobrar cada uno que ama su alma, que siente serle robada; la cual, porque parece tener su asiento en el aliento que se coge por la boca, de aquí es el desear tanto y deleitarse los que se aman en juntar las bocas y mezclar los alientos, como guiados por esta imaginación y deseo de restituirse en lo que les falta de su corazón, o acabar de entregarlo del todo.

Queda entendido de esto con cuánta razón la Esposa, para reparo de su alma y corazón, que le faltaba por la ausencia de su Esposo, pide por remedio sus besos, diciendo: *Béseme de besos de su boca.* Que es decir, sustentado me he hasta agora, viviendo en esperanza; visto he de muchas promesas de su venida, y muchos mensajes he recibido; mas ya el ánimo desfallece y el deseo vence; sólo su presencia y el regalo de sus dulces besos es lo que me puede guarecer. Mi alma está con él y yo estoy sin ella, hasta que la cobre de su graciosa boca, donde está recogida.

Y no hay que pedirle vergüenza a la Esposa en este caso, que el mirar en estos achaques es de flaqueza de aflicción; que el amor grande y verdadero rompe con todo y muéstrase tan razonable y tan conforme al entendimiento del que ama, que no le da lugar para imaginar que a nadie le pueda parecer otra cosa. Dice, pues: *Béseme de besos de su boca:* que, atenta la propiedad de su original, se dijera bien en castellano: *Béseme con cualesque besos;* en que da a entender lo mucho que desea la presencia de su Esposo y lo mucho en que la precia, pues para la salud de su desmayo, que es tan grande, no pide besos sin cuento, sino cualesquiera besos.

Porque buenos son tus amores más que el vino. Da la razón de su deseo, que es el gran bien y contento que se encierra en los amores de su Esposo, y la gran fuerza que tienen para encenderle el alma y para sacarla de sí, como lo hiciera el más generoso y fuerte vino. Y viene esto bien, a propósito de su desmayo, cuyo remedio suele ser el vino. Como si imaginásemos que sus compañeras se lo ofrecían, y ella lo desecha y responde: «El verdadero y mejor vino para mi remedio, será ver a mi Esposo.» Así que, conforme a lo que se trata, la comparación hecha del vino al amor es buena; demás de que en cualquier otro caso es gentil y propia comparación, por los muchos efectos en que el uno y el otro se conforman. Natural es al vino, como se dice en los Salmos y Proverbios, el alegrar el corazón, el desterrar de él todo cuidado penoso, y el henchirle de ricas y grandes esperanzas. Hace osados, seguros, lozanos, descuidados de mirar en muchos puntos y respetos, el vino a aquellos a quien manda; que todas ellas son también propiedades del amor, como se ve por la experiencia de cada día, y se podría probar con muchos ejemplos y dichos de hombres sabios, si para ello nos diera lugar la brevedad que tenemos prometida. Dice más adelante:

2. *Al olor de tus ungüentos buenos.* Hase de entender y añadir: *volveré en mí y sanaré de este mi desmayo,* porque está falta y cortada esta sentencia, como dicha de persona apasionada y enferma, y que le falta el aliento; y como acontece las más veces en todo lo que se dice con alguna vehemente pasión, que el amor demasiado traba la lengua y demedia las palabras y las razones.

Ungüentos buenos llama lo que en nuestra lengua decimos aguas de olor o confecciones olorosas, que todo viene bien con el desmayo que habemos dicho, para cuyo remedio se suele usar de cosas semejantes. Así que todo es demostración y encarecimiento de lo mucho que ama a su Esposo, y de lo mucho que puede con ella su vista y presencia. Porque es como si dijese: «Si yo viese aquí a quien amo, con la fragancia sola de sus olores tornaría en mí.»

Declara luego cuán grande sea esta fragancia, y por eso añade: *Porque es ungüento derramado tu nombre. Derramado* quiere decir, según la propiedad de la palabra hebrea a quien responde, repartido en vasos o mudado de unas bujetas en otras, porque entonces se esparce y se siente más su buen olor. *Tu nombre* no quiere decir tu fama, como algunos entienden, y se engañan, y como se suele entender en otros lugares de la Sagrada Escritura, porque eso viene fuera de lo que se trata; quiere decir el nombre con que es llamado cada uno. Así que dice: *llámaste olor esparcido,* que es decir, es tal y trasciende tanto tu buen olor que podemos justamente llamarte, no oloroso, sino el mismo olor esparcido. Que es manera usada en la Sagrada Escritura y en otras lenguas, en la cosa de que uno es loado o vituperado ponerle nombre de ella, para mostrar que la posee en sumo grado, y no así como quiera. Como parece claro acerca de San Mateo, donde Cristo a Simón, el principal apóstol, para demostración de su firmeza y constancia le puso por nombre *Cephas,* que quiere decir *piedra.*

Mas porque no parezca que la afición engaña a la Esposa y que es ella sola a quien parece así, añade luego: *Por eso las doncellas te aman.* Esto es decir, no solamente soy yo la que se enamora de ti, ni sola la que siente deleite y se aficiona a tus lindos olores, que cuantas doncellas hay hacen lo mismo; las cuales propiamente se pierden por todo lo que es oloroso, hermoso y gentil.

3.   *Llévame en pos de ti; correremos al olor de tus ungüentos.*

Puédese entender esto como cosa que está junta con la razón ya dicha, de arte que de todo ello resulte esta sentencia de la Esposa al Esposo: «Ven, Esposo mío, y llévame en pos de ti con el olor de tus olores, que es tan grande que, como he dicho, aficiona a todos; y seguirte he corriendo.» O decir que es razón por sí, sin traer dependencia con lo de arriba; en la cual explica con nuevo encarecimiento el deseo que tiene de verse con su Esposo; pues estando, como estaba, enferma y sin fuerzas, dice que le seguirá corriendo si la quiere llevar consigo.

Metióme el rey en sus retretes; regocijarnos hemos en ti; alegrarnos hemos, membrársenos han tus amores más que el vino. Las dulzuras te aman.

¡Cuán natural es esto del amor, imaginar que posee ya lo que desea, y tratar como de cosa hecha de lo que pide la afición! Porque dijo que, si el Esposo la llamase, se iría corriendo en pos de él, imagina como que la llama y la lleva tras sí, y la mete en su casa, donde la hace grandes amores y regalos. Y así dice *metióme,* que según el uso de la lengua hebrea, aunque muestra tiempo pasado, se pone por lo que está por venir, por mostrar la certidumbre y firme esperanza que tiene de ello. Así que en decir *meterme ha el rey,* olvidóse de la persona de pastor en que hablaba, y así llámale por su nombre, que siempre el amor trae consigo estos descuidos. O digamos que por ventura es propiedad de aquella lengua, como lo es de la nuestra, todo lo que se ama con extremado y tierno amor llamarlo así, *mi Rey, mi Bien, mi Príncipe* y semejantemente.

En sus retretes; esto es, en todos sus secretos, dándome parte de ellos y de todas sus cosas, que es la prueba más cierta del amor. Declárase esto en lo que se sigue: *Regocijarnos hemos en ti, alegrarnos hemos,* esto es, juntamente contigo.

Membrársenos han tus amores, más que el vino: las dulzuras te aman. Muestra por el efecto el exceso de los regalos y placeres que ha de recibir en el retrete de su Esposo, porque dice le quedarán impresos y esculpidos en la memoria más que ningún otro placer ni contento, por mayor y más señalado que sea.

Las dulzuras: en este lugar hay diferencia entre los que escriben, así en la traslación como en la declaración de él, y nace todo el pleito de la palabra hebrea *mesarim,* que yo traslado *dulzuras,* lo cual propiamente suena *derechas* o *a las derechas;* y según el parecer de algunos hombres doctos en aquella lengua, cuando se junta a esta palabra *iaiin,* que significa vino, le da título de bueno y preciado vino; como si dijésemos tal vino que justamente y con derecho se bebe, como diremos después. Aunque hay otros de diferente parecer. San Jerónimo sigue el sonido de la voz, y así traslada: *Las derechas o los derechos te aman,* esto es, los justos y buenos. Siguiendo esta letra quiere decir la Esposa: acordarme he de tus amores, esto es, del que tú me tienes y yo te tengo, de tu trato y conversación blanda y regalada y amorosa, más que de ningún otro placer o alegría; que todas ellas se entienden por el vino de que se hace mención, por el alegría y placer grande que pone en los corazones de los que de él usan. Y da luego la razón por que tiene de preciar en tanto los amores de su Esposo y de acordarse de ellos diciendo: *Las dulzuras o derechas te aman,* que es decir, todo lo que es bueno, Esposo mío, todo lo que es dulce y apacible, te cerca y te abraza; estás cercado de dulzuras y eres acabado y perfecto en todas tus cosas.

Puédese leer a mi juicio de otra manera, y no menos acertada, la cual es ésta: *Membrarémonos,* y poner luego punto, como se ve en su lengua original; y seguir luego: *Tus amores mejores que el vino preciado te aman;* esto es, te hacen amable; y la causa es porque son más dulces y deleitosos que la misma dulzura y deleite que, como hemos dicho, se declara en el vino. Y, según esta manera, en la primera palabra, *membrarémonos, acordarémonos,* que, al parecer, queda así desacompañada, se encierra un accidente muy dulce y natural en los que bien se quieren, cuando acontece verse después de una larga ausencia; que se cuentan el uno al otro con el mayor encarecimiento que saben la pena y dolor con que por esta causa han vivido. Así que la Esposa, como había dicho que se vería en el secreto de su Esposo, y se alegraría y regocijaría juntamente con él, añade convenientemente lo que por orden natural de afición se sigue después del regocijo de la primera vista.

Acordarnos hemos, esto es, contaremos tú a mí y yo a ti lo mucho que en esta ausencia habemos padecido; traeremos a la memoria nuestras ansias, nuestros deseos, nuestros recelos y temores.

Pues quede aquí que esta razón, por cualquiera manera que se entienda, va llena de ingenio y de gentileza y de una afición blandísima.

4. *Morena yo, pero amable, hijas de Jerusalén, como las tiendas de Cedar, como las cortinas de Salomón.*

Bien se entiende del salmo 44, adonde a la letra se celebran las bodas de Salomón con la hija del rey Faraón, que es, como he dicho, la que habla aquí en persona de pastora, y en figura de la Iglesia, que era no tan hermosa en el parecer de fuera, cuanto en lo que encubría de dentro; porque allí se dice: *La hermosura de la hija del rey está en lo escondido de dentro.* Pues responde aquí agora la Esposa a lo que le pudieran oponer los que la veían tan confiada del amor que la tenía su Esposo, siendo al parecer morena y no tan hermosa; que siempre en esto tiene gran recato el amor. Dice, pues: «Yo confieso que soy morena, pero en todo el resto soy hermosa y bella y digna de ser amada, porque debajo de este mi color moreno está gran belleza escondida.» Lo cual, como sea, decláralo luego por dos comparaciones: *soy,* dice, *como las tiendas de Cedar, y como los tendejones de Salomón. Cedar* llama a los alárabes, que los antiguos llamaban númidas, porque son descendientes de Cedar, hijo de Ismael; y es costumbre de la Escritura llamar a la gente por el nombre de su primer origen y cabeza. Estos alárabes es gente movediza y no viven en ciudades, sino en el campo, mudándose cada un año donde mejor les parece; y por esta causa viven siempre en tiendas, hechas de cuero o lienzo, que se pueden mudar ligeramente.

Así que es la Esposa en hermosura muy otra de lo que parece, como las tiendas de los alárabes, que por defuera las tiene negras el aire y el sol a que están puestas: mas dentro de sí encierran todas las alhajas y joyas de sus dueños, que, como se presupone, son muchas y muy ricas. Y como los tendejones que tiene para usar en la guerra Salomón; que lo de fuera es de cuero para defensa de las aguas, mas lo de dentro es de oro y seda y lindas bordaduras, como suelen ser las de los otros reyes.

Esto es cuanto a la letra; que, según el sentido que principalmente pretende el Espíritu Santo, clara está la razón por qué la Iglesia, esto es, la compañía de los justos, y cualquiera de ellos tiene el parecer de fuera moreno y feo, por el poco caso y poca cuenta, o por mejor decir, por el grande mal tratamiento que el mundo les hace; que, al parecer, no hay cosa más desamparada, ni más pobre ni abatida, que son los que tratan de bondad y virtud, como a la verdad estén queridos y favorecidos de Dios y llenos en el alma de incomparable belleza.

5.   *No me desdeñéis si soy morena, que miróme el sol; los hijos de mi madre porfiaron contra mí. Pusiéronme (por) guarda de viñas; la mi viña no guardé.*

Responde esto muy bien al natural de las mujeres, que no saben poner a paciencia todo lo que les toca en esto de la hermosura. Porque, según parece, bien pagada quedaba esta pequeña falta de color con las demás gracias que de sí dice la Esposa, aunque en ello no hablara más; pero como le escurece, añade diciendo y muestra que esta falta no le es así natural que no tenga remedio, sino venida acaso, por haber andado al sol, y aun eso no por culpa suya, sino forzada contra su voluntad por la porfía de sus hermanos. Y así dice: *No me miréis que soy morena, que miróme el sol;* esto es, anduve a él y pegóseme; y la causa de andar yo así fué porque *los hijos de mi madre porfiaron* (encendidos) *contra mí; pusiéronme por guarda de las viñas; la mi viña no guardé.* Dice que no guardó su viña porque se olvidó de sí, y de lo que tocaba a su rostro, por entender en guardar las viñas ajenas, en que sus hermanos por fuerza la habían ocupado. Y no se ha de entender que esto pasó así como se dice, por la hija de Faraón que había aquí, porque siendo hija de rey no es cosa verosímil de creer, sino, presupuesta la persona que representa y a quien imita hablando, que es de pastora, es la más propia y más gentil disculpa y color que podía dar a su mal color, decir que había andado en el campo al sol, forzada de sus hermanos, que, como pastores, era gente tosca y de mal aviso.

Donde dice *mi viña,* en el hebreo tiene doblada fuerza porque dice *mía, remía,* dando a entender cuán propia suya es y cuánto cuidado debe tener de ella; como si dijera, la mi querida viña o la viña de mi alma, que por tal es tenido de las mujeres todo lo que toca a su buen parescer y gentileza.

En el sentido del espíritu es grande verdad decir que sus hermanos la hicieron esta fuerza, porque ningún género de gentes es más contrario y perseguidos de la verdadera virtud que los que la profesan en sólo los títulos y apariencias de fuera; y los que nos son en mayor deuda y obligación, éstos las más veces experimentamos por mayores y más capitales enemigos.

6.   *Enséñame, ¡oh Amado de mi alma!, dónde apacientas, dónde sesteas al mediodía; porque andaré yo descarriada entre los rebaños de tus compañeros.*

Disculpada su color, torna a hablar con su Esposo y, no pudiendo sufrir más dilación, desea saber dónde está con su ganado, porque se

determina de buscarle dondequiera que estuviere, porque el amor verdadero no mira en puntillos de crianza, ni en pundonores, ni espera a
ser convidado primero, antes él se convida y se ofrece. Y aunque había
llamado la Esposa al Esposo para su remedio, significándole su deseo y
necesidad, y ni viene ni le responde, no por eso se enoja o se entibia,
ni menos se afrenta de ello ni hace caso de honra, antes crece más en
su deseo; y, pues no viene, ella se determina de ir en su busca, en sabiendo dónde está, y ruégale a él que se lo haga saber, diciendo: *Ha-
cedme saber, ¡oh Amado de mi alma!* Lo cual puédese entender en dos
maneras: o que sea un mostrar al Esposo lo mucho que quisiera saber
de él para seguirle, y excusarse que, si no lo hace, es por no andar vagueando perdida de monte en monte, como si dijese: «¡Ojalá yo supiera,
amor mío, o tú me lo hubieras dicho, dónde andas con tu ganado, que
luego me fuera allá!; mas, si no lo hago, es por no andar de cabaña en
cabaña y de hato en hato preguntando por ti a los pastores.» O entendamos, y esto es lo más natural, que pide al Esposo le haga saber, o por
sí o por otra persona alguna, dónde ha de sestear al *mediodía*, que
luego se irá allá.

Y no estorba a esto que, estando el Esposo, como presuponemos
que estaba, ausente, no podía oír sus ruegos de la Esposa, ni satisfacer
a su voluntad; porque en el verdadero y vivo amor pasan siempre mil
imposibilidades semejantes, que con la ardiente afición se ocupan y se
ciegan los sentidos, que engañándose juzgan como por posible y hace-
dero todo lo que se desea. Y así por una parte habla la Esposa a su Esposo, como si le tuviese presente y la viese y oyese, y, por otra, no sabe
dónde está y ruégale que se lo diga, porque si no ella está determinada,
como quiera que sea, de buscarle, en lo cual podría haber inconveniente
de perderse y de dar que decir a las gentes.

Por eso añade, *porque andaré yo descarriada entre los hatos de tus
compañeros.* Donde dice *descarriada* o descaminada, otros trasladan
arrebozada, porque la palabra hebrea a quien responde, que es *hoteiah,*
sufre lo uno y lo otro. Y decir *arrebozada,* es decir, ramera, mujer deshonesta y perdida, porque éste era el traje de las tales entre aquella
gente, como se lee en el Génesis, de Thamar, cuando, puesta en semejante hábito, hizo creer a Judá, su suegro, que era ramera.

De la una manera y de la otra hace buen sentido, porque dice: «Yo
me determino de buscarte; pero no es justo que ande buscándote de
choza en choza, o como mujer que anda descaminada, y como si fuese
alguna desvergonzada y deshonesta; y por tanto conviene que sepa yo
dónde estás.»

Hasta aquí ha dicho la Esposa. Agora habla el Esposo, y responde
a esto postrero diciendo:

7. *Si no te lo sabes, ¡oh hermosa entre las mujeres!, salte y sigue
las pisadas del ganado, y apacentarás tus cabritos junto a las cabañas
de los pastores.*

No puede sufrir un corazón generoso que, quien le ama, pene mucho
por él; y por esto, entiendo el Esposo que su Esposa le desea y quiere
hablarle, la dice que siga la huella del ganado, que por ella le hallará.

Si no te lo sabes: el *te* está de sobra, por propiedad de la lengua
hebrea, como en la nuestra también decimos *no sabes lo que te dices,* y
otras tales; y, de no advertir a esto, vino que algunos trasladaron en
este lugar *si no te sabes* o te conoces, etc., como si la Esposa no supiera

de sí y preguntara por sí, lo cual, como se ve, va muy ajeno del propósito que se trata. Porque la Esposa no se desconoce a sí misma, antes se reconoce muy bien, como habemos visto, conoce ser morena y tostadilla del sol. Lo que siente es tener ausente a su Esposo, y lo que desea es saber de él, y así le ruega que se lo diga. Y a esta pregunta y ruego responde el Esposo, y dice: *Si no te lo sabes,* esto, es si no sabes dónde estoy.

Hermosa entre las mujeres, es decir, más hermosa que todas.

Las pisadas del ganado; en el hebreo dice *hacab,* que es la postrera parte del pie, que en español llamamos carcañal; y, poniendo el nombre de la causa a su efecto, valdrá tanto en este lugar como decir *la huella* que se hace en el asiento del pie y del carcañal. El decir que siga la huella se puede entender en dos maneras: que siga el Esposo a la Esposa, o que siga la huella que hallará hecha del ganado, que pasó ya; o que se vaya en pos de sus mismos cabritos, siguiendo las pisadas, los cuales, por la costumbre de otras veces o por el amor e instinto natural que los guía a sus madres, la pondrán con su Esposo. Porque habemos de entender que habían quedado, como se suele hacer, encerrados en casa los cabritos, y el Esposo traía las madres paciendo por el campo. Y así añade: *Apacentarás tus cabritos junto a las cabañas de los pastores;* que es decir te llevarán donde les lleva a ellos su amor y adonde tienen su pasto, que es lugar donde yo estoy con los demás pastores.

En lo que dice *tus cabritos,* es de advertir el gentil decoro que guarda Salomón, porque ordinariamente a las mujeres, por ser más delicadas, no las ponen en recios trabajos, y si el marido cava, ella quita las piedras; si poda, ella sarmienta; si siega, ella hacina; y así, si el marido trae el ganado mayor, ella suele andar con el menudo.

En el sentido espiritual, en decir el Esposo que siga, si quiere hallarle, la huella del ganado, avisa a las almas justas que le desean de dos cosas muy importantes: la una, que para hallar a Dios, aun en las cosas brutas y sin razón, tenemos bastante ayuda y guía, porque como se dice en el salmo: *Los cielos dicen la gloria de Dios, y el cielo estrellado cuenta sus maravillas; un día tras otro día revoca esta palabra, y una noche tras otra nos da este aviso.* La grandeza, dice, y lindeza del cielo, con ser cosas sin alma y sin sentido; las estrellas con sus movimientos en tanta diversidad, tan concertados y de tanta orden; los días y las noches con las mudanzas y sazones de los tiempos que siempre vienen a tiempo, nos dicen a voces quién sea Dios, porque no quede disculpa alguna a nuestro descuido. Lo segundo que nos avisa es que el camino para hallar a Dios y la virtud no es el que cada uno por los rincones quiere imaginar y trazar para sí, sino el usado ya y el trillado por el bienaventurado ejemplo de infinito número de personas santísimas y doctísimas que nos ha precedido.

8. *A la yegua mía en el carro de Faraón te comparo, amiga mía.*
Alegre con la gentil presencia de su Esposa, concibe el Esposo nuevas llamas de amor, que le hacen dar muestra, por galanas comparaciones, de lo bien que le parece. Hermosa cosa es y llena de brío una yegua blanca y bien enjaezada, cuales son las que hoy día los señores usan en los coches. Pues muestra el Esposo en esto la lozanía y gallardía de su Esposa, y dice *en carro de Faraón,* significando por él al rey, la tierra y reino de Egipto, cuyos reyes se llamaban así, que quiere decir tanto como *vengadores* o *restituidores;* que los antiguos ponían

nombre a los ministros de la república, a cada uno conforme a su oficio; y el oficio de los reyes es castigar lo mal hecho y restituir a los agraviados en la posesión de su hacienda. Pues hase de entender que en aquel tiempo eran muy preciados los carros que se hacían en Egipto, y las yeguas para ellos traídas de allá, como parece del tercer libro de los Reyes; y Salomón, que es el que habla aquí, como rey riquísimo, tenía en grande abundancia las mejores de todas estas cosas, o porque él enviaba por ellos o porque el rey de Egipto se las presentaba.

Y otra vez he comenzado a advertir (y quedará de aquí dicho para otros muchos lugares donde es menester adelante) que, aunque esta plática que pasa entre Salomón y su Esposa, es como si pasase entre dos, pastor y pastora; pero alguna vez se olvidan de la persona que representan y hablan conforme a quien son, como en este lugar, donde dice ser suya la yegua, muestra tener coches traídos desde Egipto, con gentiles yeguas que los guíen, lo cual no cabe en un pobre pastor; como, al revés, otras veces dicen cosas ajenas por el cabo de sus personas, y muy conformes con la afición y pasión que declaran y con el estilo pastoril que siguen.

9.   *Bellas están tus mejillas con los cerquillos; tu cuello con los collares.*

Con los cerquillos: la palabra hebrea, que es *thorim,* es de varia y dudosa significación. Unos dicen que significa perlas o aljófar enhilado; otros dicen que es cadena de oro delgada; otros, tortolicas hechas de bulto; y otros dicen que son hilos o torzalejos que cuelgan. Paréceme que he visto en figuras y pinturas antiguas, en el tocado de las mujeres, que del remate de la toca, si no es lo que cae sobre la frente desde el principio de las sienes para atrás, colgaban unos como rapacejos largos hasta algo más de la mitad del carrillo. Y, según esto, podemos concertar toda esta diferencia, diciendo que éstos, las personas ricas y principales los usaban de aljófar o perlas menudas, puestas en hilos o cadenillas de oro delgadas; y que los cabos, así de los unos como de los otros, se remataban en algunos brinquiños o piezas de oro pequeñas, hechas en forma de tortolicas o de otras cosillas semejantes; de arte que *thorim* sean propiamente semejantes rapacejos.

Pues como si imaginásemos que la Esposa estaba tocada así, dice el Esposo: «¡Cuán lindas se descubren, oh Esposa mía, tus mejillas entre esas perlas, y tu cuello entre los collares!»; esto es, estáte bien y hermoséate hermosamente este traje, que es, como dijo uno en su poesía: *Un bello manto una beldad adorna.* Y es propio esto de las que son hermosas, que todo cuanto se ponen les está bien y les viene como nacido, y como cosa hecha para su ornamento y servicio; como, al revés, las feas, mientras más se aderezan y atavían, peor parecen.

[Aunque es verdad que decir *las perlas* o *entre las perlas,* da ocasión a otro sentido que, a mi juicio, viene bien a propósito, diciendo, no que la Esposa tenía algunos de estos arreos que añadiesen a su hermosura, sino que, al revés, estaba desnuda de ellos, y con todo eso, al parecer y dicho del Esposo, sin comparación estaba muy más hermosa que otra que los tuviese. Porque así, como ya dijimos, en la propiedad de la lengua original, *hermosa entre las mujeres* es tanto como decir más hermosa que todas las mujeres; así decir *lindas tus mejillas entre las perlas,* sea como si dijese *más linda que todas las perlas y aljófares que a otras hermosean;* y tu cuello, sin joyeles, es más bello que todas las joyas que suelen hermosear y adornar los de las demás mujeres, esto es, tu belleza vence a otra cualquier belleza, o sea natural o ayudada con artificio.]

10. *Tortolicas de oro te haremos con remates de plata.*

A lo que decimos *tortolicas* responde en el original la misma palabra ya dicha; y así otros trasladan *cerquillos* y otros *cadenillas,* y es lo que dijimos. Y promete el Esposo de mandar hacer las dichas tórtolas y dárselas a la Esposa, porque le estaban bien, si decimos que usaba de ellas; o, si no las usaba ni tenía, para que las usase y con ellas pareciese mejor. Y viene muy bien que en este lugar signifique *tórtolas* esta palabra, porque es muy usado entre los enamorados, en los servicios que hacen a sus amadas, darles algunas cosas que tengan símbolos y significación de sus afectos; unos de amor, otros de desesperación, otros de cuidados, y algunos otros de celos. Y esto hácenlo escribiendo en los tales dones algún mote o letra que tenga el nombre de lo que ellos quieren dar a entender, o poniendo figuras o color alguno que dé a conocer lo que ellos sienten.

Pues así promete el Esposo de dar a la Esposa de aquellos torzalejos de oro en forma de tórtolas, y que tengan los remates, que es el pico y las uñas, de plata; porque demás de ser el presente hermoso y bien artizado en esta hechura, da a entender el afecto del Esposo, que es un amor perfecto, puesto para siempre en una persona, como lo es el que dos tórtolas, macho y hembra, se tienen entre sí, que, como se escribe, es tan grande y fiel que, muerta la una, la otra se condena a perpetua viudez.

11. *Cuando estaba el rey en su recostamiento, el mi nardo dió su olor.*

Responde la Esposa, y en este caso de querer bien a su Esposo y de hacerle servicios, y de mostrarle la afición de su corazón con todas las buenas palabras que el amor puede y sabe, no le quiere dar la ventaja; y así, al principio, porque prometió al Esposo de darle aquellos joyeles, que habemos dicho, de oro rematados en plata, ella, como es propio del amor tierno, dice que en pago de ello le quiere hacer un regalado servicio, y es que le rociará cuando estuviere a la mesa con sus más preciados y suaves olores.

Cuando estaba, dice; esto es, cuando estuviere, según la propiedad hebrea que habemos dicho, *el rey en su reposo.* La palabra hebrea, que es *mesab,* quiere decir *recostamiento* o *en derredor,* que, según los doctores hebreos, en este lugar es lo mismo que *convite,* porque, conforme al uso antiguo, que dura hoy día entre los moros, comían recostados y puestos a la redonda porque era así la forma de las mesas.

Mi nardo: Nardo es una raíz bien olorosa que agora se trae de la India de Portugal, de quien escribe Plinio y Dioscórides, conocida y usada en las boticas. De ésta principalmente y de otras cosas aromáticas se solía hacer una confección de suave y gentil olor con que se rociaban la cabeza y manos los antiguos, la cual los griegos llaman *nardina,* y los hebreos, por el mismo nombre de la raíz, la dicen *nordi.* Galeno hace mención de ella; y en San Juan se dice de la Magdalena que derramó un bote de nardo preciosísimo sobre la cabeza y cara de Jesús.

Juntamente con esto se ha de advertir que entre la gente hebrea se usaba rociar con este licor a los convidados, cuando eran personas ricas y principales, o a quien se deseaba y debía hacer todo regalo y servicio, por ser cosa de grande precio y estima, demás de ser muy suave y apacible. Como parece claramente acerca de San Mateo, donde, defendiendo Cristo a la mujer pecadora que, puesta a sus pies, se los lavó con sus lágrimas y roció con este ungüento, dice el fariseo, que le había convidado a comer: «Esta ha hecho lo que tú habías de hacer en ley de buena paz, razón y costumbre, y no hiciste. Convidásteme, dice, y no rociaste mi cabeza con ungüento oloroso, y ésta roció mis pies.» Con esto quedan claras las palabras de la Esposa, que hacen significación del gran gozo y contento que tiene en sí, por el servicio que ha de hacer a su Esposo. Cuando estaba, dice el mi rey en su banquete, alegre y cercado de sus convidados, yo le rocié a él solo con los mis olores. Y por esto dice *el nardo dió su olor,* el cual entonces se siente más cuando el licor se esparce.

12. *Manojuelo de mirra es mi Amado a mí, morará entre mis pechos.*

Como es cosa hermosa y amada de las doncellas un ramillete de flores, o de otras cosas semejantemente olorosas, que traen siempre en las manos y lo llegan a las narices, y por la mayor parte le esconden entre sus pechos, lugar querido y hermoso, tal dice que es para ella su Esposo, que por el grande amor que le tiene le trae siempre delante de sus ojos, puesto en sus pechos y asentado en su corazón.

Mirra es un árbol pequeño que se da en Arabia, Egipto y Judea, del cual, hiriendo su corteza en ciertos tiempos, destila la que llamamos mirra; las flores y hojas de este árbol huelen muy bien, y de éstas habla la Esposa.

13. *Racimo de Copher mi Amado a mí, de las viñas de Engaddi.*

Gran diferencia hay en averiguar qué árbol sea este que aquí se llama *copher,* el cual unos trasladan *cipro,* como es San Jerónimo, y entiende por él un árbol llamado así, y no a la isla de Cypro, como algunos juntamente declaran.

Otros trasladan *alcampfor* o *alheña;* otros dicen que es un cierto linaje de palma. Cierto es ser especie aromática y muy preciosa, y entre tanta diversidad de pareceres, lo más probable es que *copher* es el árbol de donde se saca el verdadero y finísimo bálsamo, que es a manera de vid; y así como el árbol es extraño a nosotros y que no se da en nuestra tierra, así no tenemos nombre para él, y de aquí nace el llamarle por tantos nombres. Danse estas vides en Palestina, en Engaddi, que es ciudad junto al mar Muerto, como se lee en Josué, y por esto añade en *las viñas de Engaddi.*

Responde el Esposo, y dice:

14. *¡Oh cuán hermosa eres, Amiga mía, oh cuán hermosa! Tus ojos de paloma.*

Todo esto es como una amorosa contienda entre Esposo y Esposa, donde cada cual procura de aventajarse al otro en decirse amores y requiebros. Loa, pues, la hermosura de la Esposa que, a su parecer, era sumamente bella, y declara ser grande su belleza, usando de esta repetición de palabras, que es común en la Sagrada Escritura, diciendo: *Hermosa eres, Amiga mía, hermosa eres;* como si dijera: *Hermosa, hermosísima eres.*

Y porque una gran parte de la hermosura está en los ojos, que son espejo del alma y el más noble de todos los sentidos, y que ellos solos, si son feos, bastan a afear el rostro de una persona por de más gentiles facciones que sea, por esto particularmente, después de haber loado la belleza de su Esposa en general, hace mención de ellos y dice que son como de paloma. Las que vemos por acá no los tienen muy hermosos, pero sonlo de hermosísimos las de tierra de Palestina, que como se sabe por relación de mercaderes y por unas que traen de Levante, que llaman tripolinas, son muy diferentes de las nuestras, señaladamente en los ojos, porque los tienen grandes y muy redondos, llenos de resplandor y de un movimiento velocísimo, y de un color extraño que parece fuego vivo.

15. *Y tu, ¡qué hermoso eres, Amado mío, y qué gracioso! Y también el nuestro lecho florido, las vigas de nuestra casa de cedro, los artesones de ella de ciprés.*

Responde la Esposa y paga en la misma moneda al Esposo, conociendo y publicando la hermosura que hay en él; y porque la belleza está no solamente asentada en la exterior muestra de la buena proporción de facciones y escogida pintura de naturales colores, mas también y principalmente tiene su silla en el ánima, y porque esta parte de la hermosura del ánima se llama gracia, y se muestra de fuera y se da a entender en los movimientos de la misma ánima, como son mirar, hablar, reír, cantar, andar y los demás, los cuales todos en lengua toscana generalmente se llaman *atti*, de tal manera que sin esta belleza la otra del cuerpo es una frialdad sin sal y sin gracia, v menos digna de ser amada que lo es una imagen, como cada día se ve; así que por esta causa la Esposa para loar perfectamente a su Esposo le dice: *Y tú eres hermoso y gracioso.*

En el hebreo está en estos dos lugares del Esposo y de la Esposa una palabra, que en latín se interpreta *ecce*, y es voz que en esta parte da muestra de grande afecto y regocijo del que habla; como uno que, estando contemplando la beldad amada, no cabe en sí ni puede detener el ímpetu de la alegría que le bulle en el corazón, y al fin rompe y dice: «¡Ay cómo eres hermosa! ¡Ay cómo eres graciosa!», u otra tal razón de imperioso afecto; lo cual no se puede pintar al vivo con la escritura, porque el dibujo de la pluma sólo llega a lo que puede trazar la lengua, la cual es cuasi muda cuando se pone a declarar alguna gran pasión.

Pues dice la Esposa: «Si yo soy hermosa, como tú dices, amor mío, y si tal te parezco, tú no me pareces a mí menos bien; y hermoso eres como la misma hermosura, y gracioso y salado más que la gracia; y no sólo tú eres sal, mas también todas tus cosas por ser tuyas por el semejante son hermosas y lindas; la cama cubierta de flores, y la casa rica y hermosamente edificada; al fin todo es lindo, y tú más que todo ello.»

Y en decir *también nuestro lecho florido*, como encubiertamente le convida a que se venga con ella, que es deseo que se sigue ordenadamente después del bien que concibió de su Esposo, cuando dijo aquellas palabras: *¡Ay, qué hermoso eres, Amado mío; ay, qué gracioso! El techo de ciprés* son las tablas o artesones que cargan sobre las vigas, las cuales, según dice, eran de cedro.

En el espíritu de esta letra se declara el deseo de las almas, que aman a Dios y querrían verse con él; pero son aún imperfectas en la virtud, porque desean traerle a sí y gozar de él en su casa y en su lecho, que es donde tienen su descanso y sus riquezas y su contento; mas llámalas Dios y procúralas sacar de este regalo, como adelante veremos.

CAPITULO II

[ARGUMENTO]

[Contenta la Esposa con la presencia de su Amado, insiste en el deseo de no apartarse de El. Aprueba su deseo el Esposo; pero la da a conocer que aún no es digna de tanto bien. Hácesele gustar más y, no pudiendo ella sufrir el peso del amor, desfallece y queda absorta en los brazos del Esposo, quien conjura a las criaturas para que no impidan el descanso de la Esposa. Aquí concluye el estado de principiante. Mas como el amor no puede estar ocioso, siente luego el alma que la llaman de nuevo al ejercicio de todo género de virtudes, figuradas en la primavera, después de pasado el invierno de la penitencia. Suplica al Esposo que la defienda de las astucias de sus enemigos, representados en las raposas; y pues ya quiere ser toda suya, y se ve, por otra parte, tan débil en la virtud, le pide que venga pronto y la socorra en la noche de la tribulación.]

1. (ESPOSA.) *Yo rosa del campo y azucena de los valles.*

2. (ESPOSO.) *Cual la azucena entre las espinas, así mi Amiga entre las hijas.*

3. (ESPOSA.) *Cual el manzano entre los árboles silvestres, así mi Amado entre los hijos; en su sombra deseé, sentéme, y su fruta dulce a mi garganta.*

4. *Metióme en la cámara del vino; la bandera suya en mí (es) amor.*

5. *Forzadme con vasos de vino; cercadme de manzanas, que enferma estoy de amor.*

6. *La izquierda suya debajo de mi cabeza, y su derecha me abrace.*

7. (ESPOSO.) *Conjúroos, hijas de Jerusalén, por las cabras, o por las ciervas montesas, si despertáredes y si velar hiciéredes el amor hasta que quiera.*

8. (ESPOSA.) *Voz de mi Amado (se oye). Helo, viene atravancando por los montes, saltando por los collados.*

9. *Semejante es mi Amado a la cabra montés, o ciervecito. Helo (ya está) tras nuestra pared, acechando por las ventanas, mirando por los resquicios.*

10. *Hablado ha mi Amado, y díjome: Levántate, Amiga mía y galana mía, y vente.*

11. *Ya ves; pasó el invierno, pasó la lluvia y fuése.*

12. *Descubre flores la tierra; el tiempo del podar es venido; oída es voz de tórtola en nuestro campo.*

13. *La higuera brota sus higos, y las viñas de pequeñas uvas dan olor. Por ende, levántate, Amiga mía, hermosa mía, y vente.*

14. *Paloma mía, en las quiebras de la piedra, en las vueltas del caracol, descúbreme tu vista, hazme oír la tu voz; que la tu voz dulce y la tu vista bella.*
15. *Tomadnos las raposas pequeñas destruidoras de viñas, que la nuestra viña está en flor.*
16. *El Amado mío es mío, y yo soy suya (del que) apacienta entre los lirios.*
17. *Hasta que sople el día, y las sombras huyan; tórnate, sei semejante, Amado mío, a la cabra, o al corzo sobre los montes de Bather.*

EXPOSICION

Prosiguen en el principio de este capítulo el Esposo y la Esposa en su amorosa porfía de loarse el uno al otro cuanto más pueden, y después en el proceso de él la Esposa refiere a la larga algunas cosas, que ya en los días pasados le habían acontecido con su Esposo.

Dice, pues:

1. *Yo rosa del campo, y lirio de los valles.*
Estas palabras están así que se pueden entender indiferentemente del uno de los dos; pero más a propósito es que las diga la Esposa, que, por ser mujer, tiene más licencia para loarse, y que vengan dependientes y hagan una sentencia con lo que acaba de decir en el fin del primer capítulo: *Nuestro lecho florido, y nuestra casa de ciprés.* Y añade: *Y yo rosa del campo,* para que por todo ello convide y persuada más a que el Esposo la ame y la acompañe, y que en ningún tiempo la deje.

Yo rosa del campo: la palabra hebrea es *habatzeleth,* que según los más doctos en aquella lengua, no es cualquiera rosa, sino una cierta especie de ellas en la color negra, pero muy hermosa y de gentil olor. Y viene bien que se compare a ésta, porque, como parece en lo que habemos dicho, la Esposa confiesa de sí que, aunque es hermosa, es algo morena.

Azucena de los valles, que, por estar en lugar más húmedo, está más fresca y de mejor parecer. Esto dice la Esposa del Esposo, como si más claro dijese: *Yo soy rosa del campo,* y tú, Esposo mío, *lirio de los valles.* En lo cual muestra cuán bien dice la hermosura del uno con la beldad del otro, y que, como se dice de los desposados, son para en uno; como lo son la rosa y el lirio, que juntos crecen la gentileza de entrambos y agradan a la vista y al olor más que cada uno por sí. Lo que traducimos, *azucena* o *lirio* en el hebreo es *sosanah,* que quiere decir flor de seis hojas. Cuál sea o cómo se llame acá no está muy averiguado, ni va mucho en ello, y, por esto, ya la llamaremos azucena, ya alhelí, ya violeta.

2. *Como lirio entre las espinas, así es mi Amada entre las hijas.*
La flor que nace entre las espinas es tanto más amada y preciada, cuanto son más aborrecibles las espinas entre quien nace; y de la fealdad de las unas viene a descubrirse más la hermosura de la otra. Pues consiente el Esposo en lo que la Esposa dice de sí misma; y añade tanto más cuanto es más lo que se echa de ver y se descubre la rosa entre las espinas que entre otras rosas. Así que, en decir esto, no sólo dice ser hermosa la Esposa, como rosa entre otras rosas, sino así hermosa que

sola ella es rosa; que las demás en su comparación y en su presencia parecen espinas.

Lo que dice *entre las hijas,* es como decir entre todas las doncellas, por propiedad de aquella lengua que, cuando pone esta palabra *hijas* así a solas, habla de solas las doncellas, y cuando le añade alguna otra, como diciendo *hijas de Jerusalén* o *hijas de Tiro, significa* a todas las mujeres de aquella tierra, de cualquier estado y condición que sean. Pues es doncella la Esposa; y de las mujeres las doncellas tienen la hermosura más entera y más hermosa, y entre todas ellas la Esposa es la que vence.

En el espíritu de esta letra es digno de considerar que la Iglesia es rosa entre espinas, y no rosa cultivada y regalada, porque no es obra de los hortelanos del mundo, sino flor que crece y se sustenta por sola la clemencia del cielo, como dice San Pablo: *Yo planté, y Apolo fué el que regó; pero sólo el Señor lo sacó a luz y a crecimiento.* Y está cercada de espinas esta rosa, por la muchedumbre de las diversas sectas de infidelidad y herejías y supersticiosas creencias que en derredor de ella están, las cuales procuran de ahogarla; pero firme y segura es la promesa del Señor, y entre estos golpes, cuanto mayores fueren, tanto más centelleará la luz de la verdad.

3. *Como el manzano entre los árboles silvestres, así el mi Amado entre los hijos: en su sombra deseé, sentéme, y su fruto dulce a mi garganta.*

Cuanto, dice, se aventaja un fresco y poblado manzano, comparado a los árboles silvestres y montesinos, tan grande ventaja haces tú a los demás mancebos. Hermoso árbol es un manzano lleno de hoja y cargado de fruta; y en esto la Esposa da mayor loor al Esposo del que ella había recibido; que él la comparó a la azucena, que es cosa hermosa, pero de poco o ningún fruto; y el manzano, a quien ella le compara tiene lo uno y lo otro. Lleva adelante esta comparación, y como suele un manzano grande y verde, con la hermosura de su fruta y frescura de sus hojas convidar a los que le ven a reposar debajo de su sombra y coger de su fruta; así, dice, que la vista de su Esposo la puso en semejante deseo, y como lo deseó, así lo puso por obra.

En su sombra deseé, conviene a saber, reposar. *Sentéme,* esto es, conseguí el fin de mi deseo. *Y su fruta dulce a mi garganta,* en que se declara una posesión entera y perfecta. Y, como en decir esto tornase a la memoria el tiempo pasado de aquellos sus primeros y más dulces amores, sigue el hilo del pensamiento y cuenta con grande gracia de palabras y blandura de afectos mucha parte de sus pasados accidentes: la posesión de sí, que le dió su Esposo; cómo ella se le desmayó en sus brazos; los regalos que recibió de él, estando así desmayada, con otras cosas de grande afición y ternura. Y así dice:

4. *Metióme en la cámara del vino, y la bandera suya en mi amor.*

Ya dijimos que en el vino se declara en la Escritura Sagrada todo lo que es deleite y alegría. Así que entrar en la cámara del vino es aposentarse y gozar, no por partes, sino enteramente, de toda la mayor alegría; que, cuanto a lo que toca a la Esposa, consistía en los grandes regalos y muestras de entrañable amor que recibió de su Esposo. Y por tanto añade: *la bandera suya en mi amor.* Que se puede entender en dos sentidos: *traer bandera,* en la propiedad hebrea, como después veremos, es señalarse alguno y adelantarse en aquello de que se trata; como es señalado el alférez que la lleva entre todos los de su escuadrón. Y según esto quiere decir: enriqueció al Esposo mi alma de alegría, hízola señora de un increíble contento, y esto porque en ninguna cosa se quiso señalar y aventajar tanto como en amarme.

Y digamos, y es lo mejor, que la Esposa dice así: metióme en su bodega el Amado mío, y yo seguíle; que como los soldados siguen su bandera, así la bandera que a mí me lleva tras sí y a quien yo sigo es el su amor. Porque forzado es, cualquiera que no está fuera de seso de hombre, que ame a quien le ama, y amándole, que se fíe de él, y fiándose, que se deje llevar sin sospecha y sin recelo por donde el otro quisiere; porque el amor siempre es puerto de la confianza, y el que es amado entiende bien que quien le ama no le lleva sino adonde cumple para su provecho. Y eso es lo que dice la Esposa, que, sabiendo ella cómo su Esposo la amaba, se dejó llevar y guiar de este amor muy segura; y su Rey y Esposo que la llevaba la metió en su bodega, donde le hizo particulares mercedes y beneficios, que fueron una nueva yesca para acrecentarle el amor; que cierto es que los dones y beneficios, aunque no son causa del nacimiento del verdadero amor todas las veces, a lo menos son parte de su crecimiento, y son como el mantenimiento con que se sustenta y conserva.

5. *Rodeadme de vasos de vino, cercadme de manzanas, que enferma estoy de amor.*

La flaqueza del corazón humano no tiene fuerza para sufrir ningún extremo, ni de alegría ni de dolor. Pues así con el sobrado gozo que recibió con los favores de su Esposo entonces, o con el agudo dolor de que siente agora en acordarse de ellos y en verse despojada de ellos, se desfalleció la Esposa. Y no dice que desfalleció así por estas palabras; empero dice las palabras con que pidió remedio a su desfallecimiento; en que declara su mal con mayor gracia que si por claras palabras se explicara, de esta manera: «Venció el gozo al deseo y al corazón, y así faltóme, y, desmayada, comencé a decir: *Esforzadme con vasos de vidrio.*» Así declaran la palabra hebrea *asisoth* los doctos en aquella lengua, aunque el texto vulgar traslada *flores.*

Lo uno y lo otro es cosa de recreación para el que está enfermo; aunque los vasos de vidrio aquí hanse de entender llenos de vino, para que con su olor y sabor tornase en sí su corazón desmayado. Y por la misma causa pide que la rodeen de manzanas. Y así en decir *esforzadme,* se da a entender el desfallecimiento de su fuerza, que se iba a caer. Y diciendo *tended debajo de mí manzanas,* se colige que ella estaba ya caída y recostada. Lo que dice, *estoy enferma de amor,* no es la enfermedad propia del cuerpo, sino una grave aflicción del ánima, que la imaginación de alguna cosa causa, y de aquí se sigue el desfallecer del cuerpo.

6. *La su izquierda debajo de mi cabeza, y la su derecha me abrace.*

Prosigue la enamorada Esposa demandando socorros para su desmayo. El natural remedio para los que se desmayan de amor es ver juntos consigo a los que aman y que les muestren señales de favor y voluntad, y se conduelan de su mal; porque de allí les viene su trabajo, y de lo mismo les ha de venir su alivio y descanso. Y así la Esposa, estando ya caída en el desmayo, pide a su Esposo que llegue a ella, y la sustente y ciña con sus brazos. Y no fué en esto negligente el Esposo que, visto su desmayo, acudió luego y la tomó en sus brazos; que se hace conforme a como ella dice, poniendo el brazo izquierdo debajo de la cabeza, y abrazándola con el derecho. Y esto hemos de entender que lo dijo la Esposa en aquellos intervalos de desmayo, cuando vuelve en sí; como se ve en los que sienten esta pasión y se trasponen, y vuelven en sí hablando algo de aquello que les duele y se tornan a trasponer, y dura esta batalla hasta que se consume el mal humor.

7. *Conjúroos, hijas de Jerusalén, por las cabras, o por las ciervas montesas, si despertáredes y velar hiciéredes al amor hasta que quiera.*

Habemos de entender que se le adormió en los brazos la Esposa; porque es natural, después del desmayo, seguirse el sueño, con que torne en sí, y se repare la virtud cansada con la pasada lucha. Así que él, sintiéndola dormida, pónela en el lecho mansamente y, vuelto a los circunstantes, conjúralos por todo lo que más quisieren que la guarden el sueño y la dejen reposar. Estas personas a quien conjura eran compañeras suyas, las cuales, como aquí se finge, la Esposa traía consigo, y éstas eran cazadoras, según parece en la conjuración que el Esposo les hace; y es muy conforme a la imaginación que se prosigue en este Libro, porque de la Esposa, que es pastora, las compañeras han de ser rústicas y que tengan ejercicio del campo, como es ser pastoras y cazar. Y éste era uso de la tierra de Asia, principalmente hacia Tiro y en aquellas comarcas de Judea, que las vírgenes se ejercitasen en la caza; y así las requiere y juramenta el Esposo, diciendo: «Ruégoos y requiéroos, hijas de Jerusalén, así os vaya siempre bien en la caza, así gocéis de las ciervas y hermosas cabras montesas, que no despertéis a mi Amada, hasta que ella quiera, y hasta que ella despierte de suyo.»

Esta es muy común costumbre de todos los buenos autores, y aun de todas las gentes, orar la felicidad o desgracia del estudio y ejercicio de otro, cuando le quieren rogar algo o le desean mal; como a uno que estudia le decimos: *Así Dios os haga un buen letrado;* y a uno que pretende dignidades: *Así os vea yo un gran señor;* y al marinero: *Así os dé Dios buenos viajes;* y de esta manera en todos los demás.

En el espíritu, mucho ofenden los que a un alma, herida del amor de Dios y que reposa en sus brazos, la despiertan al desasosiego de esta vida, lo cual se entiende de este lugar.

8. *Voz de mi Amado se oye. Helo, viene atravancando por los collados, saltando por los montes.*

9. *Helo; ya está tras nuestra pared, acechando por las ventanas, mirando por las celosías.*

Es el cuidado del amor tan grande y está tan en vela en lo que desea, que de mil pasos, como dicen, lo siente, entre sueños lo oye y tras los muros lo ve. Finalmente, es de tal naturaleza el amor que hace obras en quien reina, diversas mucho de la común experiencia de los hombres; y por esto los que no sienten tal efecto en sí no las creen, o les parecen milagros o, por mejor decir, locura, ver y oír las tales cosas en los enamorados. Y de aquí resulta que los autores que tratan de amor son mal entendidos y juzgados por autores de devaneos y disparates. Por lo cual un poeta antiguo, y bien enamorado de nuestra nación, dijo bien en el principio de sus canciones esta sentencia:

No vea mis escritos quien no es triste,
O quien no ha estado triste en tiempo alguno.

Así que las extrañas cosas que sienten, dicen y hacen los que aman,
no se pueden entender ni creer de los libros de amor; de donde será
forzoso que muchas cosas de este Libro sean obscuras, así al expositor
de él como a los demás que en el divino amor están fríos y tibios; y,
por el contrario, será muy claro todo al que tuviere y experimentare en
sí la sentencia de esta obra, y ninguna cosa le parecerá imposible ni
disparatada.

Pues vemos aquí que la Esposa, cansada del trabajo pasado, está
durmiendo, y con todo eso, en el punto que su Esposo habla, siente su
voz y la conoce sin errarla, y se avisa de su venida, diciendo: *Voz de mi
Amado*. Esto, o pasó así, y la Esposa lo relata agora que el Esposo, con
el cuidado de su enfermedad, volvió luego a ver si reposaba y hacerle
compañía y, si quisiese esforzarse, a convidarla se saliese al campo, que
por ser el principio de la primavera, ya estaría fresco y muy florido y le
sería gran remedio para su tristeza y enfermedad; o digamos que fué
como sueño o imaginación, que, a causa del grande amor, la Esposa se
fingió a sí misma, pareciéndole que veía ya a su Esposo y le hablaba;
como es cosa natural a los que aman o tratan de algún negocio cuidadosamente, traerles los sueños imágenes semejantes; porque agora, como
he dicho, va refiriendo lo que entonces vió y habló medio entre sueños
por las mismas palabras que lo dijo. Pues dice: *Voz de mi Amado*, bien
muestra en la manera de las palabras así cortadas el alboroto de su
corazón.

Helo, viene pasando montes y saltando collados. Propio es de los
que imaginan con desatino alguna cosa, antojárseles que ven así lo ausente y que está lejos, como lo cercano y presente, juntando cosas diferentes y de diversos tiempos, como si todo fuese un mismo negocio.
Está en su lecho desmayada la Esposa, y parécele que ve a su Esposo
que viene volando por los montes y por los collados, como si fuese una
cabra o un corzo, animales ligerísimos.

10. *Helo, ya está tras la pared, acechando por las ventanas, descu-
briéndose por las rejas.*

Todo este mostrarse y esconderse y no entrar de rondón, sino andar
acechando agora por una parte y agora por otra, es natural de los muy
requebrados; y son unos regalos y juegos graciosísimos de amor, que es
como un jugar al tras con los niños, lo cual se pone aquí con gran propiedad y hermosura de palabras. Porque dice que, cuando ella lo ve por
entre las puertas, él de presto se quita de allí y corre a mostrarse por las
saeteras de la casa; y de allí siendo visto, se muda a las rejas y se asoma
un poco, y así de un lugar en otro, y en todos ellos le sigue y alcanza
con la vista. Y esto es muy común acá, cuando uno se esconde, burlando, decirle al otro: ¡Ah! *Bien te veo la cabeza; veo agora los ojos por
entre los puertas. ¡Oh!, ya se ha quitado. Helo, helo allí, por la ventana
asoma.* Y como hemos dicho, estas cosas, aunque parecen niñerías, no
lo son en los amantes, porque ellos estiman unas cosas de que los otros
hacen poco caso; y las cosas en que los otros se recrean o las precian,
a ellos les dan fastidio.

Mostrándose por las ventanas. En la propiedad de su lengua se toca
en estas palabras una gentil comparación, que en nuestra lengua no se

siente. Donde decimos *mostrándose,* la palabra hebrea es *metzitz,* que viene de *tzitz,* que es propiamente el mostrarse la flor cuando brota, o de otra manera se descubre. Pues como suelen los claveles asomar por los agujeros pequeños de los encañados que los cercan o de las vainas que rompen cuando brotan, y como las rosas que cuando salen no se descubren todas sino solamente un poco, así imagina y dice que su Esposo, más que el clavel y que la rosa bella se descubre, ya por una parte, ya por otra, mostrando unas veces los ojos y no más, y otras veces solos los cabellos.

10. *Hablado ha mi Amado, y díjome: Levántate, galana mía, Amiga mía, y vente.*

11. *Ya ves pasó el invierno, pasó la lluvia, fuése.*

12. *Descubre flores la tierra; el tiempo del cantar es venido, oída es la voz de la tórtola en nuestros campos.*

13. *La higuera brota ya sus higos, y las viñas de pequeñas uvas dan olor.*

Cuenta lo que dijo, o si queremos decir así, lo que imaginó entre sueños que le decía su Esposo: *Levántate, Amiga mía.* Convida en este lugar a la Esposa al gozo de sus amores; y porque él anda en el campo, que es lugar para el amor mejor que otro, pídele que salga a él, poniéndole delante para más moverla el amor que le tiene con regaladas palabras de *Amiga* y de *galana;* y juntamente con esto la sazón del verano, que es tiempo fresco y apacible y muy aparejado para tratar amores, y así dice, *levántate.* En decir *levántate,* se entiende que estaba acostada y mal dispuesta; y así dícele que se esfuerce y se salga con él para su salud a gozar del fresco y hermosura del campo, a que tienen natural afición los corazones enamorados; el cual, con la nueva venida del verano, estaba deleitosísimo, como lo pinta poéticamente por diversos y apacibles rodeos.

Dice: *Ya ves pasó el invierno, pasó la lluvia, fuése.* Todas son condiciones de la primavera. *El tiempo de cantar es venido;* lo cual es verdad, así en los hombres como en las aves, que con el nuevo año y con el avecinarse el sol a nosotros, se le renueva la sangre y el humor que toca al corazón con una nueva alegría, que le aviva y despierta y hace que cantando dé muestras de su placer.

La voz de la tortolilla, que es ave que suele venir con el verano, como las golondrinas, *es oída en nuestro campo.*

Las viñas de pequeñas uvas dan olor; esto es, están, como decimos en español, en cierne. Y haciendo de todo una sentencia seguida, será como si dijese: «Levántate, amor mío, de ahí donde estás en tu cama acostada, y vente y no tengas temor a la salida, porque el tiempo está muy gracioso; el invierno con sus vientos y sus fríos, que te pudieran fatigar, ya se fué; el verano es ya venido, como se ve por todas sus señales; los árboles se visten de flores, las aves entonan sus músicas con nueva y más suave melodía; y la tortolica, ave peregrina, que no invierna en nuestra tierra, es venida a ella y la hemos oído cantar; las higueras brotan ya sus higos, las vides tienen pámpanos y huelen a su flor; de manera que por todas partes se descubre ya el verano; la sazón es fresca, el campo está hermoso, todas las cosas favorecen a tu venida y ayudan a nuestro amor, y parece que naturaleza nos adereza y adorna el aposento. Por eso, *levántate, Amiga mía, y vente*».

14. *Paloma mía, puesta en las quiebras de la piedra, en los escondrijos del paredón, descúbreme tu vista, hazme oír la tu voz, que la tu voz dulce, y la tu vista bella.*

Todas son palabras de amor y requiebro, que, continuando su cuento, dice la Esposa haberle dicho al Esposo. Declara, pues, en esto el Esposo a su Amada la condición de su amor, y cómo se ha de haber con él en este oficio de amarlo, y trae para ello una gentil semejanza de las palomas, cuya propiedad sabida, quedará claro este lugar.

Hanse de tal manera las palomas en su compañía que, después que una vez se hermanan dos, macho y hembra, para vivir juntos, jamás deshacen la compañía, hasta que el uno de ellos falta; y esto nace del natural amor que se toman. Y la paloma está muy obediente a todo el querer del palomo; tanto que no le basta el amor y lealtad que de naturaleza le tiene, sino que también sufre muchas riñas e importunos celos del marido. Porque esta ave es la que mayores muestras de celos da entre todas las demás; y así, en viniendo de fuera, luego hiere con el pico a su compañera, luego la riñe, y con la voz áspera da grandes indicios de su sospecha, cercándola muy azorado y arrastrando la cola por el suelo; y a todo esto ella está muy paciente, sin se mostrar áspera ni enojada. Y estas aves, entre todos los animales brutos, muestran más claro el amor que se tienen ser de gran fuerza, así por el andar siempre juntos y guardarse la lealtad el uno al otro con gran simplicidad, como por los besos que se dan y los regalos que se hacen después de pasadas aquellas iras.

Pues de esta misma manera notifica el Esposo a la Esposa que se han de haber entrambos en el amor; y así le dice: «Ven acá, compañera mía, que ya es tiempo que juntemos este dulce desposorio: sabed que yo soy palomo, y vos habéis de ser paloma; y no de otro palomo, sino paloma mía y Amada mía, y yo Amado y compañero vuestro. Este amor ha de ser firme para siempre, sin que ninguna cosa jamás lo disminuya; y con todo eso yo os tengo de pedir celos».

Y porque aunque haya muchas palomas en un lugar, cada par vive por sí, ni ella sabe el nido ajeno ni el palomo extraño le quita el suyo; es razón que nosotros también nos apartemos a nuestro poyatilla aparte. Por eso, veníos al campo, paloma mía; aquí en esta peña hay unos agujeros muy aparejados para nuestra habitación; aquí hay unas cuevas en esta barranca alta; aquí me mostrad vos, paloma mía, vuestra vista, y aquí os oiga yo cantar, que aquí me agradáis y en esta soledad vuestra vista me es muy bella, y vuestra voz suavísima.

Dice: *Paloma en las quiebras de la piedra*, porque en semejantes lugares las palomas bravas suelen hacer su asiento. Aunque en lo que añade, *en los escondrijos del paredón*, hay deferencia, que algunos trasladan *en las vueltas del caracol*. Por lo uno o por lo otro se entiende un edificio antiguo y caído, como suele haber por los campos, donde las palomas y otras aves acostumbran hacer nido.

15. *Prendedme las raposas, las raposas pequeñas destruidoras de las viñas, que la nuestra viña está en flor.*

Estas palabras se pueden entender, o que las diga el Esposo o que las diga la Esposa. Declarémoslas primero en persona de la Esposa, y después seguiremos el otro sentido. Ufana, pues, la Esposa y muy regalada con los favores y dulces palabras que le acaba de decir su querido, viene en este lugar a ser movida de un afecto que es muy común a los regalados, teniendo delante de sí a quien los ama y regala. Declararlo hemos por este ejemplo: cuando una madre ha estado ausente de su niño, y en viniendo luego pide por él y lo llama y lo abraza, mostrándole aquella terneza de regalo que le tiene, lo primero que él hace es quejarse de quien le ha ofendido en su ausencia, y con unos graciosos pucheritos relata, como puede, su injuria y pide a la maddre que le vengue. Lo mismo hace una esposa o mujer casada, que mucho ama a su marido y le ha tenido ausente, que luego se le regala quejándose de las desgracias que le han sucedido en su ausencia. Este afecto muestra aquí la Esposa, luego que se ve acariciada y regalada con el llamarla su Esposo, y con lo demás que le dijo. Quéjase de la cosa que más le ofende, y es que como ella tenía una viña, la cual preciaba mucho y veía ya que las viñas estaban en cierne y comenzaban a quedar limpio el agraz, tiene gran temor que las raposas se la echen a perder; y quejándose de la mala casta dañadora, demanda socorro al Esposo y a los pastores, sus compañeros, diciendo: *Cazadme las raposas pequeñas.*

Y en decir *pequeñas,* guarda bien la propiedad de la naturaleza; porque cuando las viñas están en agraz, y antes que comiencen a madurar, entonces las raposillas de las camadas se crían, y éstas hacen después mucho daño en las viñas porque son muchas y van juntas, y como por su poca fuerza no se atreven a hacer salto en los ganados pequeños ni en las gallinas ni en las otras cosas que los raposos viejos cazan y destruyen, vanse a las viñas, donde hay menos concurso de hombres y de perros, y ellas son menos vistas por la espesura de las hojas y pámpanos, y así hacen mucho daño; y por eso pide la Esposa que las prendan y maten mientras son aún pequeñas, que será más fácil que después. Y así dice *las raposas;* y declarándose más, añade *las raposas pequeñas.*

Y vino a muy buen tiempo este quejarse de la Esposa, porque, como hemos dicho, en tal tiempo se suelen quejar y pedir venganza los que tiernamente aman. Y así son todos los lugares de este Libro, donde parece no tener dependencia las unas palabras de las otras, que, si bien se considera el sentido del afecto, la tienen muy grande y muy trabada. Porque estos libros donde se tratan pasiones de amor o otras tales llevan sus razonamientos o las ligaduras de ellos en el hilo de los afectos, y no en el concierto de las palabras, lo cual es menester que se advierta muchas veces. Esto es, si damos estas palabras a la Esposa.

Que, declarándolas como dichas del Esposo, diremos así: que él, como dijo que las viñas estaban en flor, y en decir esto se acordó del mal y daño que estando en tal sazón podrían hacer en ellas las raposas, vuélvese a los compañeros y encárgales con encarecimiento y cuidado que procuren de cazarlas con tiempo y mientras son pequeñas, porque si en esto se descuidan, den por perdida su viña con las demás. Y diciendo esto, parécele a la Esposa que deja el Esposo su plática y se va a entender en el negocio de su labranza y ganado; y como le ve ir, ruégale que se vuelva luego, diciéndole:

16. *El Amado mío es mío, y yo soy suya, que apacienta entre las azucenas.*

El Amado mío es mío, y yo de él. Es manera de hablar, como si dijera: «Amador y Amado mío, tú que apacientas entre las violetas tu ganado, en viniendo la tarde, vente tú también conmigo, volando como un corzo.»

Dice que *apacienta entre las azucenas,* no porque sea este pasto conveniente, sino porque es propio de enamorados el hablar de esta manera, dando estos vocablos de rosas y flores a todo lo que toca a sus amados, mostrando en esto la gracia y lindeza en que, a su parecer, se aventaja sobre todos. Como si dijera: el ganado de los otros pace yerba y espinas, mas el de mi Amado pace en las flores, rosas, violetas y clavellinas. Algunas palabras de éstas no carecen de obscuridad.

17. *Hasta que sople el día, y las sombras huyan.*

Algunos entienden por esto el tiempo de la mañana, y otros el de mediodía; y los unos y los otros se engañan, porque así la verdad de las palabras como el propósito a que se dicen declaran el tiempo de la tarde; porque siempre, al caer del sol, se levanta un aire blando, y las sombras que al mediodía estaban sin moverse, al declinar del sol crecen con tan sensible movimiento, que parece que huyen. Por donde los Setenta Intérpretes dijeron bien en este lugar: *Hasta que se muevan las sombras.* Y ayuda a esto la orden y el propósito de la sentencia e intención de la Esposa, que es pedir tierna e instantemente a su Esposo, ya que se va al campo y la deja sola, que se contente de estar en él hasta la tarde, que hasta entonces es tiempo de apastar el ganado, y que, venida la noche, se vuelva a su casa a tenerle compañía y a quitarle el temor y soledad que las tinieblas traen consigo, porque no la podrá pasar sin él, y que en esto no haya dilación ni tardanza alguna.

Sobre los montes de Bather. Bather, o es nombre propio de un monte así llamado, o es epíteto y sobrenombre general de todos los montes; porque *Bather* quiere decir división, y por la mayor parte los montes dividen unas tierras de otras; así que *montes de Bather* es como decir montes divididores. Y con estas palabras tornó en sí la Esposa, y viéndose sola y conociendo su engaño y que la noche se pasaba y el Esposo no venía, hace lo que en el capítulo siguiente prosigue: diciendo:

CAPITULO III

[ARGUMENTO]

[Prueba Dios a la Esposa en este estado dejándola padecer; ella le busca por todas partes, y no para hasta encontrarle y asirle con todas sus fuerzas, estrechando con él más su corazón, conjurando a todo el mundo que no la aparten del gozo que recibe con su presencia. Comienza ya a llamar la atención de las gentes el olor de sus virtudes; mas no por eso se engríe, antes da toda la gloria a su Esposo, y publica la particular providencia con que la asiste, por una parte defendiéndola de todo mal, como los valientes de Israel al lecho de Salomón, y por otra llenándola de bienes del cielo, que la enriquecen y adornan como a la litera del mismo las alhajas y preseas que la componían. Convida a todas las gentes a que celebren con la mayor alegría la Encarnación del Verbo divino y su desposorio con la humana naturaleza.]

1. (ESPOSA.) ·En el mi lecho en las noches busqué al que ama mi alma, busquéle y no le hallé.

2. Levantarme he agora, y cercaré por la ciudad, por los barrios y por los lugares anchos, buscaré al que ama mi alma; busquéle, y no le hallé.

3. Encontráronme las rondas que guardan la ciudad. (Preguntéles): ¿Vísteis, por ventura, al que ama mi alma?

4. A poco que me aparte de ellas (anduve) hasta hallar al Amado de mi alma. Asíle, y no le dejaré hasta que le meta en casa de la mi madre, y en la cámara de la que me parió.

5. Ruégoos, hijas de Jerusalén, por las cabras y por los ciervos del campo, que no despertéis, ni velar hagáis al Amor hasta que quiera.

6. (COMPAÑEROS.) ¿Quién es esta que sube del desierto como columna de humo, de oloroso perfume de mirra e incienso, y todos los polvos olorosos del maestro de los olores?

7. Veis, el lecho del mismo Salomón; sesenta valientes están en su cerco de los más valientes de Israel.

8. Todos ellos tienen espadas, guerreadores sabios, la espada de cada uno sobre su muslo por el temor de las noches.

9. Litera hizo para sí Salomón de los árboles del Líbano.

10. Las columnas de ella hizo de plata, el su techo de oro, el recordadero de púrpura y, por el entremedio, amor por las hijas de Jerusalén.

11. Salid y ved, hijas de Sión, al rey Salomón con la corona con que le coronó la su madre en el día de su desposorio, y en el día del regocijo de su corazón.

EXPOSICION

1. *En el mi lecho en las noches.*

Cuenta en esto Salomón no lo que en hecho pasó por su Esposa, que no es cosa que podía pasar, sino lo que pudo acontecer y está bien que acontezca a una persona tan común como una pastora, perdida de amores por su pastor, cuyas palabras y condiciones va imitando; que es una ficción muy usada entre los poetas decir como cosa hecha, no lo que se hace, sino lo que el afecto de que tratan pide que se haga, fingiendo para ello las personas que con más encarecimiento y más al natural lo podían hacer. Pues es muy común esto en las desposadas que bien aman a sus esposos, que en faltándoles de noche de casa, les viene mala sospecha, o que no las aman o que aman a otras; y algunas hay a quien les da tanto atrevimiento esta pasión, que las saca de sus casas, y las hace que, olvidando su encogimiento natural y su temor, anden de noche y a solas, rodeando por las calles y por las plazas, como en más de un ejemplo se ve cada día. Y esta fuerza de apasionada afición, con todas sus particularidades, declara de sí misma la Esposa.

Dice: *En mi lecho, de noche, busqué al que ama mi alma. Busquéle, y no le hallé.* En todo tiempo desean las mujeres apasionadas de amor tener presente a quien aman, y en las noches mucho más; parte, porque con el silencio y sosiego de la noche quedan más desocupados los sentidos y pensamientos para pensar en lo que aman, y así el amor se enciende más; y, parte también, porque en la noche crecen juntamente los celos y los recelos: los celos de pensar que se ayuda de la noche para alguna travesura; y los recelos de temer no le acontezca algún peligro de los muchos que suelen acarrear las tinieblas.

Pues esta mezcla de amor y temor y celos aguza agora y despierta el cuidado de la Esposa para que mire por su Esposo, y le busque a una y otra parte de su cama; y, no le hallando, porque el amor vivo ni teme peligro, ni repara en ningún inconveniente, se levante de su cama y salga de su casa y discurra por las calles, *por los barrios y lugares anchos;* esto es, por las plazas y lugares públicos de la ciudad en su busca, y no pare hasta que hallándole le traiga como preso a su casa y le encierre en su cámara como a malhechor.

Dice, pues: *Levantarme he agora, y buscaré por la ciudad; por los barrios y por las plazas, buscaré al que ama mi alma. Busquéle, y no le hallé.* Gran fuerza de amor es ésta, que ni la noche, ni la soledad, ni los atrevimientos de los hombres perdidos, que suelen tomar licencia y osadía en tales tiempos y lugares, pudo estorbar a la Esposa de que no buscase a su deseo. Según el espíritu, se entiende bien aquí el engaño de los que piensan hallar a Dios, descansando, y lo mucho a que se ha de arriscar el que de veras le busca.

Dice:

2. *Encontráronme las guardas, las guardas que andan la ciudad. (Pregúntéles): ¿Vísteis, por ventura, al que ama mi alma?*

No se espanta el amor ni enflaquece por ningún poder humano; y el que es verdadero no trata de encubrirse de nadie, ni de buscar colores para que los otros no le entiendan; y así la Esposa, en viendo las rondas, les pregunta: *¿Vísteis por ventura al que ama mi alma?* Vense aquí dos muy grandes y muy naturales efectos del amor: el uno, que he dicho, que no se recata de nadie ni se avergüenza de publicar su pasión. El otro es una graciosa ceguedad que trae consigo, y es general en todo grande afecto, en pensar que sólo con decir *¿vísteis a quien amo?*, estaba ya entendido por todos como por ella misma, quién era aquel por quien preguntaba.

No dice lo que le respondieron las guardas, de donde se entiende no le haber dado buen recaudo a su pregunta; porque las gentes, divertidas en varios cuidados y pensamientos, como son los públicos, saben poco de esto que es amar con verdad; y porque, según la verdad del espíritu que aquí se pretende, todo el aviso y alteza del saber y prudencia humana, en cuya guarda y gobernación viven los hombres, jamás alcanzaron a dar ciertas nuevas de Cristo, conforme a lo que dice San Pablo: *Con los perfectos tratamos de sabiduría..., que jamás la supo ningún príncipe de los de este siglo.*

3. *A poco que me aparté de ellos (anduve) hasta que hallé al Amado de mi alma. Asíle, y no le dejaré hasta que le meta en casa de la mi madre, y en la cámara de la que me parió.*
No pierde la esperanza el amor, aunque no halle nuevas de lo que busca y desea, antes entonces se enciende más; y así la Esposa anduvo, y halló por sí lo que las otras gentes no la supieron mostrar. Porque es así siempre, que al amor sólo el amor le halla y le entiende y le merece.

Dice que le halló a poco tiempo que anduvo, después que se apartó de las rondas de la ciudad; que, según el sentido espiritual, es cosa de grande consideración, que antes le había buscado mucho y no le halló, y en apartándose de las guardas y de la ciudad le halló luego. En lo cual se entienden dos cosas: que en los casos más desesperados y cuando todo el saber e industria humana se confiesa por más rendida, está Dios más presto y más aparejado para nuestro favor, como dice el rey David: *Cerca está el Señor de los que tienen afligido el corazón.* Y juntamente con esto se ve la razón por qué muchos buscan a Cristo muy luengamente por muchos días y con grandes trabajos no le hallan, hallándole otros con más brevedad; que es porque le buscan, no adonde El está y quiere, sino adonde ellos gustarían de hallarle, sirviéndole en aquellas cosas de que ellos más gustan y les caen más en gracia, por ser más conformes a sus inclinaciones y particulares juicios.

Asíle, y no le dejaré hasta que le meta en casa de la mi madre, y en la cámara de la que me engendró. El que en viniendo al fin de su deseo y en alcanzando la voluntad que ama se entibia y desfallece, no tiene perfecto amor; que el bueno y verdadero, de allí crece hasta venir a su más alto y más perfecto grado; que eso se declara en la *casa* de la Esposa, y en la *cámara* de su retramiento, esto es, el reposo y perfecta posesión que trae consigo el acabado y encendido amor. Llama a su casa, no suya, sino casa de su madre, y *cámara* de la que la parió, imitando en esto la común manera de hablar de las doncellas, que se usa también en nuestra lengua castellana, como se ve en diversos cantares.

4. *Conjúroos, hijas de Jerusalén, por las cabras, y por los ciervos del campo, si despertáredes y velar hiciéredes al amor hasta que quiera.*
Esto dice aquí la Esposa con palabras semejantes a las que el Esposo había antes dicho, hablando de ella. Entendemos aquí que era de noche, y le traía, después de muy buscado, para que reposase en su casa, y así ruega a la gente de ella que no le quiebre el sueño.

5. *¿Quién es esta que sube del desierto, como columnas de humo de oloroso perfume de mirra e incienso, y de todos los polvos olorosos del maestro de los olores?*

Desde aquí hasta el fin del capítulo hablan los compañeros del Esposo, festejando con voces de admiración y de loor a los nuevos casados; que es declarar el alegría de los ciudadanos de Jerusalén, y las palabras que conforme a ella se pudieron decir, cuando la hija del rey Faraón entró la primera vez en la ciudad y se casó con Salomón. Así que esto no trae mucha dependencia con lo de arriba, antes parece que Salomón aquí, rompiendo el cuento que llevaba enhilado, se pone a relatar cosas diferentes de aquellas, ya muy pasadas, que suelen dar mucha gracia a las escrituras semejantes de ésta. Si no queremos decir que todo lo que se ha dicho hasta aquí por el Espíritu Santo responde al tiempo que medió entre los conciertos hasta que se celebraron las bodas de los reyes; en el cual, como suele acaecer, es de creer que hubo muchas demandas y respuestas de una parte a otra, muchos deseos, muchos afectos y nuevos sentimientos, los cuales se han declarado hasta aquí por las figuras y rodeos que habemos visto.

Pues dice: *¿Quién es esta que sube del desierto?*, porque los había muy grandes entre Egipto, de donde viene la Esposa, y la tierra de Judea; o que se finge, como dicho es, que halló a su Esposo en el campo, y de allí se vienen juntos, que, como después diremos, muchas veces el campo es llamado desierto.

Como columnas de humo. Cosa sabida es, así en la Sagrada Escritura como por los escritores profanos, que la gente de Palestina y de sus provincias comarcanas, por la calidad de la tierra, usan mucho de buenos y preciosos olores. Pues comparan a la Esposa a columnas de humo, y llama al humo así por la semejanza que tiene con ellas, cuando de algún perfume o de otra cosa que se quema, sube en alto seguido y derecho. De la cual comparación no la loa tanto de bien dispuesta y de gentil cuerpo, que eso más adelante se hace copiosamente, cuanto de la fragancia y excelencia del olor que trae consigo, que iguala al olor del más preciado y mejor perfume. Y así dice *como columnas de humo de oloroso perfume de mirra e incienso, y de todos los demás olorosos polvos del maestro de olores.*

6. *Veis, el lecho suyo, que es el de Salomón; sesenta valientes en su cerca de los más valientes de Israel.*

7. *Todos ellos la espada en la mano, ejercitados en guerra; la espada de cada uno sobre su muslo, por el temor de las noches.*

Dejan de decir de la Esposa, y vuélvense a loar el palacio, y atavíos de cama y doseles de Salomón, que es desconcierto que da mucha gracia en semejantes poesías; porque responde a la verdad de lo que acontece a los miradores de semejantes fiestas, que pasan la vista y los ojos de unas cosas en otras muy diversas, sin guardar en esto ninguna orden ni concierto; y como el gusto y sabor del mirar les desconcierta los ojos, así el alboroto del corazón alegre, cuando declara por palabras su regocijo, trae sin orden ninguna a la boca mil diferencias de cosas.

Pues dice: *Veis el lecho de Salomón*, que es decir riquísimo y hermosísimo; y que para muestra de grandeza y para mayor seguridad de los que en él descansan, velan junto a él mucha gente de armas, como es costumbre de los reyes. Y así dice: *Sesenta poderosos en su cerco, todos ellos tienen espadas, y son guerreadores sabios;* esto es, saben la guerra, que es decir son escogidos en fuerzas y proveídos de armas, y diestros en ellas para defenderse.

La espada de cada uno sobre su muslo, que es el asiento de la espada, *por el temor de las noches,* esto es, por los peligros que entonces suelen acontecer y se temen; para que se entienda la mucha guarda que pone Dios en que nadie rompa el reposo de los que descansan en él.

8. *Litera hizo Salomón para sí de los árboles del Líbano.*

9. *Las columnas de plata; el techo de oro cubierto de púrpura, y todo él sembrado de amor por las hijas de Jerusalén.*

Del lecho pasan a decir del trono real o algún otro edificio de los muchos y muy ricos que, según parece, en su historia, edificó Salomón; y esto dícenlo con palabras de regocijo y admiración. Como diciendo: pues ¿qué me diréis del trono que ha edificado para sí, en quien la hermosura compite con la riqueza, que todo él es hecho de plata y de oro y de púrpura, por extraña manera y labor?

Lo que dice, *y en medio cubierto de amor,* la palabra hebrea, que es *ratzuph,* quiere también decir *encendido;* que, según esto, será decir que todo él con su hermosura y riqueza encendía en amor y codiciosa afición a las hijas de Jerusalén, que, mirando tan rica y excelente obra, la codiciaban.

Mejor me parece que se entienda esto de Salomón, y que trasladamos así: *Y en medio de él se asentó el amor de las hijas de Jerusalén.* Lo cual tiene muy gracioso y gentil sentido, que después de haber mostrado la fábrica de su trono, como es muy rica en materiales y muy graciosa en compostura (porque la plata bien labrada, sustenta al oro, y las vigas que están en el techo están cubiertas de púrpura, de suerte que de las luces de estos tres preciosos materiales, oro, plata y púrpura, se hace una bella mezcla, que se viene a los ojos con graciosa vista), dice luego este tan hermoso trono hizo Salomón para sí, en medio del cual él se entró y está allí encendido de amor por una de las hijas de Jerusalén, que era su Esposa, la cual, aunque fuese extranjera de nación, estaba ya avecindada y hecha ciudadana de Jerusalén, por haberse casado con el rey de ella. Pero toda esta obra y su lindeza era menos comparada a la que mostraba el señor de ella en sus vestidos y disposiciones. Y así dice:

10. *Salid, hijas de Sión, y ved al rey Salomón con la corona con que le coronó la su madre en el día de su desposorio y en el día del regocijo de su corazón.*

Corona significa en la Sagrada Escritura *reino y mando,* por ser esta insignia de los reyes. Dice que se la dió su madre porque, como parece en el segundo libro de los Reyes, Besarbé, madre de Salomón, por su discreción y buena industria, alcanzó de David que, entre otros muchos que tuvo, señalase a Salomón por sucesor en todos sus reinos y señoríos.

O *corona* es (y esto no me parece menos bien) todo género de atavío y traje galano y de buen parecer que agracia al que le trae, como la guirnalda hace en la cabeza. Como el mismo Salomón en los Proverbios, amonestando al mozo bozal a que dé atención y fe a sus palabras, le dice que el hacerlo así le será corona de gracias, conviene a saber, hermosa y agraciada para su cabeza; esto es, le estará tan bien al alma cuanto cualquier otro hermoso traje al cuerpo, por galán y gentil que fuese. Pues cosa sabida es que el día de las bodas es el día de las galas. Y decir que se la dió su madre es hablar conforme al estilo común y a lo que las más veces acontece, que las madres en tales días visten a sus hijos y ponen gran cuidado en cómo han de salir aderezados.

CAPITULO IV

[ARGUMENTO]

[La humildad y gratitud de la Esposa hace que el Esposo derrame en ella más copiosamente sus bienes. Celébralos él por medio de hermosas comparaciones: en los ojos alaba la recta intención; en los cabellos, los buenos pensamientos; en los dientes, la templanza y moderación de sus afectos; en los labios, la suavidad y gracia de las palabras; en las sienes, el pudor y modestia de todos los movimientos; en el cuello, la rectitud y firmeza de la oración; en los pechos, la caridad y misericordia con los prójimos, y en los diferentes montes a que la manda subir, la eminencia y perfección de las virtudes que se consiguen con la perseverancia en bien obrar. Vuelve a repetir los mismos elogios con mayor encarecimiento, y últimamente la compara a un delicioso huerto y a una fuente copiosa de aguas vivas, significando los espirituales frutos que comunica a los demás. Concluye bendiciéndola y deseando que se conserve y persevere en tanta dicha.]

1. (ESPOSO.)   *¡Ay, qué hermosa te eres, Amiga mía, ay, qué hermosa! Tus ojos de paloma entre tus cabellos; tu cabello, como un rebaño de cabras que miran del monte Galaad.*

2.   *Tus dientes, como hato de ovejas trasquiladas que vienen de bañarse, las cuales todas paren de dos en dos, y ninguna entre ellas hay vacía.*

3.   *Como un hilo de carmesí tus labios, y el tu hablar polido: como el casco de granada tus sienes entre tus copetes.*

4.   *Como torre de David el tu cuello, fundada en los collados; mil escudos que cuelgan de ella, todos ellos escudos de poderosos.*

5.   *Tus dos pechos como dos cabritos mellizos, que pacen entre violetas.*

6.   *Hasta que sople el día y las sombras huyan, voyme al monte de la mirra, y al collado del incienso.*

7.   *Toda tú hermosa, Amiga mía, y falta no hay en ti.*

8.   *Conmigo del Líbano, Esposa, conmigo del Líbano te vendrás; otearás desde la cumbre de Amana, de la cumbre de Senir y de Hermón, de las cuevas de los leones y los montes de las onzas.*

9.   *Robaste mi corazón, hermana mía, Esposa, robaste mi corazón con uno de los tus ojos, con un sartal de tu cuello.*

10.   *¡Cuán lindos son tus amores, hermana mía, Esposa, cuán buenos son tus amores! Más que el vino; y el olor de tus olores sobre todas las cosas olorosas.*

11.   *Panal destilan tus labios, Esposa; miel y leche está en tu lengua, y el olor de tus arreos, como el olor del Líbano.*

12.   *Huerto cercado, hermana mía, Esposa, huerto cercado, fuente sellada.*

13. *Tus plantas (son) como jardín de granados con fruta de dulzuras; juncia de olor y nardo.*

14. *Nardo y azafrán, canela y cinamomo, con los demás árboles del incienso; mirra, áloe con todos los principales olores.*

15. *Fuente de huertos, pozos de aguas vivas que manan del monte Líbano.*

16. *¡Sus!, vuela, ciervo, y ven tú, ábrego, y orea el mi huerto; espárzanse sus olores.*

EXPOSICION

1. *¡Ay, qué hermosa te eres, Amiga mía, oh cuán hermosa! Tus ojos de paloma entre tus cabellos; tu cabello como un rebaño de cabras que miran del monte Galaad.*

Este capítulo no trae dependencia alguna de lo que arriba se ha dicho, porque todo él es un loor lleno de requiebro y de gracia que da el Esposo a su Esposa, particularizando todas sus facciones y encareciendo la hermosura de ellas por comparaciones diversas. En que hay gran dificultad, no tanto por ser la mayor parte sacadas de cosas del campo, que en esto guarda la persona de pastor que representa, cuanto por ser maravillosamente ajenas y extrañas de nuestro común uso y estilo, y algunas de ellas contrarias, al parecer, de todo lo que quieren declarar. Si no es, como ya dijimos, que en aquel tiempo y en aquella lengua estas cosas tenían gran primor; como en cada tiempo y en cada lengua vemos mil cosas recibidas y usadas por buenas, que en otros tiempos o puestas en otras lenguas no se tuvieran por tales. O decir, lo que tengo por más cierto, que, como todo este canto sea espiritual, y los miembros hermosos de la Esposa que en él se loan sean varias y diferentes virtudes que hay en los hombres justos, explicadas con nombres de miembros y partes corporales, la comparación, aunque desdiga de aquello de quien se hace al parecer, dice bien y cuadra mucho con la hermosa parte del ánimo que debajo de aquellas palabras se significa.

Pues es toda la canción de este capítulo un cantar que entona el buen pastor enamorado a la puerta de su pastora, a fuerza de los que suelen dar alboradas a las que bien quieren. Y así comienza regocijándose todo con el contento que le da el amor y buen parecer de su Esposa, y maravillándose de su hermosura sobrehumana, y diciendo una vez y repitiendo otra, para mayor demostración y confirmación de lo que siente: *¡Ay, qué hermosa eres, Amiga mía! ¡Ay qué hermosa!* Y porque no se pueda sospechar que la afición le ciega, no se satisface con decirlo así a bulto, sino desciende en particular a cada cosa, y comienza por los ojos, que son, como dicen los sabios, en donde más se descubre y se muestra la belleza o torpeza del alma interior, y por donde entre dos personas más se comunica y enciende la afición.

Son, dice, *como de paloma tus ojos.* Ya dijimos la ventaja grande que hacen las palomas de aquella tierra a las de ésta, señaladamente en esto de los ojos, que como se ve en las que llamamos tripolinas, parece que les centellean y arden en vivo fuego, y que echan de sí sensiblemente como unos rayos de resplandor; y ser así los de la Esposa, es decirla lo que los enamorados suelen decir comúnmente a las que bien quieren, que tienen llamas en los ojos y que con su vista les abrasan el corazón.

Entre tus cabellos. En la traslación y declaración de esto hay alguna diferencia entre los intérpretes. La voz hebrea es *tzamathec,* que quiere decir cabellos o cabellera, y propiamente es la parte que cae sobre la frente y ojos, que algunas mujeres los suelen traer postizos, y en castellano se llaman *lados.* San Jerónimo, no sé por qué fin, entiende por esto la hermosura encubierta, y así traslada: *Tus ojos de paloma, demás de lo que está encubierto.* En que no solamente va diferente del común sentido de los más doctos en esta lengua, pero también en alguna manera contradice a sí mismo, que en el capítulo 47 de Isaías, donde está la misma palabra, entiende por ella *torpeza y fealdad,* y así la traduce.

Como quiera que sea, lo que he dicho es lo más cierto, y ayuda a declarar con mejor gracia el buen parecer de los ojos de la Esposa, que mostrándose entre sus cabellos (algunos de los cuales desmandados de su orden a veces los encubrían) con su temblor y movimiento, les hacían parecer que echaban centellas de sí como dos estrellas. Y siendo, somo se dicen ser, los ojos hermosos, matadores y alevosos, dice graciosamente el Esposo que de entre los cabellos, como si estuvieran puestos en celada, le herían con mayor fuerza y más a su salvo hacían más ciertos y más seguros sus golpes.

Dice más: *Tu cabello como manada de cabras que se levantan del monte Galaad.* San Pablo confiesa que el cabello en las mujeres es una cosa muy decente y hermosa; y, cierto, es una gran parte de la que el mundo llama hermosura. Y a esta causa el Esposo, después de los ojos, de ninguna cosa trata primero que del cabello, que cuando es largo, espeso y rubio, es lazo y gran red para los que se ceban de semejantes cosas. Lo que es de maravillar aquí es la comparación, que al parescer es grosera y muy apartada de aquello a que se hace. Fuera acertada si dijera ser como una madeja de oro, o que competía con los rayos del sol en muchedumbre y color, como suelen decir nuestros poetas. En esto digo que si se considera, como es razón, no carece esta comparación de mucha gracia y propiedad, habido respecto a la persona que habla y á lo que especialmente se quiere loar en los cabellos de la Esposa. Quien habla es pastor, y para haber de hablar como tal no podía ser cosa más propia que decir de los cabellos de su amada que eran como un gran hato de cabras, puestas en la cumbre de un monte alto; mostrando en esto la muchedumbre y color de ellos, que eran negros o alheñados (que, como diremos después, a los tales tienen por de más hermosa color en aquella tierra), y demás de esto relucientes como lo son las cabras que pacen en aquel monte señaladamente. Porque se ha de presuponer que el monte Galaad está asentado a la parte occidental del Jordán, y tiene este nombre desde el concierto que hubo entre Jacob y Labán, su suegro, como se cuenta en el Libro de la Creación, y es monte de muchos y frescos árboles, como el Líbano, y de hermosos pastos, como lo dan a entender Jeremías, Amós y Zacarías. Entre las otras plantas que en él se crían, hay muchos árboles y plantas hermosas.

Pues andando por él las cabras paciendo, como son animales sueltos, encarámanse por los árboles y métense por entre las matas, donde es necesario que los pelos de ellas, que son viejos y están ya poco asidos al cuerpo, se salgan y solamente queden los nuevos y más arraigados, y éstos muy limpios, compuestos y lucios, porque se untan con la resina que de los árboles se derrite, y se curan y hermosean con ella, la cual suele hacer lucir los pelos y cabellos. Y así el Esposo dice que los cabellos de su Esposa son tan gentiles, tan lucios y tan compuestos, como suelen ser los de las cabras que andan por las espesuras de Galaad, que allí se pelan y peinan, y parescen muy hermosos. Y esto quiere decir la voz hebrea, que donde en nuestra traslación decimos *se levantan,* en el hebreo dice *se peinan* o pelan. De manera que, por parte de los ojos y cabello, queda la Esposa bien loada de hermosa.

Semejante es la comparación que se sigue.

2.   *Tus dientes, como hato de ovejas trasquiladas, que salen de bañarse; todas paren de dos en dos, y ninguna entre ellas hay vacía.*

Esta comparación, demás de ser pastoril, y por la misma causa muy conveniente a la persona que la dice, es galana y de gran significación y propiedad al propósito a que se dice. La bondad y gentileza de los dientes está en que sean debidamente menudos, blancos, iguales y bien juntos, lo cual todo se pone en esta comparación como delante de los ojos: la blancura, en decir que salen de bañarse; que los pastores bañan a sus ciertos tiempos las ovejas para este fin de que sea blanca la lana que de nuevo crían; la igualdad, en decir que no hay enfermiza ni estéril en ellas; y el estar juntos y ser menudos, en decir que son un hato de ovejas, las cuales van así siempre juntas y apiñadas. Porque, como se ve, las ovejas vienen tan juntas en su manada, que a quien las mira algo apartado le parecen ser todas un cosa blanca, como sábana tendida, que no se paresce entre ellas más espacio que lo que hay de los pies de la una a los pies de la otra; porque por ser delgados los pies y los cuerpos gruesos, tócanse arriba con los lados del cuerpo y abajo llevan los pies una de otra apartados, y así va aquello negro con las sombras que ellas hacen. Mas cuando son llenas y han cada una parido dos, como aquí dice, vienen los corderitos encajonados entre ellas, porque cada una lleva sus dos hijos a los lados, los cuales hinchen aquel vacío que los pies de ellas dejaban; y de este modo no queda entrada a la vista de quien las mira para penetrar en ellas, ni conocer que una esté apartada de otra, sino todo por abajo y por encima parece un cuerpo blanco y hermoso, como la experiencia lo demuestra.

Pues dice el pastor en este lugar que los dientes de su Esposa son, ni más ni menos, porque son tan parejos y tan juntos unos con otros, como las ovejas cuando vienen en su manada. Y dice que son tan juntos por abajo en su nacimiento donde se juntan con las encías, y donde algunas personas los suelen tener apartados, como lo están por arriba; tan iguales y parejos como las ovejas que vienen cada cual con sus dos corderitos, *y no hay vacía entre ellas.*

Pudiéralos asemejar a un sartal de perlas o a otra cosa preciosa y gentil, como hacen otros enamorados; mas en esta semajanza de las ovejas guardó muy mejor la conveniencia de pastor, y declaró más enteramente la hermosura e igualdad de ellos que con ninguna semejanza de las otras se pudiera declarar.

De los dientes sale a los labios, que para ser hermosos han de ser delgados y que viertan sangre, lo cual así lo uno como lo otro declaró maravillosamente diciendo:

3.   *Como el hilo de carmesí tus labios;* añade luego, *y el tu hablar polido.* Lo cual viene muy natural con los labios delgados, como cosa que se sigue una de otra. Porque, según dice Aristóteles, en las reglas de conocer las cualidades de un hombre por sus facciones, los labios

delgados son señal de hombres discretos y bien hablados, y de dulce y graciosa conversación.

Como parte de granada tus sienes entre tus cabellos. Compara las sienes, que en una mujer hermosa lo suelen ser mucho, a parte de granada, o por mejor decir, a granada partida, por la color de sus granos, que es mezclada de un blanco y de un colorado o encarnado muy sutil, cual es la color que se ve en las sienes delicadas y hermosas, que por la sutileza de la carne y cuero, que hay en aquella parte, y por las venas que a esta causa se descubren más allí que en otra parte, se tiñe lo blanco con una viva y delicada color, que da gran contentamiento a los que la miran.

Las *sienes* en hebreo se llaman *rakah*, que es decir flacas y delgadas, porque lo son más que en ninguna otra parte del cuerpo. Algunos no trasladan aquí *sienes*, sino *mejillas*, que son aquellos dos graciosos montecillos que se levantan en el rostro de la una y de la otra parte de él; adonde la razón de hermosura y gentileza pide que el rostro blanco se pinte con alguna templada color, cual es la que paresce en una granada desnuda de su cáscara; y esto no me parece mal. Lo que dice *entre tus cabellos,* es porque las sienes, o si decimos las mejillas, se descubren y echan de ver entre algunos cabellos, que siempre andan desmandados sobre el rostro.

4. *Como la torre de David el tu cuello, fundada en los collados; mil escudos cuelgan de ella, todos escudos de valientes.*

La hermosura corporal consiste en dos cosas, en la buena y graciosa proporción de las facciones y en la disposición gentil del cuerpo. Ha dicho el Esposo de la beldad de las facciones y rostro de la Esposa; comienza ya a decir de la buena disposición de su cuerpo, que es alto y bien sacado, derecho y de gentil aire; que como en español llamamos *descollados* a los hombres y personas bien dispuestas, así en esta letra, aunque solamente se nombra el cuello de la Esposa, por él se entiende toda su estatura alta y agraciada. Pues compara el cuello o estatura de la Esposa a la torre que edificó David en el monte Sión y en la cumbre de él, de manera que hacia una parte y otra iban las vertientes del monte debajo de ella; y muestra el Esposo en esto que es largo el cuello, y derecho y de buen aire, que es en lo que consiste su hermosura.

Pero hay gran diferencia de pareceres en lo que dice, *puesta en el cerro o collado,* porque la palabra hebrea *talpioth* se declara diversamente por diversos. Unos dicen que es collado o lugar alto; otros cosa que enseña el camino a los que pasan; y otros dicen ser lo mismo que cerca o edificio fuerte y alto, o barbacana, y todo aquello con que se fortalece alguna casa o edificio fuerte. Y cierto es que se halla en esta significación en el libro de Josué, adonde se dice que Josué dejó en pie y no asoló las ciudades que había conquistado por fuerza de armas, todas aquellas que estaban bien armadas, cercadas y fortalecidas, lo cual se dice por la palabra *talpioth,* ya dicha.

Lo que a mí me parece más acertado en este lugar, para abrazar todas esas diferencias ya dichas, es trasladar así: *Tu cuello es como la torre de David puesta en atalaya;* que es decir casa puesta en lugar alto y fuerte, y que sirve de descubrir los enemigos, si vienen, y mostrar el camino a los que pasan; y por el oficio de que sirve y por el sitio que tiene, de necesidad ha de ser cosa fuerte. Y no hace la comparación

con torre edificada en el llano, sino con la que está puesta en atalaya
y lugar alto, porque lo está así el cuello sobre los hombros.

Mil escudos cuelgan de ella. O que éstos fuesen verdaderos escudos
y armas puestas allí para servicio y defensa de la torre, que estaban colgados de las almenas por en derredor de ellas; o que fuesen entallados
de piedra, o de otra cualquiera materia para ornamento de la torre. De
una manera y de otra puede estar el mismo sentido.

Todos escudos de valientes. Que es decir, de la gente de armas que
está allí de guarnición. Y en esto de los escudos no es menester decir
que se hace comparación al cuello o a alguna parte de él, sino como hizo
mención de la torre, es un divertirse a contar algunas condiciones de
ella, aunque no vengan mucho con el propósito que principalmente se
trata; lo cual es una cosa muy usada y muy graciosa en los poetas. Si
no queremos decir que los escudos colgados de la torre responden a las
cadenas y collares que hermosean el cuello de la Esposa, así como a
la torre los escudos. Como, si haciendo de todo una sentencia, dijese:
Es el tu cuello, Esposa, con el atavío de tus collares, tan hermoso, tan
derecho y levantado, como la torre de David con sus escudos y aldabas, que mucho la adornan y hermosean; así está sentado tu cuello sobre
tu gentil y bien dispuesto cuerpo, y con tanta gracia se declinan los
hombros de una parte y de otra, como la torre que he dicho, está asentada sobre el monte.

Dicho del cuello, síguese luego los pechos, y dice:

5.   *Tus dos pechos, como dos cabritos mellizos, que están paciendo
entre las azucenas.*

No se puede decir cosa más bella ni más a propósito, que comparar los pechos hermosos de la Esposa a dos cabritos mellizos, los cuales,
demás de la terneza que tienen por ser cabritos y de la igualdad por ser
mellizos, y demás de ser cosa linda y apacible, llena de regocijo y alegría, tienen consigo un no sé qué de travesura y buen donaire, con que
roban y llevan tras sí los ojos de los que los miran, poniéndolos afición
de llegarse a ellos y de tratarlos entre las manos; que todas son cosas
bien convenientes y que se hallan así en los pechos hermosos a quien se
comparan. Dice *que pacen entre las azucenas,* porque con ser ellos lindos
de suyo, allí lo parescen más; y queda así más encarecida y más loada
la belleza de la Esposa en esta parte.

6.   *Hasta que sople el día, y huyan las sombras, voyme al monte de
la mirra, y al collado del incienso.*

Soplar el día y huir las sombras ya he dicho ser rodeo con que se
declara la tarde. Pues dice agora el Esposo que se va a tener la siesta y
a pasar el día hasta la tarde entre los árboles de la mirra y del incienso,
que es algún collado donde se criaban semejantes plantas, cuales hay
muchas en aquella tierra. Y el decirle agora esto después de tantos y
tan soberanos loores como le ha dado, es convidarla encubiertamente
a que se vaya con él. Mas vuelve luego la afición y torna a loar las perfecciones de su Esposa, que son mudanzas muy propias del amor; y dice
como en una palabra lo que antes había dicho por tantas y en tan
particular.

7.   *Toda eres hermosa, Amiga mía, y en ti no hay falta.*

Que aunque no lo dice con palabras, porque las de los muy aficionados siempre son cortas, dícelo con el afecto, y es como si dijese:

¿Mas cómo me apartaré de ti, Amiga mía, o cómo viviré ausente ni solo un punto de tu presencia, que eres la misma belleza, y toda tú convidas y fuerzas a los que te ven a que se pierdan por ti? Por tanto, dice, vamonos juntos, y si es grande atrevimiento y pido mucho en pedirte esto, tu extremada y jamás vista belleza, que basta a sacar de su seso a los hombres, me disculpa.

Dice más; que nos podremos volver juntos por tal y tal monte, por el monte Líbano, y por el monte de Amana, por las aldeas y laderas de Senir y de Hermón, montes bellos, donde verás cosas de gran contento y recreación para ti; que es aficionarla más a lo que pide con las buenas cualidades del lugar, diciendo:

8. *Conmigo del Líbano, Esposa, conmigo del Líbano te vendrás; otearás de la cumbre de Amana, de las vertientes de Senir y Hermón, de las moradas de los leones y de los montes de los pardos.*

Líbano aquí no es el monte así llamado, de donde se trajo la madera para el templo y casa que edificó Salomón, de que se hace mención en los libros de los Reyes, que ese monte no estaba en Judea; sino es lo que en los mismos libros se llama *saltus Libani*, el *bosque del Líbano*, llamado así por los reyes de Jerusalén, por alguna semejanza que tenía, o en árboles o en otra cosa, con aquel monte. Pues este *bosque* con los demás que dice, son montes vecinos, unos de otros, y que todos ellos están cerca de Jerusalén.

9. *Robaste mi corazón, hermana mía, Esposa, robaste mi corazón con uno de los tus ojos, con un sartal de tu cuello.*

No se puede disimular el amor por aquella persona en que reina; luego le hace a él mismo pregonero de su pasión. Y aunque todos los demás afectos y pasiones del corazón se pueden encubrir, este vivo fuego, por más cuidado y diligencia que se ponga, no se excusa que no se descubra donde está, que no humee, dé estallidos y levante llama, que suele ser principio de grandes afanes en los amadores. Que muchas veces acierta uno a amar un corazón rústico o altivo, el cual parece que ama también, y se esfuerza a pasar lo que debe, antes que sepa enteramente que es amado; mas después que el otro le descubre la gran revuelta de sus pensamientos, que por su causa le hacen guerra, viendo que lo tiene sujeto, se ensoberbece y se alza a su mano, y no le muestra el amor que primero. Cosa indigna de nobles corazones, y tanto más es de haber compasión del que en tal modo padece por haber descubierto sus entrañas, cuanto menos en su mano fué dejarlas de descubrir.

Pues en este lugar viene ya el Esposo a no poder más encubrir su pena, y comienza tiernamente a mostrar las heridas que en su corazón el crudo amor ha hecho, diciendo: «¡Oh Esposa mía, oh hermosa mía; robado has, herido has mi corazón; herido y despedazado lo has con solo un ojo tuyo, y con solo un collar de tu cuello!», como si dijera, con sola una vista, de una vez que me miraste, y de una vez que yo te vi apuesta y galana. Dando a entender cuán de súbito se apoderó el amor, y argumentando ocultamente en sus palabras, como si dijese: Si sola una vista tuya, y un collar de los que tú sueles poner cuando te compones, bastó para rendirme a tu amor, ¿cuánto más fuertes serán para me tener preso todas tus vistas, tus hablas, tus risas y tu beldad toda junta? Y decirle el Esposo esto agora, y venir en esta coyuntura a descubrirle su corazón, es también a propósito de persuadirle lo mismo que arriba, que se vaya con él por el amor que le tiene; y porque le es a él imposible hacer otra cosa, como aquel que está preso, y puesto en la cadena de sus amores. Que es como si dijese: «Pues yo soy tuyo más que mío, no es justo que te desdeñes de mi compañía; y si el campo y su recreación con que te convido, no basta para que te quieras venir tras mí, sabe que yo no me puedo apartar de ti ni un solo punto más que de mi misma alma; la cual tienes en tu poder, porque con los ojos me robaste el corazón, y con la menor cadena de las con que adornas tu cuello, me tienes preso.» Y de aquí torna a relatar, loando y usando de nuevas comparaciones, las gracias y hermosura de la Esposa; porque el fin, como he dicho, es mostrar que no puede vivir sin ella, y obligarla con esto a que le siga.

Si no queremos imaginar y decir que salió ya y se fué con él, y así juntos y a solas y cogiendo el fruto de sus amores, encendido el Esposo, como es natural, en un nuevo y encendido amor, lleno de un increíble gozo, habla con mayor y más particular derretimiento, con nueva dulzura y con nuevo regalo. Que es lo que experimentan cada día las almas aficionadas a Dios, que cuando por secreto e invisible modo les comunica los gustos de su gracia, derretidos de amor, se requiebran con El y desentrañan, diciendo mil regalos y dulzuras de palabras.

Y esto viene muy bien con lo que se sigue:

10. *¡Cuán lindos son tus amores, hermana mía, Esposa; cuán buenos son tus amores, más que el vino! El olor de tus olores sobre todas las cosas olorosas.*

11. *Panal destilan tus labios, Esposa; miel y leche está en tu lengua, y el olor de tus arreos como el olor del Líbano.*

Que es como si junto con ella y enterneciéndose en su amor, dijese: «Oh hermana mía, dulcísima y querida Esposa, más alegría me pone el amarte, que es la que suele poner el vino a los que con más gusto le beben. Tus ungüentos y aceites, que son las algalias y los demás olores que traes contigo, vencen a todos los del mundo; en ti, y por ser tuyos, tienen un particular y aventajado olor. Tus palabras son todas miel, y tu lengua parece que anda bañada en miel y leche; y no es sino dulzura, gracia y suavidad todo lo que sale de tus labios. Hasta tus vestidos, demás que te están bien y adornan maravillosamente tu gentil persona, huelen tan bien y tanto, que pareces con ellos al bello monte Líbano, donde tanta frescura hay, así en las verdes y floridas plantas como en los suaves olores que el aire mezcla»; porque en aquel bosque, como habemos dicho, había plantas de grande y excelente olor. Que todo lo demás ya está declarado por lo que se ha dicho en otros lugares antes de éste.

Prosigue en su requiebro el rústico y gracioso Esposo, y aunque pastor, muestra bien la elocuencia que aprendió en las escuelas del amor. Y así con una semejanza y otra alaba la belleza extremada de su Esposa, y declara agora enteramente así, a bulto, toda su gracia, frescura y perfección, lo cual había hecho antes de agora, particularizando cada cosa por sí. Porque dice que toda ella es como un jardín cerrado y guardado, lleno de mil variedades de frescas y graciosas plantas y yerbas, parte olorosas y parte sabrosas, y apacibles a la vista y a los demás sentidos; que es la cosa más cabal y más significante que se pudo decir en este caso, para declarar del todo el extremo de una hermosura llena de frescor y gentileza.

Y añade luego otra semejanza, diciendo que es así agradable y linda, como lo es y paresce ser una fuente de agua pura y serena, rodeada de hermosas yerbas y guardada con todo cuidado, para que ni los animales ni otra alguna cosa la turbe. Las cuales dos comparaciones propónelas al principio juntas y como en suma, y luego prosigue cada una de ellas por sí más extendidamente, diciendo:

12. *Huerto cercado, hermana mía, Esposa; huerto cercado, fuente sellada.*

13. *Las tus plantas, cual jardín de granados, con frutas de dulzuras; juncia de olor, y nardo.*

14. *Nardo y azafrán, canela y cinamomo con los demás árboles aromáticos; mirra, lináloe, con todos los principales olores.*

15. *Fuente de huertos, pozo de aguas vivas, que nacen del monte Líbano.*

Huerto cercado, esto es, guardado de los animales, que no le dañen, y tratado con curioso cuidado; que donde no hay cerca, no se puede criar jardín; ni menos al alma, que vive sin recelo y sin recato ni aviso, no hay que pedirle planta alguna ni raíz de virtud.

Hermana mía, Esposa, entiéndese, eres tú *huerto cercado.* Repítelo segunda vez para encarecer más la significación de lo que dice. Y *fuente sellada,* que es cercada con diligencia, para que nadie turbe su claridad.

Tus plantas, esto es, las lindezas y gracias innumerables que hay. Amiga mía, en este huerto que eres tú, son como jardín de granados con frutas de dulzuras, que es decir dulces y sabrosas cuales son las granadas. Y donde también hay *cipero y nardo* con los demás árboles olorosos. Y pone un gran número de ellos, de arte que viene a ser un deleitosísimo jardín el que pinta. Y tal dice que es su Esposa; tal su belleza y gracia; toda ella y por todas partes y en todas sus cosas, graciosa, amable y alindada, como lo es el jardín a quien la compara; que ni hay en él parte desaprovechada o por cultivar que no lleve algún árbol o yerba que lo hermosee; ni de los árboles y yerbas que tiene, hay alguna que no sea de grande deleite y provecho, como diremos de cada una.

Que, según la verdad del espíritu, es mucho de advertir que en el justo y en la virtud están juntos provecho y deleite y alegría con todos los demás bienes, sin haber cosa que no sea de utilidad y valor; y que no sólo tiene y produce fruto que deleite el gusto y con que sustente su vida, sino también posee verdor de hojas y olor de la fama con que recree y sirva al bien de su prójimo. Como lo declara maravillosamente el real profeta David, donde dice que el justo es como el árbol plantado a las corrientes de las aguas, que da fruto a su tiempo, que está siempre verde y fresco, sin secársele ni desmayársele la hoja. Y señaladamente es de advertir que todos estos árboles de que hace mención son de hermosa vista y excelente olor; para que quede confundido el desatino de los que se contentan para su salud con la fe que está escondida en el alma, y no hacen caso de las buenas y loables muestras de fuera, que son la hoja y olor que edifica los circunstantes.

Cipero. Dioscórides pone dos maneras de él: el uno es una raíz que se trae de la India oriental, semejante al jengibre, y de éste no se habla aquí. El otro, que es de quien se hace aquí mención, es un género de junco de dos codos, cuadrado o triangulado, que a la raíz tiene unas hojas largas y delgadas, y en lo alto hace una mazorca de menuda flor. Es aromático y de grandes provechos; críase junto a las lagunas y en lugares húmedos, y señaladamente se da en Siria y en Sicilia, y en español se llama *juncia de olor* o *avellanado,* y en latín *iuncus odoratus.*

Nardo. Yerba es por el semejante olorosa y provechosa, de que hay algunas diferencias; y una de ellas se da muy bien en Siria y Palestina, según dice Dioscórides. En España en algunas partes se llama *azúmbar.*

Canela y cinamomo. Hay diferencia sobre el *cinamomo,* si es lo que llamamos *canela,* o si es lo que los griegos llaman *casia.* Galeno dice que el *cinamomo* tiene una suavidad de olor que no se puede explicar; y es cosa cierta que el *cinamomo* es una cosa muy delicada en sabor y olor, y de más precio y provecho que la *casia,* aunque le parece en muchas cosas; y lo uno y lo otro se trae hoy día de la India de Portugal, y según parece son diferencias de canela, mejor y menos buena.

En el original hebreo, donde yo volví *canela* dice *kane,* que algunos trasladan *calamus aromaticus,* que es otra yerba diferente de la *casia* y del *cinamomo,* como parece por Dioscórides y Plinio, la cual se da en Siria, y es semejante a la *juncia de olor;* sino que es más olorosa que ella, y, quebrada, no se tronza, sino levanta astillas. El *cinamomo* que puse es en hebreo *kinamón,* que los doctos de la lengua dicen que es *cinamomo,* y el *cinamomo* dicen que es *lináloe;* en lo cual se engañan grandemente, como parece en las cualidades diferentísimas que Galeno y Plinio, y también Dioscórides, ponen entre el *cinamomo* y lo que nosotros llamamos *lináloe.* Y así tengo por más cierto que las palabras hebreas significan aquello que yo traslade.

Con los demás árboles del incienso, que es donde se destila y coge el incienso. *Mirra* entiendo el árbol de donde se coge, que, como dice Plinio, es de cinco codos en alto y algo espinoso, semejante a las hojas de la oliva. Y *áloe* o *acíbar,* esto es, la planta de donde se coge, que es pequeña y de una raíz de hojas gruesas y anchas. Aunque es verdad que algunos hebreos doctos dicen que *ahaloth,* que es la palabra que está en este texto, que comúnmente traducen *áloe* o *acíbar,* es el *sándalo,* árbol grande y alto, y de contrarias propiedades con el *acíbar,* pero aromático, y cordial y de buen olor, lo cual el *acíbar* no es; que viene mejor con el intento de la Esposa que es hacer mención de todas las plantas preciadas y olorosas que suelen y pueden hermosear más un gentil jardín. Y así dice: *Con todos los demás olores preciados.*

Fuente de huertos. Había comparado el Esposo a su querida Esposa, no sólo a un lindo huerto, sino también a una pura y guardada fuente. Declara agora esto segundo, especificando más en particular las cualidades de aquella fuente, y dice *fuente de huertos;* esto es, tan abundante y tan copiosa que de ella se saca por acequias aguas para regar los huertos. *Pozo de aguas vivas,* esto es, no encharcadas, sino que perpetuamente manan sin faltar jamás. *Que corren del monte Líbano,* donde tienen su nacimiento; el cual es, como habemos dicho, monte de grandes y frescas arboledas y muy nombrado en la Sagrada Escritura; para que de esto se entienda que es muy dulce y muy delgada el agua de esta fuente de que habla, pues nace y corre por tales mineros.

Con lo cual queda pintada una fuente con todas sus buenas cualidades, de mucha agua, muy pura y sosegada, muy fresca y muy sabrosa, y que jamás desfallece; para que de la lindeza de la fuente y del jardín entendamos la extremada gentileza de la Esposa, que es como un jardín y como una fuente.

16.   *¡Sus! ¡Vuela, cierzo, y ven tú, ábrego! Orea este mi huerto y haz que se esparzan sus olores.*

Esta es una apóstrofe o vuelta poética muy graciosa, en que el Esposo, habiendo hecho pintura y mención de un tan bello jardín, como habemos visto, prosiguiendo en el mismo calor de decir, vuelve sus pláticas a los vientos, cierzo y ábrego, pidiéndoles al uno que se vaya y no dañe y queme este su lindo huerto; y al otro que venga y con su soplo templado y apacible le oree y le mejore, ayudando a que broten las plantas que hay en él; que es un bendecir a su Esposa y desear su felicidad y prosperidad. Lo cual es muy natural cuando se ve o se pinta con afición y palabras una cosa muy bella y muy querida bendecirla y decir que Dios se la guarde. Y así el Esposo, en diciendo que su Esposa es un jardín, añade y dice: «¡Ay! Dios me guarde el mi lindo jardín de malos vientos; y el amparo del cielo me lo favorezca, y no vea yo rigor y aspereza del cierzo»; que, como se sabe, es viento frigidísimo, y que por esta causa quema y abrasa los árboles y las plantas. Venga el ábrego, y sople en este huerto mío con un airecico templado y suave, para que con el calor se despierte el olor, y con el movimiento le lleve y derrame por mil partes, por manera que gocen todos de su suavidad y deleite.

Y es, según el espíritu, hacer Dios que cesen los tiempos ásperos y de tribulación, que encogen y marchitan la virtud, y enviar el temporal templado y blando de su gracia, en que las virtudes, que tienen raíces en el alma, suelen brotar en público para olor y buen ejemplo y gran provecho de otros muchos. Y esta bendición es dicha así y muy graciosamente, por ser conforme a la naturaleza del huerto, de quien se habla. Porque es regla que, cuando bendecimos o maldiciendo aborrecemos alguna persona o cosa, la bendición o maldición ha de ser conforme a la naturaleza y su oficio de la cosa. Como lo hizo David en aquella lamentación que hizo sobre la muerte de Saúl y Jonatás, diciendo: *¡Oh montes de Gelboé!,* estériles seáis sin ningún fruto ni planta; privados del beneficio del cielo, que *ni rocío ni agua caiga sobre vosotros.*

CAPITULO V

[ARGUMENTO]

[Reconoce la Esposa que toda su dicha la viene del Esposo, a él la refiere y da la gloria. Con esto el Esposo la hace mayores regalos; es arrebatada de nuevo y queda absorta viendo arcanos que no puede explicar. Así concluye el segundo estado de los *aprovechados*. En medio de aquel divino sueño, el amor, que nunca duerme, oye la voz que llama otra vez al alma santa, para que abra todo su corazón al Esposo y le dé perfecta posesión de sí misma. Ella, bien hallada con su descanso, se resiste algún tanto a nuevas pruebas, hasta que excitada más poderosamente por la gracia, deja su reposo y se le aviva más el deseo de servir a Dios a toda costa. Sale a buscar a su Esposo por todas partes, dando voces, y se encuentra con las guardas de la ciudad, que la maltratan y despojan. Acuden las gentes al ruido, y piden señas del Esposo para buscarle también. La Esposa les hace una admirable pintura de Cristo, Dios y Hombre juntamente, que comprende sus atributos y perfecciones.]

1. (ESPOSA.) *Venga el mi Amado a su huerto, y coma la fruta de sus manzanas delicadas.*

2. (ESPOSO.) *Vine a mi huerto, hermana mía, Esposa; cogí mi mirra y mis olores: comí mi panal con la miel mía; bebí mi vino y la mi leche: comed, compañeros, bebed y embriagadvos, amigos.*

3. (ESPOSA.) *Yo duermo, y mi corazón vela. Ya voz de mi querido llama: Abreme, hermana mía, compañera mía, paloma mía, perfecta mía, porque mi cabeza está llena de rocío, y mi cabello de las gotas de la noche.*

4. *Desnudéme mi vestidura; ¿cómo me la vestiré? Lavé mis pies; ¿cómo los ensuciaré?*

5. *Mi Amado metió la mano por el resquicio de las puertas, y mis entrañas se estremecieron en mí.*

6. *Levantéme a abrir a mi Amado, y mis manos gotearon mirra, y mis dedos mirra que corre, sobre los goznes de la aldaba.*

7. *Yo abrí a mi Amado, y mi Amado se había ido, y se había pasado, y mi alma se me salió en el hablar de él. Busquéle, y no le hallé; llaméle, y no me respondió.*

8. *Halláronme las guardas que rondan la ciudad; hiriéronme; tomáronme mi manto, que sobre mí tenía, las guardas de los muros.*

9. *Yo os conjuro, hijas de Jerusalén, que si halláredes a mi querido: ¿Mas qué le contaréis? Que soy enferma de amor.*

10. (COMPAÑERAS.) *¿Qué tiene el tu Amado más que otro amado, oh hermosa entre las mujeres? ¿Qué tiene el tu Amado sobre otro amado, porque así nos conjuraste?*

11. (Esposa.)   *El mi Amado, blanco y colorado; trae bandera entre los millares.*

12. *Su cabeza, como oro de Tibar; sus cabellos, crespos, negros como cuervo.*

13. *Sus ojos, como los de la paloma junto a los arroyos de las aguas, bañadas en leche junto a la llanura.*

14. *Sus mejillas, como eras de plantas olorosas de los olores de confección. Sus labios, violetas que estilan mirra que corre.*

15. *Sus manos, rollos de oro llenos de tarsis; su vientre, blanco diente cercado de zafiros.*

16. *Sus piernas, columnas de mármol, fundadas sobre basa de oro fino. El su semblante, somo el del Líbano, erguido como los cedros.*

17. *Su paladar, dulzuras; y todo él, deseos. Tal es el mi Amado, y tal es el mi querido, hijas de Jerusalén.*

18. (Compañeras.)   *¿Dónde se fué el tu Amado, hermosa entre las mujeres? ¿Dónde se volvió el tu querido, y buscarle hemos contigo?*

EXPOSICION

1. *Venga el mi Amado a su huerto, y coma la fruta de sus manzanas delicadas.*

Como acaba de hablar de huertos el Esposo, la Esposa, avisada de ello, acuérdase de uno que tenía su Amado, que por ventura es el mismo de quien hizo la comparación arriba dicha; y ruégale que se deje de ir adonde iba, y que se vayan allá juntos a comer de las manzanas. O, por mejor decir, porque le había hecho semejante a un delicioso huerto, ella agora por estas palabras, encubierta y honestamente ofrécesele a sí misma, y convídale a que goce de sus amores. Como si dijera más claro: «Pues que vos me hicisteis semejante a un jardín, ¡oh amado Esposo!, y dijisteis que yo era vuestro huerto, así lo confieso yo y digo que soy vuestra, y que todo lo bueno que hay en mí es para vos. ¡Venid, Esposo mío!, coged, y comeréis de los buenos frutos, que en este vuestro huerto tanto os han contentado».

2. *Vine a mi huerto, hermana mía, Esposa; cogí mi mirra y mis olores; comí mi panal con la miel mía, bebí el mi vino y la mi leche: comed, compañeros, bebed y embriagadvos, amigos.*

En lo cual dice que, pues ella le convida con la posesión y dulce fruto de su huerto, a él le place de venir a él y hacerle suyo, porque por tal le tiene, siendo de su Esposa, que es una misma cosa con él. Y porque la nombra debajo de este nombre y figura de huerto, y dice que vendrá a solazarse con ella, prosiguiendo en la misma figura y manera de hablar, dícelo, no por palabras llanas y sencillas, sino por rodeo y por señas, explicando con gentiles palabras todo lo que se suele hacer en un huerto deleitoso cuando algunas gentes se juntan en él para recrearse y tomar solaz; que no solamente cogen olorosas flores, mas también suelen merendar en él y llevar vianda y vino, y allá cogen de las frutas que hay. Y por eso dice el Esposo: *Comi mi panal con mi miel*, etc. Como si dijera: «Yo verné prestísimo a este mi huerto, y cogeré la mirra mía con las demás flores olorosas que en él se crían; comeremos frutas dulcísimas en él, a las cuales mi Esposa me ha convidado, y panales de miel, que allá en el huerto hay, y mucha leche y mucho vino, de manera que nos regocijaremos mucho.»

9

Y, como si estuviese ya en ello, convida a sus compañeros los pastores a que beban y se regocijen, como se suele decir en los alegres convites, cuando con regocijo se convidan unos a otros. Que, como he dicho, es dibujar perfectamente el gusto y pasatiempo que se recibe en un huerto en un día de fiesta y de banquete; para declarar el Esposo por él la determinación que tenía de regocijarse y alegrarse con su Esposa, que es aquí la que señala bajo deste nombre de huerto.

La palabra *vine*, que es de tiempo pasado, declaramos de tiempo venidero, diciendo *yo verné*, y así las otras *cogí, comí, bebí; cogeré, comeré, beberé*, porque es cosa muy usada y recibida en la Sagrada Escritura poner lo pasado por lo futuro, y al revés; como es aquello del salmo: *Mi ojo despreció a mis enemigos*, por decir que los *despreciará.*

Y en decir *leche* y *vino, panales* y *miel, guárdase* a la letra el decoro y conveniencia de la persona que habla; porque un pastor semejantes comidas usa, y con el abundancia de ellas se deleita mucho, como hacen los delicados con las soberbias y suntuosas comidas.

Hase de entender aquí que, dicho esto, se fué el Esposo, y vino la tarde y se pasó aquel día, y vino otro, y la Esposa cuenta lo que la había acontecido aquella noche con su Esposo, que la vino a ver y llamó a su puerta, y por poco que se detuvo a abrirle, se tornó a ir; que fué causa que ella saliese de su casa de noche y anduviese perdida buscándole, lo cual todo y cada cosa de ello en particular lo cuenta con extraña gracia y sentimiento.

3. *Yo duermo, y mi corazón vela.*

Dícese del que ama que no vive consigo más de la mitad, y la otra mitad, que es la mejor parte de él, vive y está en la cosa amada. Porque como nuestra alma tenga dos oficios, uno de criar y conservar el cuerpo, y el otro, que es el pensar e imaginar ejercitándose en el conocimiento y contemplación de las cosas, que es el primero y más principal; cuando uno ama, este oficio que es de pensar e imaginar, nunca lo emplea en sí, sino en aquella cosa a quien ama, contemplando en ella y tratando siempre de ella; solamente da a sí y a su cuerpo aquello primero, que es un poco de su presencia y cuidado, cuanto ha menester para tenerle en vida y sustentarle, y aun esto no todas veces enteramente. Esto así presupuesto simplemente y sin filosofar en ello más, nos declara la grandeza del amor, que en este lugar muestra la Esposa diciendo: *Yo duermo, y mi corazón vela.* Porque dice que, aunque duerme, no duerme del todo ni toda ella reposa, porque su corazón no está en ella, sino con su Amado está siempre velando; que como se ha entregado al amor y servicio de su Esposo, no tiene que ver con ella, y así no obra juntamente con ella en su provecho. Porque el uno querría huir los trabajos del amor; mas el corazón dice: yo los quiero sufrir. Y dice el que ama: grave cosa es ésta. Y dice el corazón: de llevarla tenemos. Quéjase el amante que pierde el tiempo, la vida, las esperanzas; dalo el corazón por bien empleado. Así, cuando el cuerpo duerme y reposa, entonces está el corazón velando y regocijándose con las fantasías de amor, recibiendo y enviando mensajes. Y por esto dice: *Yo duermo, y mi corazón vela;* que es decir, aunque yo duermo, pero el amor de mi Esposo y el cuidado de su ausencia me tiene sobresaltada y medio despierta, y así oí fácilmente su voz.

O podemos decir que llama al mismo Esposo *su corazón*, por requiebro, conforme a lo que se suele decir comúnmente. Y según esto, dice que, cuando ella rebosaba, el su corazón, esto es, su Esposo, estaba velando; que es un lastimarse de su trabajo de él y un mostrar lo mucho que de él es querida. Lo cual es muy propio a Dios, cuyo amor sumo y ardientísimo con los hombres se va declarando debajo de estas figuras; que muchas veces, cuando los suyos están más olvidados de El, entonces por su grande amor los vela y los rodea con mayor cuidado.

Voz de mi Esposo que llama.

Dice que al punto que ella despide el sueño, el cual, por causa de traer desasosegado y alborotado el corazón, tenía ligero, llega el Esposo y llama a la puerta, cuya voz ella bien conoce, el cual decía así: *Abreme, hermana mía, compañera mía, paloma mía, perfecta mía;* que todas son palabras llenas de regalo, y que muestran bien el amor que la tiene y le traía vencido. Y en este repertir *mía* cada vez y a cada palabra, muestra bien el efecto con que la llama, para moverla a abrir aquel de quien tanto es amada.

Perfecta mía. El amor no halla falta en lo que ama; así lo dice Salomón: *Amor y caridad cubre la muchedumbre de los pecados;* esto es, hace que no se echen de ver los defectos del que es amado, por muchos que sean. Y a la verdad, la Esposa, de quien se habla aquí, es la Iglesia de los justos, que es en todas sus cosas *acabada* y *perfecta,* por el beneficio y gracia de la sangre de Cristo, como dice el Apóstol. Y por eso dice *alindada mía;* como si dijese: por mí y por mis manos y trabajo hermoseada y perfeccionada, y vuelta así linda y hermosa como la paloma.

Y porque no puede sufrir quien ama de ver a su amado padecer, dícela por moverla más: *Que mi cabeza llena es de rocío.* Que es decir, cata que no puedo estar fuera, que hace gran sereno, y cae un rocío del cual traigo llena mi cabeza y cabellos. En que muestra la necesidad grande que traía de tomar reposo, y la incita a que abra con mayor voluntad y brevedad.

Y esto decía el Esposo. Mas dice ella que le oyó y comenzó a decir con una tierna y regalada pereza entre sí:

4. *Desnúdeme mi vestidura; ¿cómo me la vestiré? Lavé mis pies; ¿cómo los ensuciaré?*

Que es decir: «¡Ay, cuitada! Yo estaba ya desnuda, ¿y tengo agora de tornarme a vestir? Y los mis pies que acabo de lavar, ¿téngolos de ensuciar luego?» En lo cual se pinta muy al vivo un melindre, o como lo llamáremos, que es común a las mujeres, haciéndose esquivas donde no es menester; y muchas veces, deseando mucho una cosa, cuando la tienen a la mano fingen enfadarse de ella y que no la quieren. Ha la Esposa deseado que su Esposo viniese, y dicho que no podía vivir sin él una sola hora, y rogádole que venga, y despertado con alegría y con presteza a la primera voz del Esposo y al primer golpe que dió a la puerta; y agora que lo ve venido, ensoberbécese y emperézase en abrirle, y hace de la delicada por hacerle penar y ganar aquella victoria más de él. Y dice, poniendo frías excusas: «Desnudéme mi camisa, ¿cómo la vestiré, que estará fría? Lavéme mis pies poco ha para acostarme, ¿téngolos de ensuciar poniéndolos en el lodo?». Que es gentil trueco este; que viene el Esposo cansado y mojado, y habiendo pasado por vela el sereno y mal rato de la noche, y ella rehusa de sufrir por él la camisa fría. En que, como digo, muestra bien la condición y natural ingenio de las de su linaje, porque, aunque amen y deseen mucho, de cualquiera cosilla hacen estorbo y usan de mil niñerías. Aunque en decir esto la Esposa, no se ha de entender que no le quiere abrir, que eso no se sufría en un amor tan verdadero y encendido, sino, presupuesto que lo quiere y ha de hacer, muestra que le pesa que no hubiese venido un poco antes, cuando ella estaba vestida y por lavar, y por no tener agora que vestirse y desnudarse tantas veces.

5. *El mi Amado metió la mano por entre el resquicio de las puertas, y mis entrañas se estremecieron en mí.*

Dice que, como se detuviese un poco, a lo que se entiende, en tomar sus vestiduras, no sufriendo dilación su Esposo, tentó de abrir la puerta, metiendo la mano por entre los resquicios de ella y procurando de alzar el aldaba; y que ella, sintiéndolo, y turbada toda en ver su priesa y como acusándola el amor en las entrañas de la pereza que había mostrado y de su tardanza, así como estaba, medio vestida y revuelta, acudió a abrir. Y así dice:

6. *Levantéme a abrir a mi Amado, y mis manos gotearon mirra, y mis dedos mirra que corre, sobre los goznes del aldaba.*

Presupónese que, en levantándose, tomó cualque botecillo de mirra, esto es, de algún precioso licor confeccionado con ella, para, entrando el Esposo, recibirle y rociarle con ella, que venía cansado y fatigado, como se suele hacer entre los muy enamorados. Que en todo, aun en esto, guarda Salomón con maravilloso ingenio y aviso todas las propiedades que hay, así en las palabras como en los hechos, entre dos que se quieren bien, cuales son los que en este su *Cantar* introduce.

Dice, pues, que turbada y con la priesa que llevaba a abrir a su Esposo, estuvo a punto de caérsele el botecillo; pero al fin se le volvió en las manos y se le derramó entre los dedos y sobre los goznes del aldaba que estaba abriendo.

Mirra que corre no quiere decir que corrió y se derramó sobre la aldaba, aunque fué así, según ya he dicho, sino es decir *mirra líquida*, a diferencia de la que ya está cuajada en granos, como está la que vemos comúnmente. O lo que tengo por más cierto, y más conforme al parecer de San Jerónimo y de los hebreos, es decir, que *mirra que corre* vale tanto como decir mirra excelentísima y muy fina; porque la palabra hebrea *hober* quiere decir *corriente*, y que pasa por buena por todas partes; lo cual, según la propiedad de aquella lengua, quiere decir que es muy buena y muy perfecta, aprobada de todos los que la ven, conforme a lo que en nuestra lengua solemos decir de la moneda de ley, que es moneda que corre.

7. *Yo abría al mi Amado, y el mi Amado se había ido y se había pasado.*

A muy buen tiempo usa el Esposo del palacio con su Esposa, porque viendo que ella al principio no le quiso abrir, dándole casi a entender que no le había menester, él probó a abrir la puerta; mas cuando sintió que se levantaba y venía a abrirle, quiérele pagar la burla, como quien dice: «Vos queréisme dar a entender que podéis estar sin mí; pues yo os haré conocer cómo me puedo más sufrir sin vos, que vos sin mí». Y así se ausenta, no aborreciéndola, sino castigándola y haciéndola pasar un rato entre esperanzas y temores, para que después guste más, y para que juntamente escarmiente.

Dice, pues: *Yo abrí a mi Amado* y no le hallé a la puerta, como pensaba, porque se era ya ido y pasado de largo. Bien se entiende la tristeza con que la Esposa dice estas palabras, como aquella que juntamente se halla corrida y triste de su descuido; y así parescen las palabras como de asombrada y medio fuera de sí, que la repetición de su decir *que se había ido y se había pasado* denota esto.

Mi ánima se me salió en el su hablar. Esto es, derritióseme el alma en amor y pena, en haberle oído y verle ido; mas iré y le buscaré y le daré voces; henchiré el aire del sonido de su nombre porque me responda y venga a mí. Mas ¡ay de mí!, que procurándolo no le hallo, y llamándole no me responde. Y así con grande angustia añade luego: *Busquéle, y no le hallé; llaméle, y no me respondió.* De do se entiende la ansia con que andaría. Y cuenta juntamente las desgracias que tras esto le acontecieron, buscando a su Esposo, que encontraron con ella las guardas que de noche guardan y rondan la ciudad; y como entre los tales siempre hay capeadores y ladrones, y gente traviesa y descomedida, dice que la hirieron dándole algunos golpes, como a mujer sola, y la quitaron el manto o mantellina con que se cubría, y socorrieron a su pasión con esta buena obra. Y así dice:

8. *Topáronme las guardas que rondan la ciudad, y quitáronme el manto de sobre mí* (esto es, con que me cubría) *las guardas de los muros.*

Esto va dicho así, no porque aconteciese de esta manera a la hija de Faraón y Esposa de Salomón, que aquí se entiende y habla, sino porque a la persona enamorada que representa le es muy conforme y propio buscar con semejante ansia en todos y en semejantes tiempos a sus amores; y con el andar de noche, siempre andan juntos tales acontecimientos.

Según el espíritu, es gran verdad que todos los que con ansia buscan a Cristo y a la virtud, estropiezan primero en grandes estorbos y contradicciones; y es cosa de gran consideración que los que tienen de oficio la guarda y la vela y el celo del bien público, y en quien de razón había de tener todo amparo la virtud, ésos por la mayor parte la persiguen y maltratan.

9. *Conjúroos, hijas de Jerusalén, que si halláredes a mi querido.* Con la mayor ansia y pena que sentía de no hallar a su Esposo, no echa mucho de ver ni se agravia del mal tratamiento que de las guardas recibía; y así en lugar, o de quejarse de su descomedimiento, o recogerse a su casa y huir de sus manos, ruega a las vecinas de Jerusalén que la den nuevas de su amor, si le han visto, y si no que se lo ayuden a buscar. Que es propio del verdadero amor crecer más cuanto más y mayores dificultades y peligros se le ofrecen y ponen delante.

Dice más: *Mas ¿qué le contaréis?*, esto es, ¿que le diréis? Y responde ella así, y dice: *Enferma soy de amor,* conforme a lo que comúnmente se suele decir en nuestra lengua: «Decidle que perezco, que me fino de amor». Y es de considerar que, aunque estaba fatigada de buscarle, y maltratada y despojada por el descomedimiento de los que la toparon, no le manda decir ni su congoja, ni su cansancio, ni el trabajo que ha puesto en su busca, ni los desastres sucedidos, sino sólo que perece por su amor, por dos causas: la una, porque esta pasión, como la mayor de todas, vencía el sentimiento de las demás y las borraba de la memoria; la otra, porque ninguna cosa podía ni era justo que pudiese más con el Esposo para inducirle a que volviese, que saber el ardiente y vivo amor de la Esposa. Porque no hay cosa tan eficaz, ni que pueda tanto con quien ama, que saber que es amado; que siempre fue el cebo y piedra imán del amor.

El mismo amor introduce aquí algunas mujeres de Jerusalén, que, como la oyeron, parte maravilladas de que una doncella tan bella, a tal hora, anduviese buscando con tanta ansia a su Amado, y parte movidas a lástima y compasión de su ardiente deseo, le preguntan cuál sea este su Amado, por quien tanto se aqueja; y en qué se aventaja a los demás, que merezca el extremo que hace, buscándole a tal hora, lo cual otra no haría; creyendo, o que esto nacía de grandeza de amor, o de alguna locura, o por ventura por él ser digno y merecedor de todo esto. Y así dicen:

10. *¿Qué tiene el tu Amado más que otro amado, oh hermosa entre las mujeres? ¿Qué tiene tu Amado sobre otro amado, porque así nos conjuraste?*

Que es decir: ¿En qué se aventaja o se diferencia este que tú amas entre los demás mancebos y personas que pueden ser queridas? Y esto pregúntanlo por dos fines: el uno por saber la causa del grande y excesivo amor que le muestra, que era razón que fuese por alguna señalada ventaja que hiciese su Esposo a los demás hombres; lo otro, para, por las señas que diese, poderlo conocer cuando le viesen. A lo cual responde:

11. *Mi Amado, blanco y colorado, trae la bandera sobre los millares.*

Da al principio la Esposa señas de su Esposo generalmente diciendo que es *blanco y colorado;* y después va señalando las partes de su belleza cada una en su lugar. Dice, pues, «Sabed, hermanas mías, que el mi Amado es *blanco y rojo,* porque de lejos le conozcáis con la luz de estos colores, que son tan perfectos en él, que entre mil hombres se diferencia y hace raya y se lleva la bandera.»

La palabra hebrea es *dagul,* que viene de *daguel* que es la bandera; y así *dagul* propiamente quiere decir el *alférez;* y de allí por semejanza se aplica y trae a significar todo aquello que es señalado en cualquiera cosa, como es señalado el alférez entre los de su escuadrón. Y así San Jerónimo, atendiendo más al sentido que a la palabra, tradujo *escogido entre mil.* En las cuales palabras se entiende una como represión encubierta de la Esposa a las que le piden las señas de su Esposo. Como si dijese: «No hay para qué os diga quién y cuál es mi Esposo, que, entre mil que esté, se echa de ver y se descubre.» Pero prosigue relatando sus propiedades, porque es natural del amor deleitarse y como saborearse de traer siempre en la memoria y en la boca a lo que ama, por cualquiera ocasión que sea. Pues dice:

12. *Su cabeza como oro de Tibar; sus cabellos crespos, negros como cuervo.*

Esto es, su cabeza es gentil mucho y bien proporcionada, como hecha de oro acendrado sin ninguna falta ni tacha. Porque es cosa usada en todas las lenguas para decir de cualquiera cosa que es perfecta y agraciada, decir que es hecha de oro; y por eso lo dice la Esposa aquí, y no por ser rubios los cabellos, que, como veremos, eran negros los del Esposo. Porque, en las tierras orientales y en todas las tierras calientes, tienen por más galano el cabello negro, como aun hasta hoy se precian

de él los moros. Y así añade: *Sus cabellos crespos, negros como cuervo.*
Y, cierto, al rostro de un hombre muy blanco mejor le están los cabellos y barba negra que los rubios, por ser colores contrarios, que el uno da luz al otro. Do dice *crespos*, la palabra hebrea, que es *taltalim,* que viene de *talal*, quiere decir *cerro* o promontorio de tierra levantado en alto; y de ahí se viene a decir de los cabellos crespos que, torciendo las puntas hacia arriba, se levantan en alto; que sería como si dijésemos en castellano *enrizados*. Dice más:

13. *Sus ojos como los de la paloma junto a los arroyos de las aguas, bañadas en leche, junto a la llenura.*

Ya he dicho que las palomas de aquella tierra, que agora llaman tripolinas, son de bellísimos ojos; y paréscenlo mucho más con las cualidades que añade luego, *junto a los arroyos de las aguas;* porque, señaladamente cuando salen de bañarse, les relucen y centellean en gran manera, y los que las compran suelen con la mano mojada fregar los ojos, y en aquel relucir y relampaguear de ellos conocen su firmeza. Y así dice la Esposa que los ojos de su Esposo son tan hermosos como los de las palomas cuando más hermosos se les ponen, que es cuando se lavan en la corrientes de las aguas donde se bañan, y cobran una particular gracia.
Bañadas en leche, esto es, blancas como la leche, que es la color que más agrada en las palomas. *Reposan sobre la llenura;* quise decir así por dar lugar a todas las diferencias de sentidos, que los expositores e intérpretes imaginan aquí, dándonos esta libertad el original, donde puntualmente se dice por las mismas palabras. Algunos entienden que *llenura* aquí debe ser de agua, cuales son los ríos grandes y estanques. De este parecer es San Jerónimo, y así traslada *que reposan junto a los ríos caudalosos y muy llenos;* que es repetir sin mucha necesidad lo mismo que acaba de decir, *junto a las corrientes de las aguas.* A otros les paresce que por este *lleno*, que dice aquí, será bien entender vasos grandes llenos de leche, en que imaginan haberse bañado las palomas de quienes se dice esto, *bañadas en leche.* Pero esto es cosa muy ajena y muy torcida.
Podríase decir que, por cuanto la palabra *mileoth*, que, en lo que suena, significa *llenura y henchimiento* en algunos lugares de la Sagrada Escritura, y por ella se explica lo que es perfecto y acabado, porque todo lo tal está lleno en su género, *que estar en llenura las palomas,* bañadas en leche, quiere decir que están del todo y enteramente bañadas, esto es, que son perfectamente blancas, sin tener mezcla de otra color. Y conforme a esto dirá la letra: *Sus ojos como palomas junto a las corrientes de las aguas, que se bañan en leche, y quedan enteramente bañadas.*
El sentido cierto es que la palabra hebrea que habemos dicho, significa todo aquello que, teniendo algún asiento o lugar vacío o señalado para su asiento, hinche bien el tal lugar viniendo medido con él, como un diamante que iguala bien con su engaste, y una paloma que hinche el agujero o la poyata donde hace nido. Pues porque las palomas señaladamente parecen bien en uno de dos lugares, o junto al arroyo do se bañan, o puestas en el nido (como se vió arriba, donde, por mayor encarecimiento y requiebro, el Esposo llamó a la Esposa *paloma puesta en el agujero del paredón*, esto es, en su nido), por esta causa aquí la Esposa, para encarecer los hermosos ojos del Esposo, compáralos a los de la paloma, en aquellos lugares adonde está más hermosa y paresce muy mejor. Y así dice: Son como de palomas junto a las corrientes de

las aguas, o como de palomas blanquísimas, que con su gentil grandeza hinchen bien y ocupan y hacen llenos sus nidos donde reposan.

14. *Las sus mejillas como hileras de yerbas y plantas olorosas.*

Por las mejillas se entiende todo el rostro, el cual dice que es tan hermoso y tan bien asentado y de tan gentil parecer y gracia, cuanto lo son y parecen unas eras de yerbas y plantas aromáticas, puestas por gentil orden y cuidadas con gran cuidado y regalo; como se ponen y crían en Palestina y Judea y las más tierras de Oriente, donde la Esposa habla, y adonde se dan yerbas más que en otra parte. Pues como son tan hermosas estas hileras en igualdad, color y olor y parecer, así lo es, y no menos, el agraciado rostro del Esposo; y así añade *como flores olorosas.*

Dice más: *Los sus labios como azucenas.* Dioscórides, que trata de ellas, confiesa que hay un género de azucenas coloradas como carmesí, de las cuales se entiende en este lugar ser semejantes a los labios del Esposo, que no sólo eran colorados, sino olorosos también; y por eso añade: *De los cuales destila mirra que corre,* esto es, fina y preciada, como habemos dicho. Es muy de considerar aquí el grande artificio con que la rústica Esposa loa a su Esposo; porque los que mucho quieren encarecer una cosa alabándola y declarando sus propiedades, dejan de decir los vocablos llanos y propios, y dicen los nombres de las cosas en que más perfectamente se halla aquella cualidad de lo que loan, lo cual da mayor encarecimiento y mayor gracia a lo que se dice. Como aquel gran poeta toscano que, habiendo de loar los cabellos, los llama *oro,* a los labios *grana,* a los dientes *perlas* y a los ojos *luces, lumbres* o *estrellas;* el cual artificio se guarda en la Escritura Sagrada más que en otra del mundo. Y así vemos que aquí procede la Esposa de esta manera; porque diciendo de los ojos que son de paloma, dice más que si dijera que eran hermosos; y las mejillas como las hileras de las plantas, las loa más que si dijera iguales y parejas y graciosas.

Y por la misma manera alaba las manos diciendo:

15. *Las sus manos rollos de oro, llenos de tarsis.*

En lo cual alaba la gracia y composición de ellas, por ser luengas, y los dedos rollizos, tan lindos como si fueran torneados de oro. La piedra *tarsis,* que se llama así de la provincia adonde se halla, es un poco como entre rosa y blanca, según la pinta un hebreo antiguo llamado Abenezra. Y conforme a esto da a entender la Esposa las uñas, en que se rematan los dedos de las manos, que son un poco rojas y relucientes, como piedras preciosas de tarsis. Y por tanto las manos en su hechura y con sus uñas serán como rollos de oro rematadas en tarsis; que aquí, en decir las manos ser *rollos de oro,* solamente habla de la hechura y gracia de ellas; que del color ya ha dicho que son blancas, cuando dijo arriba *mi Esposo es blanco y colorado.*

Luego dice por el mismo estilo y semejanza de hablar:
El su vientre, blanco diente adornado de zafiros.

Su vientre, esto es, su pecho y sus carnes, *es blanco diente,* esto es, de marfil, que se hace de los dientes del elefante, que son blanquísimos; *adornado de zarifos,* que son piedras de gran valor, bermejas algo al parecer; que es decir, todo es así lucido y resplandeciente, como una pieza de marfil cercada de piedras preciosas.

16. *Sus piernas como columnas de mármol, fundadas sobre basas de oro fino.*

En que se muestra la firmeza, y gentil postura y proporción de ellas. Y, tras esto, habiendo loado a su Esposo tan en particular, como habemos dicho, señalando su belleza por sus partes desde la cabeza hasta los pies, torna, como no bien satisfecha de lo dicho ni de las señas que ha dado, a comprender en breves palabras lo que ha publicado, y aun mucho más, diciendo:

El su semblante como el del Líbano.

En lo cual se muestra con harta significación la majestad, hermosura y gentil compostura del cuerpo y de las facciones de su Esposo; como lo es cosa bellísima y de grande demostración de majestad un monte alto cual es el Líbano, lleno de espesos y deleitosos árboles, al parecer de los que le miran de lejos.

Dice más: *Erguido como cedros.* En nuestro castellano, loando a uno de bien dispuesto, suelen decir *dispuesto como un pino doncel;* que así el cedro como el pino son árboles altos y bien sacados. Donde decimos *erguido,* la palabra hebrea es *bachur,* que quiere decir *escogido;* y es propiedad de aquella lengua llamar así *escogidos* a los hombres altos y de buen cuerpo; porque, a la verdad, la disposición los diferencia y hace como escogidos entre los demás. Así se dice en el primero libro de los Reyes, que tenía el padre de Saúl un hijo, escogido y bueno, esto es, hermoso y bien dispuesto, como de hecho lo era Saúl. Y en el cuarto, en una profecía contra el rey Ezequías, se dice: *Cortaron sus escogidos cedros,* esto es, los más altos y levantados. Y en el capítulo último del Eclesiastés, donde dice la letra vulgar: *Date al placer, mancebo, en tu juventud, que presto te pedirán cuenta,* está en el original la misma palabra *bachur,* que es puntualmente como si en nuestro español dijera: *huélgate, erguidillo.*

En lo cual, como se ve, usa el Espíritu Santo de un donaire de decir por el cabo bellísimo; que siendo su intento en aquellas palabras, debajo de una artificiosa disimulación y como permitiéndoselo a los mancebos, escarnecer de su liviandad, que se dan siempre al buen tiempo y se andan, como dicen, a la flor del berro, desacordados de lo que está por venir y les puede suceder; así que, siendo su intento del Espíritu Santo reprender, mofando el desacuerdo de los mancebos y amenazarlos con la pena, no los llama *mancebos* por el nombre propio de su edad, sino llamándolos *erguidillos,* usó de nombre que declara su natural brío de los tales y su altivez y lozanía; que son las fuentes de donde nace todo aquel no curar de lo por venir, y aquel coger, sin riendo ni medida, el fruto del deleite y pasatiempo presente, que tanto reprende.

Pues, tornando a nuestro propósito, concluye la Esposa, diciendo:

17. *El su paladar,* esto es, su habla, *dulzuras;* que es decir *dulcísimo, suavísimo. Y todo él deseos,* esto es, todo él amable y tal que convida por todas partes y con todas sus cosas a que lo deseen los que lo ven y se pierden por él. *Tal es mi Amado, tal es mi querido, hijas de Jerusalén;* como si añadiendo dijese: por que veáis si tengo razón de lo buscar y de estar ansiada en no hallarle.

Sabidas las señas y facciones del Esposo por aquellas dueñas, y conociendo con cuán justa razón la tierna enamorada Esposa se acuita y atormenta por su ausencia, y moviéndolas a gran compasión su tormento, con deseo de remediarlo piden de nuevo a la Esposa que, si lo sabe, les diga hacia dónde cree o imagina haberse ido su Amado, porque se le ayudarán a buscar.

Y así dicen:

18.   *¿Adónde fué tu Amado, oh bellísima entre las mujeres? ¿Hacia dónde se volvió tu Amado, y buscarlo hemos contigo?* A lo cual parece que responde en el principio del capítulo que se sigue: diciendo:

CAPITULO VI

[ARGUMENTO]

[El cuidado ajeno no distrae a la Esposa en este estado de perfección, antes la recoge más en sí misma, y en todas partes halla a su Esposo, que ya es todo suyo, como ella toda de él. Háblala él con más intimidad y regalo, y la hace estimar con mayor aprecio sus dones. Descríbense las virtudes de la Esposa con las mismas comparaciones que antes, aunque más encarecidas. Ya descuella y se distingue entre otras almas virtuosas muy aprovechadas; es la más amada del Esposo, y por tal la reconocen y admiran sus mismas competidoras. Recréase Dios con ella, como en un hermoso jardín, gustando de los frutos que él mismo ha plantado y beneficiado. Pero el alma santa, cuanto más alabada, tanto más se humilla, reconociendo su propia indignidad y pobreza.]

1. (ESPOSA.) *El mi Amado descendió al su huerto, a las eras de los aromates, a apacentar entre los huertos y coger las flores.*

2. *Yo al mi Amado, y el mi Amado a mí, que apasta entre las azucenas.*

3. (ESPOSO.) *Hermosa eres, Amiga mía, como Thirsá; bella como Jerusalén, terrible como los escuadrones, sus banderas tendidas.*

4. *Vuelve los ojos tuyos, que me hacen fuerza; el tu cabello como las manadas de cabras, que se parescen en el Gilgad.*

5. *Tus dientes como hatajo de ovejas, que suben del lavadero, las cuales todas paren de dos en dos, y no hay estéril en ellas.*

6. *Tus sienes, como un casco de granada entre sus copetes.*

7. *Sesenta son las reinas, y ochenta las concubinas, y las doncellas sin cuento.*

8. *Una es la mi paloma, la mi perfecta, única es a su madre: ella escogida es a la que la parió. Vieronla las hijas, y llamáronla bienaventurada, y las reinas y concubinas la loaron.*

9. (COMPAÑERAS.) *¿Quién es ésta que se descubre como el alba, hermosa como la luna, escogida como el sol, terrible como los escuadrones?*

10. (ESPOSO.) *Al huerto del nogal descendí por ver los frutos de los valles, y ver si está en ciernes la vid, y ver si florescen los granados.*

11. (ESPOSA.) *No sé; mi alma me puso como carros de aminadab.*

12. (CORO.) *Torna, torna, Sulamita; torna y verte hemos.*

13. *¿Qué miráis en la Sulamita, como en los coros de los ejércitos?*

EXPOSICION

1. *El mi amado descendió a los huertos, a las eras de los aromates, a apacentar entre los huertos y coger las flores.*

Si de cierto sabía la Esposa que estaba en el huerto su Esposo, por demás era haberle andado a buscar por la ciudad y por otras partes. Por lo cual estas palabras, que en el sonido parecen ciertas, se han de entender como dichas con alguna duda; como si la Esposa, respondiendo a aquellas dueñas de Jerusalén, dijese: «Buscádole he por mil partes, y pues no le hallo, sin falta debió de ir a ver su huerto, adonde suele apacentar». O digamos que ésta no es respuesta de la Esposa a la pregunta que hicieron aquellas dueñas, sino que, luego que acabó de hablarlas, se dió a buscar a su Esposo, y saliendo de la ciudad al campo y mirando hacia el huerto suyo, que, como se finge, estaba en lo bajo, sintió la voz u otras señales manifiestas de su Esposo; y arrebatada de alegría, de improviso comienza a decir: «¡Ay!, véisle aquí al mi Amado y el que me tiene perdida buscándole, que a su huerto descendió, donde está solazándose y cogiendo flores.»

Dice que *descendió*, porque ella le buscaba en Jerusalén, que era ciudad puesta en lo alto de un monte, y en los arrabales y aldeas, que estaban a la halda, estaba el huerto de esta rústica pastora y de otros sus vecinos, como es uso. Y dice que anda entre las eras de las plantas olorosas, y que es venido a holgarse y recrearse entre los lirios y violetas. Pues con este regocijo no pensando aviva la voz y dice:

2. *Yo a mi Amado, y mi Amado a mí, que pace entre las azucenas.*

Lo cual, como ya he dicho, es forma de llamar a voces, como si dijese: «Hola, Amado y Amador mío, el cual estás apacentando entre las flores, ¿oyésme?» De do se entiende lo que habemos dicho; que le salió a buscar al campo hacia el lugar donde estaba el huerto, y sintiéndole estar en él llámale como he dicho, para que la responda. A la cual voz sale el Esposo, y viendo a su Esposa, y viendo juntamente la gran afición con que le busca, enciéndese en un nuevo y vivo amor, y recíbela con mayores y más encarecidos requiebros, diciendo:

3. *Hermosa eres, Amiga mía, como Tirsá; bella como Jerusalén, terrible como los escuadrones, sus banderas tendidas.*

Sube en este lugar hasta el cielo los loores de la Esposa, y véncese a sí mismo loándola. Porque en los capítulos pasados, para loar la variedad de su gentileza y hermosura, la apodó a un gentil huerto; y agora la hace semejante a dos ciudades, las más hermosas que hay en aquella tierra, *Tirsá* y *Jerusalén*. *Tirsá* es nombre de una ciudad de Israel noble y populosa, donde los reyes tenían su asiento antes que se edificase Samaria; y el mismo nombre muestra la hermosura de la ciudad y su gentil y apacible sitio; porque *Tirsá* quiere decir tanto como *suavidad* y *contento*. Y decíase así la ciudad, por el contento y descanso que daba a los que la moraban, por ser su asiento y habitación de ella descansado y apacible. *Jerusalén* era la principal ciudad y la más hermosa que había en toda Palestina, y aun en todo el Oriente, según sabemos por las escrituras hebreas y de los gentiles, tanto que David hizo un salmo loando a la letra la grandeza, la beldad y fortaleza de Jerusalén.

Pues a estas dos ciudades dice el Esposo que es semejante el parecer bello y hermoso, lleno de majestad y de grandeza, de la Esposa, diciendo: «Tan grande maravilla es verte cuán bella eres en todo y por todo, cuanto lo es ver estas dos ciudades reales, en las cuales la fortaleza de sus sitios, la magnificencia de sus edificios y la grandeza y hermosura de sus riquezas, la variedad de sus artes y oficios pone grande espanto y admiración a quien lo ve». Que, aunque paresce un poco desigual la comparación, a la verdad es muy a propósito para declarar el mucho espanto que ponía en el ánimo del Esposo la vista de su Esposa , y cuán grande y cuán incomparable y fuera de toda medida le parecía su hermosura; pues, para declarar lo que sentía, no le venían a la boca menores cosas que ciudades, y ciudades tan principales y populosas, esto es, cosas cuya hermosura consiste en ser de mucha variedad y grandeza.

Dice más: *Espantable como ejército, sus banderas tendidas.* No espanta menos un extremo de bien, que lo hace un extremo de mal; y así para mayor encarecimiento dice a la Esposa que le pone espanto, como es espantable un ejército. *Sus banderas tendidas,* esto es, puestos sus escuadrones en ordenanza y que está ya a punto de romper. Lo cual también es decir que, de la misma manera como un ejército así ordenado lo vence todo y lo allana, sin ponérsele cosa delante que no la rinda y sujete, así, ni más ni menos, no había poder, ni resistencia alguna contra la fuerza de la hermosura extremada de la Esposa.

Y por esta causa añade luego, y dice:

4. *Vuelve los ojos tuyos, que me hacen fuerza.*

Como si levantando la mano en alto y poniéndola delante el rostro, y torciendo la cara y los ojos a otra parte, dijese al Esposo: «Apártate, Esposa mía; no me mires, que me robas con tus ojos y me traspasas el corazón.» En lo cual el Esposo, habiendo loado en suma la belleza de su Esposa, y queriendo agora loarla otra vez por sus partes, y comenzando de la primera de todas, que es los ojos, usa para loarlos una manera elegantísima, que no dice la hermosura de ellos, sino ruégala que los aparte y los vuelva a otra parte mirando, porque le hacen fuerza. En lo cual la loa más encarecidamente que si los antepusiera a las más claras y más lucientes dos estrellas del cielo.

Donde dice *que me hacen fuerza, o me vencieron,* hay diferencia entre los intérpretes; porque los Setenta, y San Jerónimo con ellos, trasladan: *Aparta tus ojos, que me hicieron volar.* Otros ponen: *Aparta tus ojos, que me ensoberbecieron.* Y los unos y los otros traducen, no lo que hallaron en la palabra hebrea, sino lo que les paresció a cada uno que quería decir, porque da ocasión al uno y al otro sentido el sonido y propia significación de ella, que es ésta al pie. de la letra: *Aparta tus ojos, que hicieron sobrepujarme.* Porque *hirhibuni,* de que usa el original, propiamente quiere decir *sobrepujar.* Esto a San Jerónimo le paresció que sería *volar,* porque los que vuelan se levantan así en alto y como en cierta manera se sobrepujan. Conforme a lo cual quiere el Esposo que aparte de él la Esposa los ojos y no le mire, porque, viéndolos, no está en su mano no irse a ella; porque le arrebata tras sí el corazón, como volando, sin poder hacer otra cosa, que es requiebro usado.

Y los que trasladan *que me hicieron ensoberbecer,* tuvieron el mismo modo de parescerles, que el ser soberbio era un sobrepujarse el hombre a sí y un levantarse en alto; y que conforme a esto pedía el Esposo a la Esposa que no le hiciese aquel favor de mirarle, por no desvanecerse con él. Lo uno y lo otro estaba bien excusado, pues está claro que decir *hicieron sobrepujarme* es rodeo de hablar poético y retrueco de palabras, que vale lo mismo que si dijera *sobrepujáronme* o *venciéronme;* y el propósito e hilo de lo que va diciendo pedía que dijese esto. Porque en efecto pedía, y dice: «Deseo, Esposa mía, contar otra vez de tus ojos; mas ellos son tan bellos, tan graciosos y resplandecientes, y tienes en ellos tanta fuerza, que al tiempo que los miro para alabarlos, contemplándolos, queriendo recoger una a una sus particularidades y sus gracias, ellos me arrebatan y me roban el sentido, y con su luz me encandilan de tal manera que, por la fuerza que el amor me hace, estoy como elevado; por tanto, Esposa mía dulcísima, vuélvelos, no me mires, que no puedo resistirles.»

Y demandando esto el Esposo, pide lo que no quiere, que es que su Esposa no le mire, porque es gran placer el que él siente con su vista; mas con tal demanda dice más en su loor que si dijera muy por extenso las particularidades de su belleza que en ellos se encierran. Y éstas son las cosas que mejor se entienden que se pueden declarar.

Habiendo, pues, loado los ojos el Esposo tan altamente por este delicado artificio, enhila tras esto las otras partes del rostro, dientes, labios y mejillas, diciendo las mismas palabras que arriba dijo, porque aquellas semejanzas son tan excelentes que no se pueden aventajar ni mejorar por ninguna manera. Dice, pues:

5. *Tus dientes, como hatajo de ovejas que suben del lavadero, las cuales todas paren de dos en dos, y no hay estériles en ellas.*

6. *Tus sienes como un casco de granada entre tus copetes.*

Esto dice por la blancura y por la igualdad de los dientes, y por el color y gracia de las sienes y buen asiento de las mejillas, como vimos en el capítulo 4, donde se declaró esto a la larga.

7. *Sesenta son las reinas, y ochenta las concubinas, y doncellas sin cuento.*

8. *Una es la mi paloma, la mi perfecta; única es a su madre; ella escogida es a la que la parió. Viéronla las hijas, y llamáronla bienaventurada, y las reinas y las concubinas la loaron.*

Muestra el Esposo cuán excesivamente y con cuánta ventaja ama a su Esposa, diciendo en persona suya, como si declarase que es Salomón, rey, este pastor que aquí representa. *Sesenta son las reinas,* etc. No está la prueba y la firmeza del amor en amar a una persona a solas y sin compañía de otras; antes el mayor y más verdadero punto de él está cuando, extendiéndose y abrazando a muchos, entre todos se señala, y diferencia y aventaja particularmente con uno; lo cual declara bien el Esposo en estas palabras, en las cuales no niega tener afición y querer bien a otras mujeres; pero confiesa amar a su Esposa más que a todas, con un amor así particular y diferente de todos los demás, que los demás en su comparación casi no merecen este nombre de amor; y, aunque quiere a muchas, pero la su Esposa es de él querida por única y singular manera.

Sábese del libro de los Reyes que Salomón usó de muchas mujeres, que, según la diferencia del estado y tratamiento que tuvieron en casa de Salomón, la Escritura les pone diferentes nombres. Las que se nombran reinas, porque su servicio y casa era como de tales, son *sesenta.* Otras de ellas, que no eran tratadas con tantas ceremonias, se llamaban *concubinas.* Y no se ha de entender que eran mancebas, como algunos piensan, y se engañan; antes, acerca de los hebreos, las tales eran mujeres legítimas, pero mujeres de esta manera, que habían sido esclavas o criadas, y su amo las tomaba por mujeres; mas no se celabraban las bodas por instrumento escrito, ni con las ceremonias legítimas que se usaban en el casamiento de las otras, que eran libres. Y éstas se añadían a las mujeres principales, y los hijos que de éstas nacían, no sucedían en los mayorazgos y herencias capitales, pero podía bien el padre hacerles algunas mandas o donaciones para su sustentación, como consta en el Génesis, de Cetura y Agar, mujeres de Abraham, que la Sagrada Escritura llama así *concubinas.* Pues de éstas tenía *ochenta* Salomón, entendiendo por este número muchas y muchas más, según el uso hebreo.

Las demás y bien queridas de Salomón hacían el tercer orden, y de éstas no había número. Pues dice agora que, entre tanto número de mujeres, la que en amor y servicio y preeminencia se aventaja a todas es sola una, que es la hija del rey Faraón, de quien se habla en este *Cantar* en persona de pastora.

8.   *Una,* dice, *es mi paloma.*

Y es así, que el amor, como es unidad y no apetece otra cosa sino unidad, así no es firme ni verdadero cuando se divierte en igual grado por muchas y diversas cosas. El que bien ama, a una cosa sola tiene amor. Y por esta causa, el que juntamente quiere amar de veras y no limitar su amor a una cosa sola, debe emplear en Dios su voluntad, que es bien general que lo abraza y comprende todo; como, por el contrario, todas las criaturas son diferentes y limitadas en sí, y a las veces unas contrarias de otras, de suerte que el querer bien a una es aborrecer y querer a otra mal.

Dice *mi paloma* y *mi alindada,* y no mi Esposa, para demostrar, aun en la manera de nombrar, la razón grande que tenía de amarla y de tenerla tan particular amor, y de hacerla tantas ventajas, siendo tan alindada y tan suave y de tan dulce condición como la paloma.

Dice: *Unica es a la su madre, y escogida a la que la parió.* Remeda en esto la común y vulgar manera de hablar, que es decir: como la hija amada es todo el regalo y todo el amor de su madre, así es querida y preciada de mí mi Esposa, con la misma singularidad y diferencia de amor.

Viéronla las hijas y llamáronla bienaventurada las reinas, y las concubinas la loaron. Grande y nueva cosa es reconocer y no envidiar tanto bien las demás mujeres de Salomón a la Esposa, porque de su natural las mujeres, envidiosas entre sí extrañamente; mas en las cosas mucho aventajadas la envidia desfallece. Y muestra en esto el Esposo que no es afición ciega la que le mueve a quererla, sino razón tan clara y de tanta fuerza, que las otras mujeres que de su natural la habían de envidiar, confiesan llanamente que es así, reconociéndola por tal y loándola a boca llena. Y así, refiriendo las palabras de las otras mujeres, dice:

9.   *¿Quién es ésta que se descubre arriba como el alba, hermosa como la luna, escogida como el sol, terrible como los escuadrones?*

Que, aunque son breves, son de grande loor, porque juntan tres cosas: la mañana, la luna y el sol, que son toda la alegría, regocijo y belleza del mundo. Pues es como si dijesen así: «¿Quién es ésta que va por allí mirando hacia nosotras, que no parece sino al alba cuando asomo rosada y muy hermosa, y es tan bella entre las mujeres como la luna entre las menores estrellas; antes, por mejor decir, es resplandeciente y escogida entre todas, como el sol entre todas las lumbreras del cielo?»

Que así como el sol es príncipe entre todas las luces soberanas, y escogido de tal manera que todas participan y se aprovechan de su lumbre, así ésta es dechado de toda beldad, y la que más a ella se pareciere más bella será; y, juntamente con su hermosura, tiene una gravedad y majestad que no parece sino un escuadrón que a todos pone reverencia y temor.

Y en decir *escogida como el sol,* alude a la gran belleza de ella y a la grande estima en que su Esposo la tiene más que a las otras. Y es muy gentil manera de loar ésta, diciendo primero *alba,* que es hermosa y resplandeciente; y luego *luna,* que es más; y después *sol,* que es lo sumo en este género. Y los artífices del bien hablar loan mucho este modo de decir, y lo llaman encarecimiento acrecentado.

10.   *Al huerto del nogal descendió por ver los frutos de los valles, y ver si está en cierne la vid, y ver si florecen los granados.*

Estas palabras los más las atribuyen a la Esposa, en que respondiendo al Esposo le dice y le da cuenta de cómo vino a aquel huerto donde él estaba, que llama *del nogal* por alguno que debía haber en él, a ver los frutales si brotaban; y que esto lo dice por uno de dos fines: lo uno, que sea como una excusa y un color de su venida por aquella parte; y dado que en realidad de verdad la traía el amor y deseo de verse con su Esposo, pero es muy propio al natural ingenio de las mujeres dar muestras muy diferentes de sus deseos y fingirse como olvidadas de los que más buscan. Así que, como respondiendo a lo que el Esposo la pudiera preguntar de su venida, diga: «Vine a ver este mi huerto, y a ver si los árboles de él echaban ya flor.»

Pero un amor tan descubierto, como a lo que hemos visto era éste, no da buen lugar a semejante disimulación. Y así es mejor entender que estas palabras se dicen por otro fin, que es para que sepa el Esposo la causa de su cansancio de la Esposa, que, como se ve en las palabras que se siguen luego, había venido corriendo y estaba de la priesa sin fuerza y sin aliento, de lo cual juntamente da cuenta y se queja a su Esposo. Que es cosa natural, las personas que bien se quieren, en viéndose, mayormente las mujeres, con una lástima regalada contar luego sus cuitas. Y es como si dijese: «¡Ay, Esposo mío tan deseado y tan buscado de mí! ¡Y qué cansada estoy, y qué muerta de la priesa que he traído! Que luego como yo sentí que andábades en el huerto, en el cual hay nogales, parras y granados y otros frutales, luego en ese punto descendí aguijando, y he venido tan presto, que no sé cómo me vine, ni cómo no; mas de que mi alma me aguijó tanto y me puso en el corazón tanta fuerza y ligereza, que no me parece sino que he venido en un ligerísimo carro de los que usan los principales y poderosos de mi pueblo.»

Parece lo mejor que estas palabras, *descendí al huerto,* las diga el Esposo, y que en ellas responda a la secreta queja que verosímilmente se creía tener su Esposa de él, por haber llegado a su puerta y llamándola y después pasádose de largo, de do nacía andar ella perdida, buscándole. A lo cual él, ganándola por la mano, responde que, como se tardó en abrirle, quiso él en el entretanto ver el estado de su huerto y proveer a lo que fuese necesario. Y con esta disculpa del Esposo vienen muy a pelo las palabras que se siguen, en que le responde la Esposa:

11. *No sé, la mi alma me puso como los carros de aminadab.*

Mi alma es muchas veces lo mismo que *mi afición* y deseo. *Los carros de aminadab.* Entiéndese por ellos cosa muy ligera y que vuela corriendo; que *aminadab* no es nombre propia de alguna persona o lugar como algunos piensan, mas son dos nombre que quieren decir *de mi pueblo príncipe.* Y esto dice porque, como en tierra de Judea había pocos caballos, toda la más gente usaba ir cabalgando en asnos, si no eran los poderosos y gente principal, que hacían traer de Egipto caballos muy buenos y muy ligeros, y andaban en carros de cuatro ruedas que traían aquellos caballos.

Pues dice: «No sé lo que se ha sido, ni lo que has hecho en dejarme así, Amado mío, Esposo, ni la causa que te movió para ello, si fue querer ver tu huerto, o si alguna otra cosa; en fin, no sé nada; esto sé, que el deseo mío y el amor entrañable que te tengo, que posee mi alma y la rige a su voluntad, me ha traído en tu busca, luego que te sentí, volando como en posta.» Y, contándolo todo, dícele lo que pasó con las mujeres que le acompañaban, las cuales, viéndola ir con tanta presteza, decían:

12. *Torna, torna Solimitana; torna, torna, y vete hemos.*

13. *¿Qué miráis en la Solimitana, como coros de escuadrones?*

Y no se ha de entender, como lo avisan los que tienen mejor entendimiento en esto, que son las dueñas de Jerusalén las que dicen agora estas palabras, sino hase de entender que le dijeron antes esto, cuando vieron que se les partía así apresuradamente; y que la Esposa las refiere agora al Esposo, contándole esto y todo lo demás que con ellas pasó. Pues como acabó de decir que se vino volando en busca del Esposo, dice que sus compañeras, viendo que se apartaba de ellas y con tanto apresuramiento, la comenzaron a llamar y pedir que se volviese y no se diese tanta priesa, como quien no la habían visto bien del todo, ni gozado enteramente ni considerado bien su beldad. Y así la dicen: *Tórnate, tórnate.* El redoblarse unas mismas palabras es propio de todo lo que se dice o pide con afición.

Solimitana es como jerosolimitana o mujer de Jerusalén, como llamamos romana a la mujer de Roma; y esto porque Jerusalén se llamó antiguamente *Salem,* como la llama la Escritura Sagrada, donde dice *Melchisedech, rey de Salem;* y David la llamó también así en el salmo 76. Pues a este ruego de las dueñas responde la Esposa, diciendo:

14. *¿Qué miráis en la Solimitana, como coros de escuadrones?*

Lo cual se declara diferentemente. Algunos ponen en estas palabras pregunta y respuesta; pregunta de la Esposa, que, volviéndose hacia las dueñas que con tanta instancia la llamaban, les diga: «¿Pues qué es lo que queréis ver en mí?» Y que responden ellas: «Miramos en ti un coro de escuadrones», esto es, una cosa de tan buen parescer y tan poderosa para vencer a los que te miran y sujetarlos a tu mandato, como lo es un escuadrón puesto en concierto y ordenanza.

Lo que tengo por más acertado es hacer de todo una cláusula, en que diga la Esposa de esta manera: «Como me llamaron, volví hacia ellas, las cuales, por mirarme mejor, divididas de la una y de la otra parte, se pusieron en dos hileras, como un coro, y entonces díjeles: ¿Qué me miráis así, puestas de la una banda y de la otra, como escuadrón que está puesto por sus hileras?» De arte que presupone que volvió a ellas y que se dividieron en dos partes para verla mejor. Pues llámalas *escuadrón* porque eran muchas, y *coro* por estar así divididas.

Lo que cuenta haberle respondido se pone en el capítulo que se sigue, que es la mayor parte de él.

CAPITULO VII

[ARGUMENTO]

[La gracia de Dios, cuando ha llegado a tomar entera posesión de un alma, se descubre aun en el interior por todas las acciones y movimientos. Cuantos ven a la Esposa y la observan en este estado, todos la celebran y admiran de los pies a la cabeza. En los pasos que da se ve la gravedad y nobleza de su conducta; en la juntura de los muslos, la fortaleza; en el vientre, la templanza; en los pechos, la justicia; en la nariz, la prudencia; en la cabeza, la caridad, superior a todas las virtudes, que las gobierna y da valor; de ella nacen los altos pensamientos, que sólo se ocupan de Dios. De este cúmulo de virtudes resulta la generosidad y majestad de la Esposa, figurada en la estatura; es como una palma, cuyo fruto recogen los que la tratan, y esto representan los pechos, la viña, el racimo, el olor de las manzanas y el vino. A estas alabanzas corresponde la Esposa como antes, atribuyéndolas a sólo el Esposo; y porque sin embargo la incomodan, suplícale que la saque fuera al campo, porque allí se ocupará sólo de él sin ningún estorbo ni intermisión.]

1. (CORO.) *¡Cuán lindos son tus pasos en el tu calzado, hija del príncipe! Los cercos de tus muslos como ajorcas, obra de mano de oficial.*

2. *Tu ombligo, como taza de luna, que no está vacía; tu vientre, un montón de trigo cercado de violetas.*

3. *Los dos pechos tuyos, como dos cabritos mellizos de una cabra.*

4. *El tu cuello, como torre de marfil; tus ojos, como estanques de Hesebón junto a la puerta de Bathrabbim; tu nariz, como la torre del Líbano, que mira frontero de Damasco.*

5. *La cabeza tuya de sobre ti, como el Carmelo, y la madeja de tu cabeza, como la púrpura. El rey atado en las regueras.*

6. *¡Cuánto te alindaste, cuánto te enmelaste, Amada, en los deleites!*

7. *Esta tu disposición semejante es a la palma, y tus pechos a los racimos de la vid. Dije: Yo subiré a la palma, y asiré sus racimos; y serán tus pechos como los racimos de la vid, y el aliento de tu boca, como el olor de las manzanas.*

8. *Y el tu olor, como vino bueno, que va mi Amado a las derechas, que hace hablar labios de dormientes.*

9. (ESPOSA.) *Yo soy de mi Amado, y su deseo a mí.*

10. *Ven, Amado mío, salgamos al campo, moremos en las granjas.*

11. *Levantémonos de mañana a las viñas; veamos si florece la vid, si se descubre la menuda uva, si brotaron los granados. Allí te daré mis amores.*

12. *Las mandrágoras si dan olor; que todos los dulces frutos, así los nuevos como los viejos, Amado mío, los guardé en mis puertas para ti.*

147

EXPOSICION

Prosigue en su cuento la Esposa, y dice a su Esposo que, como las dueñas le rogaron que se detuviese un poco y se volviese a ellas, ella por su ruego lo hizo, y les volvió la cara preguntándoles qué era lo que de ella querían, y la causa por qué la miraban así. Ella, como dando razón de su justa demanda y de su ardiente deseo, dice que, respondiendo, la comenzaron a loar con gran particularidad y encarecimiento su gracia y gentileza, refiriendo todas sus perfecciones muy por menudo, desde la mayor hasta la menor. Lo cual debe responder a la admiración de su hermosura que puso, y a los loores que la gente del pueblo le dió cuando, viniendo de Egipto, entró en Jerusalén la segunda vez.

Pues comienzan desde los pies, cuya ligereza y presteza acababan de ver entonces, y van hasta la cabeza, por ir de lo menor a lo mayor, que es manera galana de loar, y así dicen:

1. *¡Cuán lindos son tus pies en tu calzado, hija del príncipe!*

Loan el buen aire y movimiento, el pie bien hecho y el calzado justo, y que venían como nacido en la Esposa. Y dícenlo como a manera de admiración para mostrar que eran extrañamente graciosos los pies de la Esposa, y no así como quiera.

Hija del príncipe; que, demás de convenirle por su linaje y estado, es nombre que, según común uso, se da a toda la que loamos excelencia. Demás de esto es de advertir que, en este lugar, la palabra hebrea no es *melech,* con la cual se suelen nombrar los reyes comúnmente en la Sagrada Escritura, sino es *nadib,* que los Setenta Intérpretes, no sin misterio, en su traducción la dejaron así sin trasladarla. *Nadib* propiamente quiere decir *generoso de corazón y liberal.* Y como nosotros en la lengua española al príncipe le llamamos príncipe, porque de hecho es principal entre todos los demás, como lo suena la voz, así los hebreos le llaman *nadib,* y quiere decir *el noble, el liberal, el de corazón generoso;* porque éstas son virtudes propias del príncipe, y en que se ha de señalar entre todos.

Pues, según el origen de la palabra hebrea y según su sentido, es aquí la Esposa hija del noble y del generoso. Y junto con esto, es uso muy recibido en aquella lengua, que cuando alguna virtud o vicio se quiere dar a alguna persona, llámanla hijo de ella, como es por pacífico *hijo de paz,* o *hijo de guerra* al belicoso. Así, según esto, ser la Esposa hija del franco y generoso es decir que lo es ella, y es llamarla noble y gallarda de corazón. Y así dirá la letra: «¡Cuán lindos son tus pasos, cuán graciosos son tus pies, y con qué gracia los mueves, la del corazón gallardo y generoso!» Como si dijesen que en el gentil meneo del cuerpo mostraba bien la lindeza y gallardía y nobleza de su corazón; porque esta virtud, más que otra ninguna, se descubre mucho y da a conocer en el movimiento y en el buen aire del cuerpo.

Todo en la verdad del Espíritu tiene gran misterio y gran verdad; llamar a los justos y a toda la Iglesia hija del *Noble* y del *Franco,* porque son hijos de Dios, no por haber nacida así, ni por merecerlo por sus obras, sino por sola la gran franqueza y liberalidad de Dios. Que puesto caso que el justo que ya es justo e hijo merece mucho con Dios, mas esto que es ser hijo, ninguno lo mereció para sí, y Cristo derramó liberalmente su sangre por nosotros, y, haciéndonos gracia de ella, la alcanzó para todos.

El cerco de tus muslos como ajorcas hechas por mano de oficial.
Desciende aquí a tantas particularidades el Espíritu Santo, que es cosa
que espanta. Dicha la lindeza de los pies, viene ordenadamente a loar
la buena hechura de las piernas y de los muslos de la Esposa, diciendo:
*El cerco de tus piernas y muslos son como ajorca muy bien calzada de
mano de maestro.* Y esto dice por la espesura y macicez de las piernas,
que no eran flacas, sino rollizas y bien hechas y redondas; en tal manera que si hiciese un artífice una ajorca o collar de muy perfecta redondez, y se lo ciñese a las piernas, vernía muy justo, y se hinchiría todo
el redondo de la carne de ellas.

Donde decimos *cerco*, la palabra hebrea es *hamuk*, que quiere decir
cerco o redondez; y de aquí algunos entienden las coyunturas y como
goznes de la rodilla donde juega el muslo, y así trasladan *en el juego de
tus muslos.* No quiere decir más de lo que suena, que es la redondez
de los muslos y el cuerpo de ellos, lleno de una hermosura maciza y ro-
lliza y de una gentil perfección. La cual pusieron los Setenta Intérpretes con mucha propiedad, diciendo *rythmoi ton morión,* porque *rythmos,*
en griego, es toda buena proporción y compostura de partes entre sí.
Bien se descubre sobre los vestidos el grueso y buen talle de los muslos,
mayormente cuando se va con priesa y contra el aire; mas lo que se
sigue, no sé cómo las compañeras lo pudieron adivinar.

2. *Es tu ombligo como vaso de luna, que no está vacío,* o que no
le falta mixtura.

Vaso de luna, es decir, hechura de luna, esto es, perfectamente redondo. *Mixtura,* entiéndese de vino mezclado y templado con agua. Pues
quiere decir: sobre estas dos hermosas columnas de tus piernas se asienta el edificio de tu persona. La primera parte de él es el ombligo y
vientre tuyo, el cual está muy hermosamente proporcionado, porque no
parece sino una taza tan redonda como la luna; y que esta taza está
siempre llena de mixtura, que es vino aguado para beber; así, ni más ni
menos, es el tu vientre redondo, bien hecho, ni flojo ni flaco, sino lleno
de virtud que nunca le falta. Y para más declarar esta loa del vientre,
torna a decir: *Tu vientre, como montón de trigo redondeado de violetas.* Y es muy gentil apodo este, porque el montón de trigo está por
todas partes igual en redondez, que en ninguna parte de él hay seno ni
hoyo alguno, porque luego los granos le hinchen; y así dice ser de todas
partes lleno y levantado el vientre de la Esposa.

Suben del vientre a los pechos, viniendo por su orden en la fábrica
del cuerpo, y dicen:

3. *Tus pechos como dos cabritos mellizos.*
Ya arriba dijimos de esta comparación. Sobre los pechos se levanta
el cuello, y así añaden:

4. *Tu cuello como torre de marfil,* que es llamarle alto, blanco,
liso y bien sacado, que es todo lo bueno que puede tener un cuello para
ser hermoso.

La Iglesia, como lo enseña el Apóstol, es como un cuerpo, cuya cabeza es Cristo, en el cual la diferencia de estados y vidas hacen lo mismo
que los miembros diferentes en el verdadero cuerpo. El *cuello,* por donde
se recibe el alimento y se despide la palabra, son en la Iglesia los predica-
dores, los cuales reciben el alimento del Espíritu Santo, y lo comunican

con palabras a los demás. Pues los tales han de ser como torre de marfil, esto es, firmes y blancos y sin mancha de engaño en su doctrina, que ni dejen por temor de decir rasamente lo que deben, ni obscurezcan con afeitados colores, ni con palabras enderezadas a solo el gusto de los oyentes, la sencillez y pureza de la santa doctrina y la verdad no artificiosa del Evangelio. Dice más:

Los tus ojos como estanques de Hesebón, junto a la puerta de Bathrabbim.

Vese en esto que los ojos de la Esposa eran grandes, redondos y bien rasgados, llenos de sosiego y resplandor; que todas estas cualidades se muestran y se ven en un estanque lleno de agua clara y sosegada. *Hesebón* es una ciudad fresca de Israel, la cual ganaron los hebreos a Seón, rey de los amorreos; y estos estanques que aquí dice la letra, estaban junto a la puerta de Bathrabbim, que quiere decir *hija de muchedumbre;* y llamábase así porque, en entrando por ella, estaba luego una plaza grande; que, según paresce de muchos lugares de la Sagrada Escritura, antiguamente las plazas y las casas de consistorio, que agora están en medio de la ciudad, se usaban entonces junto a las puertas. Así que la plaza, como estaba junto a la puerta, daba su nombre a la puerta, y como era grande, su nombre de la plaza era Bathrabbim, que es, como dijimos, hija de muchos o de muchedumbre. Porque los hebreos en su uso y manera de hablar, se sirven del nombre de hijo para diversas cosas, como para decir muy sabio, dicen hijo de sabiduría; por muy malo, dicen hijo de maldad. Dicen más:

El bulto de tu cara como la torre del Líbano.

San Jerónimo y los demás trasladan aquí *tu nariz;* y la palabra hebrea, que es *aph,* recibe el un sentido y el otro, y quiere decir *nariz y toda la cara.* Y de estas dos cosas paréceme mejor que entendamos la postura de toda la cara. Porque comparar una nariz a toda una torre, no sé si es cosa muy conveniente; y eslo mucho, si la comparación se hace al semblante de la Esposa, levantado y hermoso y lleno de majestad y gentileza.

Si entendemos la *nariz,* diremos así: *La tu nariz es semejante a la torre del Líbano, que mira hacia Damasco.* La cual torre estaba puesta en aquel monte tan nombrado y celebrado por sus frescuras, y era muy fuerte, porque servía de atalaya a las fronteras de Damasco, que era cabeza de Siria. Así dice: Esta tu nariz hermosa y bien hecha, que se levanta fuera de tu graciosísimo rostro, es como aquella hermosa y fuerte torre, que está asentada sobre el fresco monte Líbano y se levanta sobre él.

5. *Tu cabeza de sobre ti como el Carmelo.*

La última parte de la Esposa es *la cabeza,* considerándola desde los pies; y llamamos aquí *la cabeza* el casco de ella, de donde nacen los cabellos, y por eso la letra dice: *La tu cabeza, que está sobre ti;* que es decir lo último de tu cabeza es tan hermoso y tan gentil *como el monte Carmelo,* que es un monte muy alto en la tierra de Israel, bien celebrado en la Escritura por haber estado en él muchas veces Elías y Eliseo profetas.

Y para denotar cuán gentil mujer y dispuesta es esta Esposa, le dicen que su cabeza sobrepuja a las otras, como la cumbre del monte Carmelo a los otros montes. La palabra hebrea *Carmel* significa tres cosas: *espiga llena,* y *grana,* y *el monte* sobredicho, y así los doctores trasladan diferentemente este lugar; y aunque en cualquiera de los tres sentidos tiene propiedad la comparación, pero el que habemos dicho es el mejor y el más recibido. Añaden:

Los tus cabellos de tu cabeza como la púrpura. El rey atado en las regueras.

Este es el lugar dificultoso en sí, y más por la variedad de los que lo trasladan y declaran. La palabra hebrea *reatim* quiere decir *maderos o tablas delgadas y pequeñas,* y de aquí significa la techumbre del edificio, hecha de artesonas, obra morisca, compuesta de muchas piezas pequeñas. También quiere decir *las canales* de madera, largas y estrechadas, por donde se suele echar el agua; y, según esta diferencia, trasladan los unos y los otros muy diferentemente. Los primeros leen de esta manera: *Tus cabellos como la púrpura o carmesí del rey, asida a los maderos* o artesones; que es decir que sus cabellos de la Esposa en su lindeza y hermosura son semejantes a las flocaduras de seda y carmesí de los doseles y tapicería real, que está colgada del techo y artesones de la casa. Otros leen de esta manera: *Tus cabellos son como la púrpura real puesta en las canales;* y entienden por esto los vasos donde meten los tintoreros la seda o grana, cuando la tiñen, porque entonces, como más nueva, estará más lucida y de mejor lustre.

Si se mira la propiedad de la letra hebrea, ni los unos ni los otros dicen bien, porque se ha de leer así: *Los cabellos de sobre tu cabeza como púrpura,* y aquí se hace punto; y añadir luego: *El rey asido y preso a las canales;* que es decir colgado de los mismos cabellos por amor y afición, los cuales se significan debajo de este nombre de *canales;* porque en ellas el agua cuando corre se va encrespando y se hacen unos altos y bajos muy semejantes a los que se parece en los largos y hermosos cabellos, que sueltos sobre los hombros, con el movimiento hacen unas como aguas muy graciosas. Y esta letra, demás de ser la más propia, encarece mejor que otra ninguna la hermosura de los cabellos, que aquí se pretenden loar; porque, demás de decir que son lindos y vistosos como púrpura, que es decir mucho, como luego declararemos, dice que son un lazo y como una cadena, en que, por su inestimable belleza, está preso el rey, esto es, Salomón, su esposo.

Pues siguiendo esta letra, para mejor entendimiento de la comparación, es de advertir que la púrpura antigua, de la cual no tenemos agora noticia por uso, tenía dos cosas: que era finamente bermeja y relucía desde lejos, como el carmesí que los pintores ponen sobre oro o plata. Conforme a esto, asemejan aquellas dueñas el cabello de la Esposa, a la púrpura, porque debían ser castaños los cabellos, que, aunque no sea perfecto rojo, tira más a ello que a otro color; y porque en las tierras calientes, como son las de Asia, no se estima el cabello rubio, antes a los hombres les está muy bien el negro, y a las mujeres negro o costaño o alheñado, como ellas lo suelen curar, y hoy día lo usan las moriscas. Por eso los alaban aquí de aquel color, y más del resplandor que daban de sí; y en esto eran muy semejantes a la púrpura. Porque vemos que el color castaño, y otros que se le parecen, son sus luces rojas, así como las luces del amarillo tiran a blanco, y las del verde a negro. Pues dícenle aquí a la Esposa que sus cabellos son relucientes y un poco rojos, como la púrpura, y que son crespos y ondeados como canales, o regueras donde el agua va dando vueltas. Y usan luego de un parlar común de los enamorados, diciéndole: «En esas vueltas de tus cabellos tienes tú atado al rey y esposo y enamorado tuyo; de estos cabellos hace el amor la cuerda con que lo liga, que es una muy regalada y amorosa loa.

Y concluyen diciendo:

6. *¡Cuánto te alindaste! ¡Cuánto te enmelaste, Amada, en los deleites!*

Esta es una cláusula sentenciosa que remata todo lo dicho, que los retóricos llaman *epifonema*, y va mezclada con una gran admiración, como es natural, después de haber visto o desmenuzado por palabras alguna cosa muy buena, romper el ánimo del que lo ve o trata en espanto y admiración. Pues dicen aquellas dueñas: ¿Para qué es ir particularizando tus gracias? Pues es cosa que saca de juicio ver cuánto seas en todas tus cosas, tus hechos, tus obras, dulce, alindada y deleitosa, pues eres el extremo de la dulzura y de la lindeza. Y así fue remate de lo pasado el decir esto, que dió nuevo principio a lo que restaba por decir, y así añaden:

7. *Esta tu disposición*, esto es, tu gallardía y bien sacado cuerpo, *semejante es a la palma*, que es árbol alto, derecho y hermoso; *y tus pechos a los racimos.*

Hanse de entender racimos de alguna *vid* o parra que, estando arrimada a la palma y abrazada con ella, trepa por el tronco arriba, dando vueltas y encaramándose con sus sarmientos; que, así como los racimos de la tal parecen estar asidos de la palma y cuelgan de ella, así los dos pechos tuyos se hacen afuera, y se muestran estar colgados de tu gentil estatura. Y porque es natural de la belleza acodiciar a sí a cualquiera que la conoce; y porque es común uso de las mujeres, cuando cuentan de alguna otra hermosa y graciosa, que les agrada mucho decir: «Iba tal y tan linda, que quisiera llegarme a ella y darle mil abrazos y mil besos», siguiendo e imitando este afecto, Salomón añade con singular gracia y propiedad lo que se sigue:

8. *Dije: Yo subiré a la palma.*

Que son palabras que cada una de las dueñas dicen por sí, en que muestran por galana manera la codicia y afición que tiene por gozarla, la cual ponía la Esposa con su hermosura en ellas, y en todos los que la veían. Que es como decir: «Tan dispuesta y linda eres, como una palma. ¡Ay! ¡Quién subiese a ella hasta asirle de sus ramos altos!»

Dije: esto es, a mí y a todos los que te ven, encendidos en tu lindeza, nos dice el deseo y el corazón: «¡Oh, quién te alcanzase y gozase; quién pudiese llegar a ti y, enredándose en tus brazos y dándote mil besos, coger el dulce fruto de tus pechos y boca!» Y así dicen: *Y serán,* esto es, y son (pone el tiempo futuro por el presente); pues, *y son tus pechos como racimos de vid,* que es fresco y oloroso, apiñado y de gracioso y mediano bulto.

Y el olor de tu boca como el olor de manzanas, que es olor por extremo suave y apacible. O hagamos de todo esto una razón trabada y continuada, que diga de esta manera: «Linda eres como una palma. ¡Ay!, quiero allegarme a ella y asirme de los sus ramos altos, y subiré hasta la cumbre.»

Y seránme los tus pechos como racimos de vid: alegrarme he, deleitarme he con ellos, tratándolos como unos frescos y apiñados racimos de uvas. Cogeré el aliento de tu boca, más olorosa que manzanas; gustaré del gusto de tu lengua y paladar, que en deleitar, alegrar y embriagar con dulzura y afición vence al vino mejor, y que más gusto da a mi Amado, cuando más sabor halla en él y más dulce lo siente; que bebe tanto de él que, después parla temblando los labios y desconcertadamente, como si estuviese durmiendo. Que decir está así, es llegar hasta el cabo de todo lo que puede y suele decir un deseo semejante. Esta es la sentencia.

En las palabras donde se compara el paladar al vino hay alguna obscuridad, porque dice así:

9. *En tu paladar como vino bueno, que va a mi Amigo a las derechas; hace hablar con labios dormientes.*

Que va, es decir, cual es el que coge o bebe mi amigo; que es como decir en español *mi vecino* o *fulano,* palabra que no determina persona cierta, y confusamente las determina a todas.

Dice *que va a las derechas.* La palabra hebrea es *lemesarim,* que quiere decir *derechas,* lo cual se puede entender en dos maneras: la una, es decir que se bebe a las derechas o derechamente, y con razón, por su bondad y excelencia; la otra, es que *ir el vino a las derechas* sea irse y entrarse, como decimos de rondón, dulce y suavemente por la garganta, y de allí a la cabeza. Y ésta es forma usada en esta lengua, que responde a lo que solemos entender en la nuestra, cuando hablando del vino, que es bueno en el gusto y después de bebido hace su hecho, decimos que se cuela sin sentir. De esta manera de decir en el mismo propósito usa Salomón en los Proverbios, diciendo: *No mires el vino cuando se torna rojo y toma su color, y va a las derechas;* como si dijese, *y se cuela sin sentir muy dulcemente.* Y con esto concierta bien lo que luego se sigue: *Y hace hablar los labios de dormientes;* como si dijese que, como se cuela dulcemente, embeoda después y hace hablar desconcertadamente, como suelen hablar los que están vencidos del sueño; que es propiedad del vino bueno y suave, que se bebe como si fuese agua, y puesto después en la cabeza y hecho soñar de ella y de la razón, traba la lengua y media las palabras y muda las letras y turba todo el orden de la buena pronunciación.

10. *Yo soy del mi Amado, y el su deseo a mí.*

Estas palabras dice de sí la Esposa propiamente, de arte que, habiendo relatado al Esposo las cosas que en su loor las dueñas dijeron, vuélvese a él y dice lo que entonces respondió, o lo que agora le está bien decir, que es como si dijera: «Sea hermosa y linda cual os parezco, no me entremeto en eso; esto sé, que tal cual soy, soy toda de mi Amado, y él no desea ni ama otra cosa sino a mí.» Que son palabras que por la coyuntura en que se dicen, esto es, cuando parece que, por ser tan soberanamente loada, se pudiera desvanecer algún tanto, y volviendo sobre sí amarse desordenadamente y juzgar que, si su Esposo la amaba, era cosa que se le debía, así que, por decirse en esta coyuntura, muestra y encarece el excesivo amor que tenía a su Esposo, por el cual, siendo así loada, de ninguna cosa se acordó primero que de su Esposo, como diciendo: «Eso y más bien que hubiera en mí, todo es de mi Amado; todo se le debe y todo lo quiero yo para él, y no hay que tratar de que quiera a otro, ni que piense ni desee nadie gozarme, ni lo diga, que yo toda seré y soy de mi Amado, y él es mío: el que bien me quisiere, quiérale a él bien, que yo no soy más de lo que él quiere que sea.»

Esto es según la letra, que, según el entendimiento encubierto del espíritu, es el humilde reconocimiento que toda alma cristiana y santa tiene de que cuanto bien y cuanta riqueza posee es de Dios y para Dios. Y así dice: «Yo, si soy algo, por el beneficio de mi Amado lo soy, y el su deseo y amor que me tiene es lo que me hermosea y enriquece.»

Yo soy de mi Amado. Tres condiciones y diferencias entendemos en el amor de dos personas: una, cuando fingen quererse bien, y no se quieren y viven engañándose el uno al otro con palabras y demostraciones amorosas; otra, cuando la una de las partes ama con verdad y la parte amada muestra quererle responder, mas de hecho no le responde; la tercera, cuando quieren y son queridos por igual grado y medida.

De los primeros no hay que tratar, porque no es amor el suyo, sino puro fingimiento y embuste, y cual hacen, así lo pagan; y aunque ambos hacen mal y profanan la virtud, verdad y santidad del amor, cuyo nombre usurpan y cuyas propiedades remedan, estando tan lejos de sus obras, pero ninguno agravia al otro ni tiene que quejarse de su compañero, porque, en fingir entre sí mentirse, corren a las parejas.

El segundo estado, donde el que ama no es amado, es infeliz y trabajoso más que ninguno otro que haya debajo del cielo; porque se juntan en él culpa y pena, que son todos los males en su más subido grado. La pena padece el que ama, y la culpa se comete de parte del que no responde a su amado. Y entenderse ha cuán grande sea cada uno de estos males en su razón, si se advirtiere primero que el amar una persona a otra no es otra cosa sino hacer el que ama un entregamiento y una cesión de todos sus bienes en el que es amado, desposeyéndose así de sí mismo, y poniendo en la posesión de esto y de toda su alma a la otra parte. Y que esto sea así, está claro, porque el amar es entregar la voluntad a lo que ama, y la voluntad es la señora que manda y rige, y sola ella mueve y menea todo lo que está en la casa del hombre; de do se sigue que amar es darse todo, porque es dar la voluntad, que es señora de todo. Tócase esta verdad con las manos y con la experiencia; porque vemos que el que ama de veras no vive en sí, sino en lo que ama; siempre piensa en ello y habla de ello; su voluntad es la de su amado, y sin saber querer otra cosa y sin poder quererla; que es evidente señal que no es suyo, sino ajeno, entregado ya en el poder y albedrío de otro.

Esto presupuesto, se entiende lo primero el incomparable mal y daño que padece la parte desamada, porque se ve desposeída de sí y entregada sin remedio en el poder de otra persona; y que el señor se levanta con la entrega villanamente, y sin hacerle correspondencia o restitución alguna. Y, si es pena a uno verse despojado de su honra y hacienda, ya veis cuál y cuánto mayor será la del pobre que se ve desposeído de lo uno y de lo otro, y también de sí mismo. Y, si es causa de mayor sentimiento la pena, que viene sin culpa, ¿qué dolor sentirá el que de buen servicio saca mal galardón, y el que sembrando amor coge frutos de desdén y aborrecimiento?

Por el contrario y por los mismos pasos se entiende lo segundo, lo mucho que peca y la gran vileza y fealdad que comete aquel que, siendo amado, o no ama o no desengaña abiertamente al triste amante. Porque, si es culpa hurtar la capa y si es pecado entiznar la fama ajena, ¿qué será levantarse alevosamente con la posesión de todo juntamente, de la fama, hacienda, vida y alma, y finalmente de toda una persona que nació libre, y se vendió a ti para comprar con este precio parte de tu voluntad, y tú recoges el precio y álzaste con él y con toda la mercadería?

Y si la verdadera caridad es noble, aun con los que no conoce y extiende su virtud y beneficios aun hasta los enemigos y malquerientes, ¿qué palabras podrán encarecer la bajeza o, por mejor decir, la fiereza y bestialidad de la persona que paga el amor con desamor, y roba la libertad del que la sirve y se va con ella riendo, y triunfa de su mayor amigo y da en trueco y cambio la pureza y sencillez y claridad del buen amor un millón de engaños y embustes? Así que por esto se condene cada uno a sí, aunque otro no se lo diga, aunque el que ama sea persona baja.

Porque se ha de entender que, entre dos personas, aunque en las demás cualidades que se adquieren por ejercicio o que vienen por caso de fortuno o que se nace con ellas, pueda haber y haya notables diferencias, pero venidos en el caso de amor y voluntad, como en todos es libre y señora la voluntad, así todos en ella son iguales, sin que deba reconocer uno ventaja a otro por de diferentes estados y condiciones que sean. Así no se puede pagar la deuda de mi amor sino con otro amor tan bueno y tan grande como el mío. Lo cual es tan gran verdad, que una sola cosa que hay, la cual por el incomparable exceso que nos hace podía salir de esta cuenta, que es Dios, principio de todo bien y bien sin término, aun ése se iguala con nosotros en este artículo y da por bien vendido el cuanto de su voluntad por el tanto de la nuestra. Y así dijo: *Yo amo a los que me aman;* y en otra parte: *El que me ama a mí, será amado de mi Padre.* Donde se muestra lo mucho que ofende el que no ama, y el mal que padece el que no es amado.

Resta que digamos del tercer estado, que es el más dichoso de todos; porque, cierto es la más feliz vida que acá se vive, la de dos que se aman, y es muy semejante y muy cercano retrato de la del cielo, adonde van y vienen llamas del divino amor, en que, amando y siendo amados, los bienaventurados se abrasan; y es una melodía suavísima que vence toda la música más artificiosa, la consonancia de dos voluntades que amorosamente se responden. Porque los que aman, como los primeros que dijimos, no son hombres; y los que aman como los segundos son, o desdichados o malos hombres; sólo para estos terceros se queda la buena dicha y buena andanza, la cual, como dicen los sabios, consiste en tener el hombre todo el bien que quiere; y el que ama y es amado, ni desea más de lo que ama, ni le falta nada de lo que desea.

De este bienaventurado amor gozaba la Esposa, y por eso dijo: *Yo soy de mi Amado, y el su amor a mí.*

Y, dicho esto, convídale a que salga con ella a vivir y a morar en el campo, huyendo el estorbo e inquietud de las ciudades; y para que, sin embarazo de nadie, se gocen ambos y gocen de los bienes y deleites de la vida del campo, que son varios y muchos, de los cuales refiere algunos la Esposa, diciendo:

10.   *Ven, Amado mío, vámonos al campo, moremos en las granjas.*

11.   *Levantémonos de mañana a las viñas, veamos si florece la vid, si se descubre la menuda uva, si brotan los granados;* que todas son cosas de gran gusto y recreación.

Pero la mayor de todas y lo que ella más pretende es el poderse gozar a solas y sin estorbos de gentes, que para los que se aman de veras es tormento a par de muerte. Y por eso dice: *Allí te daré mis amores.*

12. *Las mandrágoras* (hase de repetir la palabra de arriba, esto es,
y veremos), las mandrágoras si dan olor; que todos los frutos, así los
nuevos como los viejos, Amado mío, los guardé en mi puerta para ti.

Como si dijese: Y demás de estos gustos y pasatiempos, que tendre-
mos en gozar del campo y andarnos viendo cómo florecen los árboles,
no nos faltarán buenos mantenimientos, dulces y sabrosas frutas, así de
las frescas y recién cogidas como de las de guarda, que son riquezas
de que suele abundar la vida rústica; lo cual todo, dice, yo te lo guar-
daré dentro de mi casa y de mis puertas y te lo aderezaré.

CAPITULO VIII

[ARGUMENTO]

[Crece el alma santa en sus deseos, no pensando más que en gozar de su Dios a solas, y vivir con El abrazada eternamente. Este gozo la anega y hace desfallecer en los brazos de su Esposo, que es lo último adonde llega el estado de los *perfectos*. Por ninguna cosa del mundo quisiera ella decaer de este estado; y para eso la muestra el Esposo las leyes de este espiritual desposorio; dícela que nunca se olvide de su primer origen y de la miseria de donde la sacó y elevó a tanta dicha; que atienda que el amor es muy celoso, y no sufre la menor deslealtad; que le tenga siempre presente en su corazón y en todas sus acciones; que lo desprecie todo por conservar la caridad. Pero esta virtud, cuanto más perfecta, menos permite que se descuide de sus hermanos, que, o son imperfectos en virtud, y los debe ayudar para que crezcan, o andan extraviados, y los ha de atraer al amor del divino Esposo. Así hará que su propia alma, que es su huerto y su viña, dé más fruto. Ultimamente la manda el Esposo que, sobre todo, le invoque sin cesar, y pida su última venida para reinar eternamente con él; y que éste sea el cantar que oigan siempre de su boca los que aman al Esposo.]

1.   (ESPOSA.)   *¿Quién te me dará, como hermano mío, que mamases los pechos de mi madre? Hallartehía fuera; besartehía, y también no me despreciarían.*

2.   *Meteríate en casa de mi madre; enseñaríasme; haríate beber del vino adobado y del mosto de las granadas nuestras.*

3.   *Su izquierda debajo de mi cabeza, y su diestra me abrazará.*

4.   (ESPOSO.)   *Yo os conjuro, hijas de Jerusalén, ¿por qué despertaréis, por qué desasogaréis al Amada, hasta que quiera?*

5.   (COMPAÑEROS.)   *¿Quién es ésta que sube del desierto recostada en su Amado?*

(ESPOSO.)   *Debajo del manzano te desperté: allí te parió la tu madre, allí estuvo de parto la que te parió.*

6.   *Ponme como sello sobre tu corazón, como sello sobre tu brazo, porque el amor es fuerte como la muerte, duros como el infierno los celos, las sus brasas son brasas del fuego de Dios.*

7.   *Muchas aguas no pueden matar el amor, ni los ríos lo pueden anegar. Si diere el hombre todos los haberes de su casa por el amor, despreciando los despreciará.*

8.   (ESPOSA.)   *Hermana es a nos pequeña, y pechos no tiene ella; ¿qué haremos a nuestra hermana cuando se hablare de ella?*

9.   *Si hay pared, edificarle hemos un palacio de plata; si puerta, fortalecerémosla para ella con tabla de cedro.*

10.   *Yo soy muro y mis pechos son torres; entonces fuí en sus ojos, como aquella que haya.*

11. *Tuvo una viña Salomón en Baal-Hamón; entregó la viña a las guardas, y que cada cual traía por el fruto mil monedas de plata.*

12. *La viña mía, que es mía, delante de mí; mil para ti, Salomón, y doscientos para los que guardan su fruto.*

13. (ESPOSO.) *Estando tú en el huerto y los compañeros escuchando, haz que yo oiga tu voz.*

14. (ESPOSA). *Huye, Amado mío, y sé semejante a la cabra montesa y a los ciervecicos de los montes de los olores.*

EXPOSICION

1. *¿Quién te me dará, como hermano mío, que mamases los pechos de mi madre?*

Una de las cosas que hay en el verdadero amor es el crecimiento suyo, que mientras más de él se goza, más se desea y más se precia; al contrario es el amor falso y vil, que es fastidioso y pone una aborrecible hartura.

Hemos visto bien los procesos de este gentil amor, que aquí se trata; cómo al principio, la Esposa, careciendo de su Esposo, deseaba siquiera algunos besos de su boca; después de haber alcanzado la presencia, habla y regalos suyos, deseó tenerle en el campo consigo; y ya que le tenía en el campo, gozando de él a sus solas sin que nadie lo estorbase, desea agora tener más licencia de nunca se apartar de él, sino en el campo y en el poblado andar siempre a su lado y gozar de sus besos en todo lugar y en todo tiempo. Y para mostrar este deseo la Esposa y la manera como quería cumplirlo, comienza como en forma de pregunta diciendo: *¿Quién te me dará, como hermano mío?;* etc. La cual forma de preguntar en la lengua hebrea es oración de ánimos deseosos, y vale tanto como *ojalá, pluguiese a Dios.* Y así es aquello que dice Jeremías: *¿Quién dará agua a mi cabeza?* Y David dice: *¿Quién me dará alas como a paloma, y volaré?*

Dice, pues, la Esposa que, estando a sus solas, y sin conversación de otras gentes, ella goza de los besos de su Esposo, y se huelga y alegra mucho con él; mas, cuando está delante de gente, tiene vergüenza, como la suelen tener las mujeres, y dice que le es gran pérdida aquélla, porque siempre querría estar colgada de los hombros de su Esposo, cogiendo sus dulces besos sin desasirse un punto; y que pluguiese a Dios ella pudiese tenerlo y tratar con él, como con un niño pequeño, hermano suyo, hijo de su madre, que aún mamase; que, como ella lo hallase en la calle, arremetería con él y le daría mil besos delante de todos cuantos allí estuviesen. Porque esto es usado mucho de las mujeres con los niños, y no son notadas por esto ni tienen empacho de hacerles estos regalos, ni de mostrarles este amor públicamente. Esta facilidad desea la Esposa tener en los besos de su Esposo y gozar de él. Y durando aún en la semejanza que ha puesto del niño, prosigue con deseo diciendo:

2. *Meteríate en casa de mi madre; enseñaríasme; haríate beber del vino adobado y del mosto de las granadas nuestras.*

Quiere decir: en teniéndote yo en casa, con mil besos y abrazos te daría a beber dulce vino, vino adobado con miel y especias, y otras cosas, que los antiguos usaban para que fuese más suave y menos dañoso; y esto era más género de regalo que de ordinaria bebida.

Daríate también *arrope de granadas;* porque con todas estas cosas dulces se huelgan los niños, y sus madres y hermanas tienen gran cuidado de los regalar así. Y lo que dice *enseñaríasme,* es como si dijese (estando todavía en la figura del niño) diríasme mil cosas de las que hubieses visto y oído por la calle, y mil cantarcicos; porque los niños todo cuanto ven u oyen, todo lo parlan bien o mal, como aciertan, y de esto reciben gran regocijo las madres que los aman.

Conforme al espíritu, se pone aquí el grado más alto y de más subido amor que hay entre Dios y los justos, que es llegarle a amar bien, así que no se recelan ni se recatan de ninguna cosa de las del mundo, llenos de una santa libertad que no se sujeta a las leyes de los devaneos y juicios mundanos; antes rompe por todas y hace ley por sí sobre todos, y sale con ella, porque al fin la verdad y la razón es la que vence. Pues los que llegan a este punto y a esta perfección de gracia, que son pocos y raros, que andan ya en espíritu de santidad y verdad, y que, viviendo vida espiritual y fiel, como dicen los santos, no tienen respeto a cosa alguna, sino en público y en secreto gozan de la suavidad de estos amores, entonces son hermanos de Jesucristo e hijos perfectos de Dios, como lo manifiesta el Apóstol diciendo: *Los que son gobernados por el espíritu de Dios, éstos hijos son de Dios.* Y él mismo dice que *Cristo tiene muchos hermanos, y El es el primogénito entre ellos.*

Pero es de advertir que, aunque los sobredichos por el grande extremo de amor y gracia tienen ya cobrada licencia para amar y servir a Dios a ojos vistos del mundo, sin temor de sus juicios, estos mismos sienten un particular gusto y una libertad desembarazada cuando se ven a solas con Dios, sin compañeros ni testigos. Y por esto dice *que te halle fuera;* lo cual en todo amor es natural los que bien se aman, amar la soledad y aborrecer cualquier estorbo de compañía y conversación. Porque el que ama y tiene presente lo que ama, tiene llena su voluntad con la posesión de todo lo que desea; y así no le queda deseo ni voluntad, ni lugar para querer ni pensar en otra cosa. De donde nace que todo lo que le divierte algo de aquel su amor y gozo, poniéndosele delante, le es enojoso y aborrecible como la muerte. Así que en toda amistad pasa esto así; pero señaladamente más que en otra ninguna se ve en la que se enciende entre Dios y el alma del justo. Porque así como excede sin ninguna comparación el bien que hay en Dios al que se puede hallar y desear en las criaturas, por su acabada perfección y beldad infinita, así los que por gran don suyo, enamorados de este bien, comienzan a tener gusto de él, gustan de él incomparablemente más que de otro; o, por mejor decir, no les queda cosa de voluntad, ni entendimiento, ni gusto libre para gustar de otro. Cuando le tienen ausente, él solo es su deseo; cuando, por secretos favores, se les da el presente, arden en vivo fuego; y, ricos con la posesión de un bien tamaño, juzgan por desventura y mala suerte todo lo que fuera de él se les ofrece.

Y en tanto grado aman la soledad y se molestan de todo lo que les ocupa cualquier parte de su voluntad, por pequeña que sea, que si en estado tan bienaventurado como es el suyo se compadece haber pena o falta, no sienten otra si no es la de su entendimiento y voluntad, que por su natural flaqueza y limitación quedan atrás en el amor que se debe a bien tan excelente. De aquí es que los tales, por la mayor parte, se apartan de los negocios de esta vida, huyen el trato y conversación de los hombres, destiérranse de las ciudades y aman los desiertos y montes, viviendo entre los árboles, solos al parecer y olvidados; pero a la verdad

alegres y contentos, y tanto más cuanto en vivir así están más seguros
de que ninguna cosa les podrá cortar el hilo de su bienaventurado pensamiento y deseo, que de contino en el corazón les tira, y les hace decir
con la Esposa: *¿Quién te me dará, hermano mío, criado a los pechos de
mi madre, que te halle fuera?*, etc.

En todas partes está Dios, y todo lo bueno y hermoso que se nos
ofrece a los ojos en el cielo y en la tierra y en todas las demás criaturas,
es un resplandor de su divinidad, y por secreto y oculto poder está presente en todas y se comunica con todas. Mas estar Dios así es estar encerrado; y lo que se ve de él, aunque por ser de él es bien perfecto, por
parte de los medios por donde se ve, que son limitados y angostos, vese
inperfectamente y ámase más peligrosamente. Quiere, pues, la Esposa
tenerle fuera, que es gozarle así sin miedo ni tercerías de nadie, y sin ir
mendigando y como barruntando su belleza por las criaturas; y visto así
cuál es y cuán grande y perfecto es, allegarle consigo y abrazarle con
un nuevo y entreñable amor; meterle en su casa y en lo más secreto de
su alma, hasta transformarse toda en él y hacerse una misma cosa con
él, como dice el Apóstol: *El que se ayunta a Dios se hace con El un
mismo espíritu.* Y entonces se verá la verdad de lo que añade, *y nadie
me despreciará;* que, como dice San Pablo: *Todo lo que acá se vive es sujeto a la vanidad y escarnio; pero aquel día será el que volverá por la
honra de la virtud, y descubrirá la gloria de los hijos de. Dios.*

Mas tiempo es ya que tornemos a nuestro propósito. Dice la Esposa.

3. *Su izquierda debajo de mi cabeza, y su diestra me abrazará.*

Es propio del corazón enternecido con la pasión del amor desear
mucho, y viendo al imposibilidad o dificultad de su deseo, desfallecer las
fuerzas y desmayarse luego. Estaba, como parece, la Esposa en el campo
con su Esposo, y, aunque gozaba de él, deseaba gozarle con más libertad y sin estar obligada a recatarse de nadie, como declaró en las palabras ya dichas; mas viendo que le faltaba aquella facilidad para gozar
totalmente de su Amado, desmáyase de una amorosa congoja, como en
semejantes afectos otras veces lo ha hecho. Y porque para todas sus
pasiones tiene por único remedio a su Esposo, al tiempo de su desfallecimiento, demanda el regalado socorro del abrazo suyo, conforme a la
demanda del otro desmayo, de que ya dijimos, donde declaramos esta
letra, y parte de lo que se sigue. Sólo es de advertir un punto en lo que
dice el Esposo.

4. *Conjúroos, hijas de Jerusalén, ¿por qué despertaréis, y por qué
alborotaréis a la Amada hasta que quiera?*

La pregunta *por qué* vale tanto como rogar vedando; y lo mismo
quiere decir *por qué despertaréis, por qué alborotaréis,* que si dijera
no despertéis, no alborotéis. Y tal como esto es lo del salmo, según el
hebreo: *¿Por qué te apartaste, Señor, tan lejos, por qué escondes tus
faces?* Que es decir: *Señor, no te alejes, no te ausentes;* salvo que, diciendo por la pregunta, pone gran compasión, como si dijera: ¿No habéis
lástima de despertarla? Dejadla dormir y pasar su desmayo, hasta que
torne de suyo a volver en sí.

5. (COMPAÑEROS) *¿Quién es esta que sube del desierto recostada en
su Amado?*

Este verso es paréntesis o sentencia entretejida en las hablas de los
dos, Esposo y Esposa, y son palabras de las personas que veían cómo

los dos amantes se iban juntos desde el campo a la ciudad, y la Esposa venía muy junta y pegada a su Esposo. Porque, después que ella tornó en sí del desmayo sobredicho, se fingen subir a la ciudad, y ella, con más atrevimiento que antes, se iba muy junta y abrazada con su Esposo, sin tener el respeto de temor y vergüenza que tenía primero, y como señora ya de aquella libertad, que poco antes deseaba y pedía, como habemos visto. Porque el amor suyo, que había llegado ya a lo sumo, le daba alientos para vencer todo esto; y parte fue para ello aquel desmayo que tuvo. Y esto es cosa muy aguda en caso de amor, y punto muy de notar; que cada vez que alguno sobre algún negocio que le daba pasión, deseándolo o de otra manera se desmaya o pierde el juicio, cuando torna en sí, tiene nuevo ánimo y atrevimiento en aquel negocio. Y esto es muy probado en los que han estado sin seso, que después tornan otros hombres diferentes de lo que antes; y vemos que el que enloqueció por algún caso de honra, después que torna en su libre poder, no estima aquello; y de éstas hay cada día muchas experiencias. Y la causa de ello es lo que acaece por ley de naturaleza en todos los demás sentidos, que eso mismo que sienten y apetecen naturalmente, cuando acaece, que viene a ser excesivo, los corrompe y destruye. Como vemos que una luz muy clara ciega a las veces, y un sonido desmedido ensordece, y el tacto se torna insensible con el frío o el calor extremado. Y por la misma razón el afecto o pasión, que llega al extremo de torcer el juicio o desmayar el corazón, deja como amortiguados los sentidos para no sentir ya más cosa semejante. Y así la Esposa, que poco antes se quejaba por no poder públicamente gozar de sus amores con su Esposo, de sentir mucho esta vergüenza, viene agora a no sentirla, y viene agora delante de todos tan asida y afirmada de él, que los otros con admiración preguntan: *¿Quién es ésta que sube del desierto,* tan asida y junto a su Esposo, que viene como sustentada toda sobre él?

Aquí *desierto* significa tanto como *campo,* a la letra; porque así se ve que ellos no tornaban del *desierto* a la ciudad, sino del campo, donde había huertas y viñas con arboledas y granjas. Y también, porque no siempre este nombre *desierto* significa entre los hebreos *lugares yermos,* y que carecen de habitación y de pastos y verduras; antes muchas veces significa lugares anchos y llanos en el campo, adonde, aunque no hay tan espesas moradas de gentes, a lo menos no faltan algunas, y juntamente hay pastos y abrevaderos. Porque en la Sagrada Escritura muchas ciudades se cuentan estar asentadas en desierto, que quiere decir en campo llano; y así leemos en Josué que a los del tribu de Judá les cupieron seis ciudades del desierto; y de Moisén se dice en el Éxodo que llevó el ganado de su suegro, que apacentaba, al *desierto,* más adentro de lo que antes estaba.

6. *Debajo del manzano te desperté; allí te parió la tu madre, allí estuvo de parto la que te parió.*

Esto es trasladado a la letra del original hebreo, que el trasumpto latino dice de otra manera, y dice así: *Allí fué violada la que te parió, allí fué corrompida tu madre.* El sentido de estas palabras, a la letra, parece ser que la Esposa, habiendo tornado en sí del pasado desmayo, y con mayor atrevimiento habiendo comenzado a gozar de su Esposo (el cual en la mayor parte de esta *Canción* se pinta rústico pastor, conforme a la imaginación que el autor de ella tomó), viniendo agora muy junta con él y abrazada, acuérdase del principio de sus amores, de los cuales agora goza tan dulcemente; y, acordándose, cuéntaselo con alegría grande. Porque una de las condiciones del amor es que a los enamorados hace de gran memoria, que sin olvidarse jamás de cosa, por pequeña que sea, siempre les parece tener delante un retablo de toda la historia de sus amores, acordándose del tiempo, del lugar y del punto de cada cosa. Y así en sus dichos y escritos usan muchas veces de las cosas pasadas para su propósito; unas veces contándolas, sin parecer que hay para qué; y otras, que se les ve claro el fin de su intención. Y como la retórica de los enamorados consiste más en lo que hablan dentro de sí que en lo que por la lengua publican, muchas veces traen lo primero a la postre, y lo último al principio; como veremos en este lugar, que la Esposa dice el principio de sus amores tan al fin de la *Canción*, que parece que lo debía haber contado antes, si de ello quería hacer mención. Mas, como habemos dicho, en ellos no hay antes ni después en estas cosas, que todo lo tienen presente en su fantasía; y agora, embebida en la suavidad del amor que delante tenía, pensando unas cosas y callándolas, dice otras. Y es lo que decía esto: «¡Oh Amado mío, Esposo!, que me parece que agora te veo la primera vez que te moví a amarme, y a que tratases este desposorio conmigo; y esto era estando tú y yo debajo de un árbol en las huertas, y en aquella huerta, debajo del árbol que te parió la tu madre.»

Y allí estuvo de parto la que te parió. Repite la misma sentencia, como suele, y quiere decir: No eres extranjero, porque de allí eras natural, y allí te había parido tu madre, y allí te desperté y encendí en mi amor; y porque este amor me ha hecho tan dichosa, gozando del bien que por él gozo, bendigo aquel día, aquella hora y aquel lugar adonde tú me amaste. Lo cual es dicho, como otras muchas cosas que arriba hemos visto, conforme a lo que mejor dice y asienta y suele acontecer más comúnmente a los pastores y labradores que viven en el campo, cuyas personas y propiedades imita Salomón en este su *Canto;* a los cuales, así como andan lo más del tiempo en el campo, así les es muy natural nacer en el campo, y el concertar los amores los zagales con las zagalas por las florestas y arboledas, y por donde se topan. Esta es la sentencia de la letra, cuanto podemos alcanzar; y va muy conforme a otras razones que, en este caso, suelen decir los enamorados.

7.   *Ponme como sello en tu corazón, como sello sobre tu brazo, porque el amor es fuerte como la muerte, duros como el infierno los celos, las sus brasas son brasas del fuego de Dios.*

8.   *Muchas aguas no pueden matar el amor, ni los ríos lo pueden anegar. Si diere el hombre todos los haberes de su casa por el amor, despreciando los despreciará.*

Es muy digno de considerar el misterio grande de este lugar; que hasta aquí ha mostrado el Esposo a la Esposa el amor que le tiene, mas no del todo abiertamente, que unas veces la regalaba antes de agora, y otras la loaba, y algunas se le mostraba esquivo y airado, porque ella fuese poco a poco conociendo la falta que sin él tenía; agora, después que ya ella ha venido a amarle perfectamente del todo y que él siente ser así, muéstrale y dale a entender por claras palabras, sin fingimiento ni rodeo, lo mucho que le ama, como si entre sí dijera: «Agora es tiempo de avisar a esta mi Esposa de mi amor, y amonestarla, no pierda ni disminuya el amor que me tiene.» Y dícele estas palabras, las cuales pronuncia con grande y vehemente afecto en esta sentencia: «¡Oh Esposa mía carísima!, ten cuenta con cuánto te amo y cuánto he penado por tus amores, y nunca me dejes de tu corazón, nunca ceses de amarme, de manera que tu corazón tenga esculpida e impresa en sí mi imagen y no la de otro ninguno. Haz que en él esté yo tan firme como está la figura en el sello, que está siempre en él sin mudarse y todo cuanto se imprime con él sale de una misma imagen; así quiero yo que en tu corazón no haya otra imagen más de la mía, ni que tus pensamientos impriman en él más de a mí, y primero le hagan pedazos que le puedan hacer mudar el retrato que en sí tiene mío. Y no sólo deseo que me traigas en tu corazón y pensamientos, mas también de fuera quiero que no mires, ni oigas otra cosa sino a mí, tu Esposo, y que todo te parezca que soy yo y que allí estoy yo; y esto hacerlo has trayéndome delante de tus ojos siempre, como los que usan a sellar sus secretos y sus escrituras, porque nadie las hurte o falsee el sello, lo traen siempre consigo en alguna sortija en la mano, de manera que siempre ven su sello, porque la parte nuestra, que más presto y más a menudo vemos, son las manos. Y sabe, Esposa, que tengo razón de pedirte esto, por lo que he hecho por ti, y por causa del amor tuyo que está en mi pecho, el cual es tan fuerte y me ha forzado tanto sin poderle resistir, que la muerte (contra quien no vale defensa humana) no es más fuerte que el amor que yo te tengo. Así hecho ha este amor de mi todo lo que ha querido, como la muerte hace su voluntad con los hombres, sin ser ellos parte para poderse defender de ella. Deseo también, Esposa, que me ames solo, sin amar a otro; así porque mi amor lo merece, como por el tormento que reciben con los celos los que aman como yo; que te certifico que no les es menos grave y penosa la imaginación celosa que la vista de la sepultura, y más fácilmente sufrirán que les digan: "En este sepulcro que aquí está abierto te han de enterrar agora luego", que si les dijesen: "La que tú amas tiene otro amado." Por esto ten cuenta de amarme solo, así como yo lo merezco por el encendido amor que te tengo.»

Y tornando el Esposo a contar su amor debajo de esta figura de fuego y encendimiento, dice: *Las brasas* de este fuego amoroso, que arde en mi corazón, *son brasas de llamas de Dios;* quiere decir, son llamas de vivísima y fuerte llama. Mayor y más ardiente fuego es éste que el que acá se usa, porque el fuego de acá, con echarle un poco de agua se mata, mas el fuego del amor vence a todas las aguas; echándole agua, arde más y se embravece, aunque se derramasen sobre él los ríos enteros. Así que tan fuerte es el amor, que no basta todo el poder de la tierra para lo poder vencer por fuerza. Ni tampoco se deja vencer por dádivas y sobornos, porque no se abate a nada de eso el amor, por su gran majestad; antes, dice, afirmo que, si el hombre se quisiese rescatar del amor, cuando él captiva a uno y le diese por su rescate, todas cuantas riquezas y haberes en su casa tiene, aunque fuese muy rico, no se curaría el amor de ellas, y despreciaría al que se las ofrecía y le haría servir por fuerza. De manera que el amor es un señor muy fuerte e implacable, cuando ha tomado posesión en el corazón de alguno. Pues, siendo tal mi amor contigo, justo es que tú me respondas amándome con igual firmeza.

Este es el sentido. Declaremos agora algunas particularidades de la letra. *Como sello en tu brazo:* quiere decir, en tu mano y dedo, donde está tu anillo, y significa la parte por el todo. Por el vocablo *infierno* entendemos *sepulcro*. Así se entiende aquello de Jacob: *Descenderé al infierno*. Esta desgracia de la muerte de mi hijo Joseph me ha de acabar y llevar a la sepultura.

Donde dice *llama de Dios*, declaramos *recia* y *fuerte llama*, porque la Sagrada Escritura junta el nombre de Dios con las otras cosas que quiere encarecer y exagerar, como *montes de Dios, cedros de Dios*, quiere decir *altísimos montes, crecidísimos cedros;* y así dice David al Señor: *Tu justicia como los montes de Dios*. De semejante modo de decir usan los españoles y otras naciones; que, en engrandecer y sublimar una cosa, usamos de este vocablo, *divino*, diciendo: *Es un hombre divino, tiene una divina elocuencia*.

8. *Hermana es a nos pequeña, y pechos no tiene; ¿qué haremos a nuestra hermana cuando se hablare de ella?*

9. *Si hay pared, edificarle hemos un palacio de plata; si puerta, fortalecerémosla para ella con tabla de cedro.*

Después que las mujeres están casadas y por su parte contentas con sus esposos, suéleles acudir un nuevo cuidado de remediar y poner en cobro las hermanas menores que en casa de sus padres quedan, y comienzan desde entonces a mirar por ellas y por su honra, y los esposos las ayudan, tomando por suyo el negocio de las cuñadas. Ese mismo cuidado le mueve a esta contentísima Esposa, y cuenta a su Esposo cómo ellos tienen una hermana pequeña, que aun no le han nacido los pechos, y que es hermosa, y que, por ser así, no le faltarán nuevos enamorados; y siendo como es moza, sencilla y simple, no tendrá valor para recatarse y mirar por sí; por tanto que es bien mirar cómo la guardarán, o qué harán de ella, hasta que venga el tiempo de casarla; que eso es decir *el día que se hablare de ella*. A esto responden ellos mismos, diciendo que será bien tenerla encerrada en un lugar que sea muy fuerte, y que si ha de de ser edificio de paredes para ello, que sea tan fuerte, tan macizo y liso por defuera como si fuera de plata, que no le puedan quebrantar minándolo, ni subir por él trepándolo. Y las puertas, dicen, del tal edificio, guarnezcámoslas de muy fuertes y muy durables tablas de cedro, para que de esta manera esté bien guardada nuestra hermana. Estas palabras parece ser dichas burlando, como si dijeran: Si por vía de guarda ha de ser, hagámosle un palacio fortísimo, que no baste nadie a entrar donde ella está. Mas, en fin, dice, todo esto no es menester, y la causa es por lo que añade:

10. *Yo soy muro, y mis pechos torres; entonces fuí en sus ojos como aquella que halla paz.*

Que es decir, si yo no estuviera casada con tal Esposo como tengo, tuviéramos necesidad de tratar de estos negocios para la guarda de mi hermana; mas agora, estando yo tan amparada con la sombra de mi Esposo, y tan honrada con su nobleza y tan acatada por su causa, yo sola basto a hacer segura a mi hermana; no hay para qué tenerla encerrada de esta manera; sino traerla yo junta conmigo y abrazada a mis pechos, que no habrá quien la ose a ofender; porque no hay muro tan recio como yo, ni torres tan fuertes como mis pechos y la sombra de mi seno; y esta fortaleza tengo yo desde el tiempo que comencé a agradar a mi Esposo y le parecí bien a sus ojos, y él comenzó a comunicarme su amor.

Esto he dicho siguiendo el parecer de algunos; mas a mi juicio todo este lugar se puede entender de otra manera más llana y mejor, diciendo que la Esposa, movida del natural cuidado de su hermana (conforme a lo que dijimos acontece comúnmente a una doncella cuando se ve casada y remediada, desear luego el remedio de sus hermanas las demás), así que, movida de esto, pregunta al Esposo la manera que tendrán, no en guardar la pequeña hermana, sino en aderezarla y ataviarla el día de la boda, al tiempo que la casaren, de manera que parezca bien; que, como dice, o por la edad o por su propia composición, no tenía pechos y era menudilla y no de buena disposición. A esto se responde que el remedio será vencer la naturaleza con el arte, y encubrir el defecto natural con la gentileza y precio de los vestidos y arreos; como quien hermosea un muro, pintándole las almenas de plata, y guarnece una puerta con tablas y con entalladuras de cedro por el mismo fin. Y diciendo y oyendo esto la Esposa, viénele a la memoria acordarse de sí y de su gentileza, y de la poca necesidad que tuvo y tiene de semejantes artificios para agradar y enamorar a su Esposo; y alegrándose consigo misma y como saboreándose de ello, dice: *Yo soy muro, y mis pechos como torres.* Como si dijese: «¡Ay!, Dios loado, yo no me vi en esa necesidad de buscar aderezos ni afeites postizos, para caer en gracia de mi Amado; que yo sin ayuda ajena me fuí el muro y las almenas y las torres de plata, y todo lo demás que decís.» Por lo cual, como he dicho, se significa la compostura advenediza, y toda la hermosura añadida por arte.

Prosigue:

11.   *Una viña fue a Salomón en Baal-Hamon; entregó la viña a las guardas, y que cada cual traía por el fruto mil monedas de plata.*

12.   *La viña mía, que es mía, delante de mí; mil para ti, Salomón, y doscientos para los que guardan su fruto.*

Después que las mujeres se casan con buenos y honrados maridos, para la sustentación de su familia necesario es que entiendan en allegar y guardar la hacienda; y cuando más honrada es la mujer y más ama a su marido, más cuenta tiene con esto, como parece en las postreras lecciones de los Proverbios. Y así, luego que esta Esposa se casó a su contento, comienza a tomar cuidado de su hacienda y esperar de haber gran provecho. Porque ella tiene una muy buena viña, como arriba le oímos decir; y como agora está favorecida de su Esposo, ella tendrá gran cuidado de la guardar hasta que se coja el fruto, y no habrá quien la ose apartar de guardar su viña, como antes hacían sus hermanos. Y así guardándola ella, como persona a quien le duele, estará más entero el fruto de la viña y rentará más. Y para decir esto, usa de un argumento entre sí de esta manera: Salomón, rey de Jerusalén, tiene una viña en aquel lugar, que llaman *Baal-Hamon*, que quiere decir *señorío de muchos*, como si dijésemos en el pago de muchas viñas, y esta viña arriéndala Salomón a unos hombres para que la labren y guarden, y le traigan mil monedas de plata del valor cierto de aquel tiempo por el fruto de ella, y que ellos se ganen lo demás; y de aquí concluye la Esposa que por fuerza su viña ha de valer más que no la de Salomón, porque la guarda ella, que es propia señora, y por la misma causa estará mejor labrada que no la otra. Y dice: «Pues si la tuya, Salomón, te renta mil a ti, y los que la arriendan y guardan ganan por lo menos la quinta parte, que son doscientos, ¿qué me rentará a mí la mía, de quien yo tendré tanto cuidado?"

Dicho esto, habla el Esposo y dice:

13. *Estando tú en los huertos, y los compañeros escuchando, haz que yo oiga tu voz.*

La viña de la Esposa no estaba muy lejos de los huertos, como podemos colegir de lo que ella en el capítulo de antes decía, convidando a su Amado al campo: *Levantarémonos de mañana, veremos las viñas y los huertos, etc.* De manera que, estando ella en los huertos, podía ver y guardar su viña. Y como el Esposo es pastor, convénale andar en el campo entre día con su ganado; y así se ocupaban el uno en el pasto, y el otro en la guarda de las viñas, y en aderezar también alguna cosa del huerto, que esto competía a la Esposa; mas como se amaban tanto, no quisieran estar apartados el uno del otro. Demás de esto suele acaecer que, cuando dos están en grande conformidad de estrecho amor, nunca faltan envidiosos que les pese de ello, o porque ellos no tienen semejantes amores, o porque naturalmente son envidiosos del bien ajeno, y cualquier cosa y señal que ven pasar entre los buenos amantes les es enojosa y grave. Y de esto reciben gran gusto los que mucho se aman, porque no solamente con estas muestras hacen pesar a los émulos, mas acreciéntase su amor también; que parece que el atizar del contrario les enciende más el amoroso fuego de sus corazones. Esto es lo que pasa en la letra presente, que el Esposo dice a su Amada: «Cuando tú estuvieres en los huertos, guardando tus viñas, y yo anduviere por el campo, apacentando el ganado, canta alguna canción que pertenezca a nuestro amor, de manera que yo la oiga y me goce mucho por ser tu voz, que tanto yo amo; y los pastores que están escuchando revienten de envidia.»

La canción que la Esposa dice para estos propósitos de mostrar el amor suyo y de su Esposo y hacer rabiar a los envidiosos, es la que está luego en la letra que dice:

14. *Corre, Amado mío, que parezcas a la cabra montesa, y al ciervecito sobre los montes de los olores.*

Como si dijese: «Esposo mío amado, gran deseo tengo de verte; no estés mucho sin venir a visitar a tu Esposa; acude de cuando en cuando a verla, y cuando vinieres, no te estés en el camino, sino muestra el amor que me tienes, no solamente en visitarme a menudo, sino en venir más ligero que la cabra montesa, y que el ciervecico que anda en los montes espesos, donde hay cedros y terebintos y otras plantas olorosas; porque bien sabes tú correr con gran ligereza. No tardes; corre, amor mío verdadero, pues no puedo valerme sin ti. Con gran presteza acude a verme.»

Y podráse trovar esta canción en pocos versos, que digan así:

> Amado, pasearás los frescos montes
> más presto que el cabrito
> de la cabra montés y que el gamito.

La virtud siempre fué y es envidiada de muchos, y para algunas gentes no hay dolor que más les llegue al alma que ver a otros que tratan de amar y ser amados de Dios; y si pudiesen muy a costa suya deshacer esta liga, y desterrar la piedad del mundo y poner perpetuos bandos entre el verdadero Esposo y los hombres, y sacarle de entre los brazos a su Iglesia, lo harían; y así lo intentan y procuran cuanto es en sí. Contra éstos les pide Dios la voz de su cantar y confesión, en que publiquen lo mucho que le quieren; que es un amargo y mortal tósigo para el gusto de sus enemigos envidiosos y contrarios, cuales son los profetas falsos y los sembradores de cizañas, el demonio y sus valedores.

A esto obedece la Esposa, y el cantar que usa para el gozo del Esposo y rabia de sus enemigos es pedirle que se apresure y venga; que es una voz secreta que, aguzada por el movimiento oculto del Espíritu Santo, suena de continuo en los pechos y corazones de los ánimos justos y amadores de Cristo. Como lo certifica San Juan, diciendo: *El Espíritu y la Esposa dicen: ven Señor.* Y poco después dice él mismo en persona suya, como uno de los más justos: *ven presto, Señor.* Y repite luego: *ven ya presto, Señor Jesús;* la cual voz y repetición es una muestra de amor muy agradable y muy preciada de Dios. Porque pedirle que se apresure y venga, es pedirle lo que se demanda en la oración, que él nos enseñó, *que se santifique su nombre;* que lo allane todo debajo de su poder y de sus leyes; que reine entera y perfectamente en nosotros; y que vuelva por sí y por su honra, y ponga fin a los desacatos de los rebeldes contra la majestad de su nombre; que dé su asiento a la virtud y, usando de riguroso castigo, ponga en la mala reputación que merecen a los vicios y a los viciosos.

Que todas ellas son cosas que, como dicen, le pertenecen y atañen de hacerlas al tiempo que El se sabe y tiene señalado, que es el día del juicio universal, que con particular razón suele en la Sagrada Escritura llamarse *día suyo,* porque es el propio día de su honra y gloria. Por donde el pedirle que se acelere presto y que venga, a El le es tan agradable, y por el contrario es aborrecible a sus enemigos; porque en descubrir ya Cristo su luz y resplandecer enteramente por el juicio en el mundo, está el remate de todo su mando usurpado y tiranizado, y el principio de su abatimiento y mal perpetuo.

Pues este aceleramiento de la gloria de Dios pide la Esposa aquí, como perfecta ya en el amor suyo; y el que cada cual de nosotros, si somos miembros de Cristo y si nos cabe parte de su divino Espíritu, debemos continuamente pedirle; que le plega, aunque sea a costa y riesgo nuestro, aunque sea a costa de asolar las provincias y trocar los reinos y poner a sangre y a fuego todo lo poblado y de trastornar el mundo, rompiendo sus antiguas y firmes leyes, que le plega, allanando por el suelo los montes y cerros, venir volando a deshacer las afrentas y baldones que cada día recibe su santo nombre y honra, y a volver por su honor, a quien propia y solamente se debe toda gloria por los siglos de los siglos. Amén.

Fin de la *Exposición del Cantar de los Cantares.*

POESIAS ORIGINALES

DEDICATORIA

A D. Pedro Portocarrero.
Fr. Luis de León.

Entre las ocupaciones de mis estudios en mi mocedad, y casi en mi niñez, se me cayeron como de entre las manos estas obrecillas, a las cuales me apliqué más por inclinación de mi estrella que por juicio o voluntad. No porque la poesía, mayormente si se emplea en argumentos debidos, no sea digna de cualquier persona y de cualquier nombre —de lo cual es argumento que convence haber usado Dios de ella en muchas partes de sus Sagrados Libros, como es notorio—, sino porque conocía los juicios errados de nuestras gentes, y su poca inclinación a todo lo que tiene alguna luz de ingenio o de valor; y entendía las artes y maña de la ambición y del estudio del interés proprio, y de la presunción ignorante, que son plantas que nacen siempre y crecen juntas, y se enseñorean agora de nuestros tiempos.

Y ansí tenía por vanidad excusada, a costa de mi trabajo, ponerme por blanco a los golpes de mil juicios desvariados, y dar materia de hablar a los que no viven de otra cosa. Y señaladamente siendo yo de mi natural tan aficionado al vivir encubierto que después de tantos años como ha que vine a este Reino, son tan pocos los que me conocen en él, que, como vuestra merced sabe, se pueden contar por los dedos. Por esta causa nunca hice caso de esto que compuse, ni gasté en ello más tiempo del que tomaba para olvidarme de otros trabajos, ni puse en ello más estudio del que merecía lo que nacía para nunca salir a luz; de lo cual ello mismo, y las faltas que en ello hay, dan suficiente testimonio.

Pero como suele acontecer a algunos mozos que, maltratados de los padres o ayos, se meten frailes, ansí estas mis mocedades, teniéndose como por desechadas de mí, se pusieron, según parece, en religión, y tomaron nombre y hábito muy más honrado del que ellas merecían, y han andado debajo de él muchos días en los ojos y en las manos de muchas gentes, haciendo agravio a una persona religiosa y bien conocida de vuestra merced, a quien se allegaron, con la cual yo en los años pasados tuve estrecha amistad, y no la nombro aquí por no gravialla más. La ocasión de este error vuestra merced la sabe; y porque es para pocos, y decilla aquí sería comunicalla con

171

muchos, no la digo. Basta saber que la persona que he dicho, por condescender con mi gusto, que era vivir desconocido, disimuló, hasta que, fatigado ya con otras cosas que la malicia y envidia de algunos hombres pusieron a sus cuestas —de las cuales Dios le descargó como ha parecido—, trató conmigo que, si no me era pesado, le librase yo también de esta carga.

Si el reconocer mis obras y el publicarme por ellas fuera poner en condición la vida, en un ruego y demanda tan justa lo hiciera; y no aventurando en ello cosa que importe más que es vencer un gusto mío particular, si lo rehusara o me tuviera por hombre. Y ansí lo hice o, por mejor decir, lo hago agora. Y recogiendo a este mi hijo perdido, y apartándole de mil malas compañías que se le habían juntado, y enmendándole de otros tantos malos siniestros que había cobrado con el andar vagueando, le vuelvo a mi casa y recibo por mío. Y porque no se queje de que le he sacado de la Iglesia adonde él se tenía por seguro, envíole a vuestra merced para que le ampare, como cosa suya, pues yo lo soy; que con tal trueque bien sé que perderá la queja y se tendrá por dichoso.

Son tres partes las de este libro. En la una van las cosas que yo compuse mías. En las dos postreras, las que traduje de otras lenguas, de autores ansí profanos como sagrados. Lo profano va en la segunda parte, y lo sagrado, que son algunos salmos y capítulos de Job, van en la tercera.

De lo que yo compuse juzgará cada uno a su voluntad; de lo que es traducido, el que quisiere ser juez, pruebe primero qué cosa es traducir poesías elegantes de una lengua extraña a la suya, sin añadir ni quitar sentencia y guardar cuanto es posible las figuras de su original y su donaire, y hacer que hablen en castellano y no como extranjeras y advenedizas, sino como nacidas en él y naturales. Lo cual no digo que he hecho yo, ni soy tan arrogante, mas helo pretendido hacer, y ansí lo confieso. Y el que dijere que no lo he alcanzado, haga prueba de sí, y entonces podrá ser que estime más mi trabajo; al cual yo me incliné sólo por mostrar que nuestra lengua recibe bien todo lo que se le encomienda, y que no es dura ni pobre, como algunos dicen, sino de cera y abundante para los que la saben tratar.

Mas esto caiga como cayere, que yo no curo mucho de ello; sólo deseo agradar a vuestra merced, a quien siempre pretendo servir; y el que no me conociere por mi nombre, conózcame por esto, que es solamente de lo que me precio, y lo que, si en mí hay cosa buena, tiene algún valor.

I

VIDA RETIRADA

A don Pedro Portocarrero

¡Qué descansada vida
la del que huye el mundanal rüido,
y sigue la escondida
senda, por donde han ido
5   los pocos sabios que en el mundo han sido!
    Que no le enturbia el pecho
de los soberbios grandes el estado,
ni del dorado techo
se admira, fabricado
10   del sabio Moro, en jaspes sustentado.
    No cura si la fama
canta con voz su nombre pregonera,
ni cura si encarama
la lengua lisonjera
15   lo que condena la verdad sincera.
    ¿Qué presta a mi contento
si soy del vano dedo señalado?
¿Si en busca deste viento
ando desalentado
20   con ansias vivas, con mortal cuidado?
    ¡Oh monte! ¡Oh fuente! ¡Oh río!
¡Oh secreto seguro, deleitoso!
Roto casi el navío,
a vuestro almo reposo
25   huyo de aqueste mar tempestuoso.
    Un no rompido sueño,
un día puro, alegre, libre quiero;
no quiero ver el ceño
vanamente severo
30   de a quien la sangre ensalza o el dinero.
    Despiértenme las aves
con su cantar sabroso, no aprendido;
no los cuidados graves
de que es siempre seguido
35   el que al ajeno arbitrio está atenido.

173

Vivir quiero conmigo,
gozar quiero del bien que debo al cielo,
a solas, sin testigo,
libre de amor, de celo,
40 de odio, de esperanzas, de recelo.
   Del monte en la ladera
por mi mano plantado tengo un huerto,
que con la primavera,
de bella flor cubierto,
45 ya muestra en esperanza el fruto cierto.
   Y como codiciosa
por ver y acrecentar su hermosura,
desde la cumbre airosa
una fontana pura
50 hasta llegar corriendo se apresura.
   Y luego sosegada,
el paso entre los árboles torciendo,
el suelo de pasada,
de verdura vistiendo,
55 y con diversas flores va esparciendo.
   El aire el huerto orea,
y ofrece mil olores al sentido,
los árboles menea
con un manso rüido,
60 que del oro y del cetro pone olvido.
   Ténganse su tesoro
los que de un flaco leño se confían;
no es mío ver el lloro
de los que desconfían,
65 cuando el cierzo y el ábrego porfían.
   La combatida antena
cruje, y en ciega noche el claro día
se torna; al cielo suena
confusa vocería,
70 y la mar enriquecen a porfía.
   A mí una pobrecilla
mesa, de amable paz bien abastada,
me baste; y la vajilla,
de fino oro labrada,
75 sea de quien la mar no teme airada.
   Y mientras miserable-
mente se están los otros abrasando
con sed insacïable
del no durable mando,
80 tendido yo a la sombra esté cantando.
   A la sombra tendido,
de yedra y lauro eterno coronado,
puesto el atento oído
al son dulce, acordado,
85 del plectro sabiamente meneado.

II

A DON PEDRO PORTOCARRERO

    Virtud, hija del cielo,
la más ilustre empresa de la vida,
en el escuro suelo
luz tarde conocida,
5   senda que guía al bien, poco seguida.
    Tú, dende la hoguera,
al cielo levantaste al fuerte Alcides;
tú en la más alta esfera
con las estrellas mides
10   al Cid, clara victoria de mil lides.
    Por ti el paso desvía
de la profunda noche, y resplandece
muy más que el claro día
de Leda el parto, y crece
15   el Córdoba a las nubes, y florece.
    Y por tu senda agora
traspasa luengo espacio con ligero
pie y ala voladora
el gran Portocarrero,
20   osado de ocupar el bien primero.
    Del vulgo se descuesta,
hollando sobre el oro, firme aspira
a lo alto de la cuesta;
ni violencia de ira,
25   ni dulce y blando engaño le retira.
    Ni mueve más ligera,
ni más igual divide por derecha
el aire, y fiel carrera,
o la traciana flecha,
30   o la bola tudesca un fuego hecha.
    En pueblo inculto y duro
induce poderoso igual costumbre,
y do se muestra escuro
el cielo, enciende lumbre,
35   valiente a ilustrar más alta cumbre.
    Dichosos los que baña
el Miño, los que el mar monstruoso cierra
dende la fiel montaña
hasta el fin de la tierra,
40   los que desprecia de Eume la alta sierra.

III

A DON PEDRO PORTOCARRERO

Ausente

La cana y alta cumbre
de Ilíberi, clarísimo Carrero,
contiene en sí tu lumbre
ya casi un siglo entero,
5   y mucho en demasía
detiene nuestro gozo y alegría.

Los gozos que el deseo
figura ya en tu vuelta y determina,
a do vendrá el Lieo,
10   y de la Cabalina
fuente la moradora,
y Apolo con la cítara cantora.

Bien eres generoso
pimpollo de ilustrísimos mayores;
15   mas esto, aunque glorioso,
son títulos menores,
que tú, por ti venciendo,
a par de las estrellas vas luciendo.

Y juntas en tu pecho
20   una suma de bienes peregrinos,
por donde con derecho
nos colmas de divinos
gozos con tu presencia,
y de cuidados tristes con tu ausencia.

25   Porque te ha salteado
en medio de la paz la cruda guerra,
que agora el Marte airado
despierta en la alta sierra,
lanzando rabia y sañas
30   en las infieles bárbaras entrañas.

Do mete a sangre y fuego
mil pueblos el Morisco descreído,
a quien ya perdón ciego
hubimos concedido;
35   a quien en santo baño
teñimos para nuestro mayor daño;

Para que el nombre amigo
—¡ay, piedad cruel!— desconociese
el ánimo enemigo,
40   y ansí más ofendiese;
mas tal es la fortuna,
que no sabe durar en cosa alguna.

Ansí la luz que agora
serena relucía, con nublados
45   veréis negra a deshora,
y los vientos alados

amontonando luego
nubes, lluvias, horrores, trueno y fuego.
  Mas tú ahí solamente
50 temes al claro Alfonso, que, inducido
de la virtud ardiente
del pecho no vencido,
por lo más peligroso
se lanza discurriendo vitorioso.
55 Como en la ardiente arena
el líbico león las cabras sigue,
las haces desordena,
y rompe y las persigue
armado relumbrando,
60 la vida por la gloria aventurando.
  Testigo es la fragosa
Poqueira, cuando él solo, y traspasado
con flecha ponzoñosa,
sostuvo denodado,
65 y convirtió en huída
mil banderas de gente descreída.
  Mas, sobre todo, cuando
los dientes de la muerte agudos fiera,
apenas declinando,
70 alzó nueva bandera,
mostró bien claramente
de valor no vencible lo excelente.
  El, pues, relumbre claro
sobre sus claros padres; mas tú en tanto,
75 dechado de bien raro,
abraza el ocio santo;
que mucho son mejores
los frutos de la paz, y muy mayores.

IV

A DON PEDRO PORTOCARRERO

  No siempre es poderosa,
Carrero, la maldad, ni siempre atina
la envidia ponzoñosa,
y la fuerza sin ley que más se empina,
5 al fin la frente inclina;
que quien se opone al cielo,
čuando más alto sube viene al suelo.
  Testigo es manifiesto
el parto de la Tierra, mal osado,
10 que cuando tuvo puesto
un monte encima de otro y levantado,
al hondo derrocado,
sin esperanza gime
debajo su edificio, que le oprime.

15   Si ya la niebla fría
     al rayo que amanece odiosa ofende,
     y contra el claro día
     las alas escurísimas extiende,
     no alcanza lo que emprende,
20   al fin, y desparece,
     y el sol puro en el cielo resplandece.
        No pudo ser vencida,
     ni lo será jamás, ni la llaneza,
     ni la inocente vida,
25   ni la fe sin error, ni la pureza,
     por más que la fiereza
     del tigre ciña un lado,
     y el otro el basilisco emponzoñado.
        Por más que se conjuren
30   el odio y el poder y el falso engaño,
     y ciegos de ira apuren
     lo proprio y lo diverso, ajeno, extraño,
     jamás le harán daño;
     antes, cual fino oro,
35   recobra del crisol nuevo tesoro.
        El ánimo constante,
     armado de verdad, mil aceradas,
     mil puntas de diamante
     embota y enflaquece, y desplegadas
40   las fuerzas encerradas,
     sobre el opuesto bando
     con poderoso pie se ensalza hollando.
        Y con cien voces suena
     la Fama, que a la sierpe, al tigre fiero,
45   vencidos, los condena
     a daño no jamás perecedero;
     y, con vuelo ligero,
     veniendo la Victoria,
     corona al vencedor de gozo y gloria.

V

A FRANCISCO SALINAS

        El aire se serena
     y viste de hermosura y luz no usada,
     Salinas, cuando suena
     la música extremada
5   por vuestra sabia mano gobernada.
        A cuyo son divino
     el alma, que en olvido está sumida,
     torna a cobrar el tino
     y memoria perdida
10   de su origen primera esclarecida.

Y como se conoce,
en suerte y pensamiento se mejora;
el oro deconoce
que el vulgo vil adora,
15 la belleza caduca, engañadora.
Traspasa el aire todo
hasta llegar a la más alta esfera,
y oye allí otro modo
de no perecedera
20 música, que es la fuente y la primera.
Y como está compuesta
de números concordes, luego envía
consonante respuesta,
y entre ambas a porfía
25 se mezcla una dulcísima armonía.
Aquí el alma navega
por un mar de dulzura, y finalmente,
en él ansí se anega,
que ningún accidente
30 extraño y peregrino oye y siente.
¡Oh desmayo dichoso!
¡Oh muerte que das vida! ¡Oh dulce olvido!
¡Durase en tu reposo,
sin ser restituído
35 jamás a aqueste bajo y vil sentido!
A este bien os llamo,
gloria del apolíneo sacro coro,
amigos, a quien amo
sobre todo tesoro,
40 que todo lo visible es triste lloro.
¡Oh!, suene de contino,
Salinas, vuestro son en mis oídos,
por quien al bien divino
despiertan los sentidos,
45 quedando a lo demás adormecidos.

VI

CANCION AL NACIMIENTO DE LA HIJA DEL MARQUES DE ALCAÑICES

Inspira nuevo canto,
Calíope, en mi pecho aqueste día;
que de los Borjas canto
y Enríquez la alegría,
5 y el rico don que el cielo les envía.
Hermoso sol luciente,
que el día traes y llevas, rodeado
de luz resplandeciente
más de lo acostumbrado,
10 sal, y verás nacido tu traslado.

O si te place agora
en la región contraria hacer manida,
detente allá en buena hora;
que con la luz nacida
15 podrá ser nuestra esfera esclarecida.
Alma divina, en velo
de femeniles miembros encerrada,
cuando veniste al suelo
robaste de pasada
20 la celestial riquísima morada.
Diéronte bien sin cuento,
con voluntad concorde y amorosa,
quien rige el movimiento
sexto, con la alta diosa
25 de la tercera rueda poderosa.
De tu belleza rara
el envidioso viejo mal pagado
torció el paso y la cara;
y el fiero Marte airado
30 el camino dejó desocupado.
Y el rojo y crespo Apolo,
que tus pasos guiando descendía
contigo al bajo polo,
la cítara hería,
35 y con divino canto ansí decía:
«Desciende en punto bueno,
espíritu real, al cuerpo hermoso;
que en el ilustre seno
te espera deseoso
40 por dar a tu valor digno reposo.
»El te dará la gloria,
que en el terreno cerco es más tenida,
de agüelos larga historia,
por quien la no hundida
45 nave, por quien la España fue regida.
»Tú dale en cambio desto
de los eternos bienes la nobleza,
deseo alto, honesto,
generosa grandeza,
50 claro saber, fe llena de pureza.
»En su rostro se vean
de tu beldad sin par vivas señales;
los sus dos ojos sean
dos luces inmortales,
55 que guíen al bien sumo a los mortales.
»El cuerpo delicado,
como cristal lucido y transparente,
tu gracia y bien sagrado,
tu luz, tu continente
60 a sus dichosos siglos represente.
»La soberana agüela,
dechado de virtud y de hermosura,

la tía, de quien vuela
la fama, en quien la dura
65 muerte mostró lo poco que el bien dura,
    »Con todas cuantas precio
de gracia y de belleza hayan tenido,
serán por ti en desprecio
y puestas en olvido,
70 cual hace la verdad con lo fingido.
    »¡Ay tristes! ¡Ay dichosos
los ojos que te vieren! Huyan luego,
si fueren poderosos,
antes que prenda el fuego
75 contra quien no valdrá ni oro ni ruego.
    »Ilustre y tierna planta,
gozo del claro tronco generoso,
creciendo te levanta
a estado el más dichoso,
80 de cuantos dio ya el cielo venturoso.»

VII

A FELIPE RUIZ

De la Avaricia

En vano el mar fatiga
la vela portuguesa; que ni el seno
de Persia ni la amiga
Maluca da árbol bueno,
5 que pueda hacer un ánimo sereno.
    No da reposo al pecho,
Felipe, ni la India, ni la rara
esmeralda provecho;
que más tuerce la cara
10 cuanto posee más el alma avara.
    Al capitán romano
la vida, y no la sed, quitó el bebido
tesoro persïano;
y Tántalo, metido
15 en medio de las aguas, afligido
    De sed está; y más dura
la suerte es del mezquino, que, sin tasa,
se cansa ansí, y endura
el oro, y la mar pasa
20 osado, y no osa abrir la mano escasa.
    ¿Qué vale el no tocado
tesoro, si corrompe el dulce sueño,
si estrecha el ñudo dado,
si más enturbia el ceño,
25 y deja en la riqueza pobre al dueño?

VIII

A FELIPE RUIZ

¿Cuándo será que pueda,
libre de esta prisión, volar al cielo,
Felipe, y en la rueda
que huye más del suelo,
5   contemplar la verdad pura sin duelo?
Allí a mi vida junto
en luz resplandeciente convertido,
veré distinto y junto
lo que es y lo que ha sido,
10   y su principio proprio y ascondido.
Entonces veré cómo
la soberana mano echó el cimiento
tan a nivel y plomo,
do estable y firme asiento
15   posee el pesadísimo elemento.
Veré las inmortales
colunas do la tierra está fundada,
las lindes y señales
con que a la mar hinchada
20   la Providencia tiene aprisionada;
Por qué tiembla la tierra,
por qué las hondas mares se embravecen;
dó sale a mover guerra
el Cierzo, y por qué crecen
25   las aguas del Océano y descrecen;
De dó manan las fuentes;
quién ceba y quién bastece de los ríos
las perpetuas corrientes;
de los helados fríos
30   veré las causas, y de los estíos;
Las soberanas aguas
del aire en la región quién las sostiene;
de los rayos las fraguas;
dó los tesoros tiene
35   de nieve Dios, y el trueno de dó viene.
¿No ves, cuando acontece
turbarse el aire todo en el verano?
El día se ennegrece,
sopla el Gallego insano,
40   y sube hasta el cielo el polvo vano.
Y entre las nubes mueve
su carro Dios, ligero y reluciente;
horrible son conmueve,
relumbra fuego ardiente,
45   treme la tierra, humíllase la gente.
La lluvia baña el techo,
invían largos ríos los collados;

su trabajo deshecho,
los campos anegados
50 miran los labradores espantados.
   Y de allí levantado
veré los movimientos celestiales,
ansí el arrebatado
como los naturales,
55 las causas de los hados, las señales.
   Quién rige las estrellas
veré, y quién las enciende con hermosas
y eficaces centellas;
por qué están las dos Osas,
60 de bañarse en el mar siempre medrosas.
   Veré este fuego eterno,
fuente de vida y luz, dó se mantiene;
y por qué en el hivierno
tan presuroso viene,
65 quién en las noches largas le detiene.
   Veré sin movimiento
en la más alta esfera las moradas
del gozo y del contento,
de oro y luz labradas,
70 de espíritus dichosos habitadas.

IX

A FELIPE RUIZ

Del moderado y constante

   ¿Qué vale cuanto vee
do nace y do se pone el sol luciente,
lo que el Indio posee,
lo que da el claro Oriente
5 con todo lo que afana la vil gente?
   El uno, mientras cura
dejar rico descanso a su heredero,
vive en pobreza dura,
y perdona al dinero,
10 y contra sí se muestra crudo y fiero.
   El otro, que sediento
anhela al señorío, sirve ciego,
y por subir su asiento,
abájase a vil ruego,
15 y de la libertad va haciendo entrego.
   Quien de dos claros ojos,
y de un cabello de oro se enamora,
compra con mil enojos
una menguada hora,
20 un gozo breve que sin fin se llora.
   Dichoso el que se mide,

Felipe, y de la vida el gozo bueno
a sí solo lo pide,
y mira como ajeno
25   aquello que no está dentro en su seno.
   Si resplandece el día,
si Eolo su reino turba, ensaña,
el rostro no varía;
y si la alta montaña
30   encima le viniere, no le daña;
   Bien como la ñudosa
carrasca, en alto risco desmochada
con hacha poderosa,
del ser despedazada
35   del hierro torna rica y esforzada.
   Querrás hundille, y crece
mayor que de primero; y si porfía
la lucha, más florece,
y firme al suelo envía
40   al que por vencedor ya se tenía.
   Exento a todo cuanto
presume la fortuna, sosegado
está y libre de espanto
ante el tirano airado,
45   de hierro, de crueza y fuego armado.
   «El fuego —dice— enciende,
aguza el hierro crudo, rompe y llega,
y, si me hallares, prende,
y da a tu hambre ciega
50   su cebo deseado, y la sosiega.
   »¿Qué estás? ¿No ves el pecho
desnudo, flaco, abierto? ¿O no te cabe
en puño tan estrecho
el corazón que sabe
55   cerrar cielos y tierra con su llave?
   »Ahonda más adentro,
desvuelve las entrañas, el insano
puñal penetra al centro;
mas es trabajo vano;
60   jamás me alcanzará tu corta mano.
   »Rompiste mi cadena
ardiendo por prenderme; al gran consuelo
subido he por tu pena;
ya suelto, encumbro el vuelo,
65   traspaso sobre el aire, huello el cielo.»

X

AL LICENCIADO JUAN DE GRIAL

Recoge ya en el seno
el campo su hermosura; el cielo aoja
con luz triste el ameno
verdor, y hoja a hoja
5   las cimas de los árboles despoja.
    Ya Febo inclina el paso
al resplandor egeo; ya del día
las horas corta escaso;
ya Eolo, al mediodía
10   soplando, espesas nubes nos envía.
    Ya el ave vengadora
del Ibico navega los nublados,
y con voz ronca llora;
y el yugo al cuello atados
15   los bueyes van rompiendo los sembrados.
    El tiempo nos convida
a los estudios nobles, y la fama,
Grial, a la subida
del sacro monte llama,
20   do no podrá subir la postrer llama.
    Alarga el bien guïado
paso, y la cuesta vence, y solo gana
la cumbre del collado;
y do más pura mana
25   la fuente, satisfaz tu ardiente gana.
    No cures si el perdido
error admira el oro, y va sediento
en pos de un bien fingido;
que no ansí vuela el viento,
30   cuanto es fugaz y vano aquel contento.
    Escribe lo que Febo
te dicta favorable, que lo antigo
iguala y pasa el nuevo
estilo; y, caro amigo,
35   no esperes que podré atener contigo.
    Que yo, de un torbellino
traidor acometido y derrocado
del medio del camino
al hondo, el plectro amado
40   y del vuelo las alas he quebrado.

XI

PROFECIA DEL TAJO

Folgaba el rey Rodrigo
con la hermosa Cava en la ribera
del Tajo, sin testigo;
el río sacó fuera
5   el pecho, y le habló desta manera:
«En mal punto te goces,
injusto forzador; que ya el sonido
oyo ya, y las voces,
las armas, el bramido
10 de Marte, y de furor y ardor ceñido.
»¡Ay!, esa tu alegría
qué llantos acarrea, y esa hermosa,
que vió el sol en mal día,
a España, ¡ay!, cuán llorosa,
15 y al cetro de los Godos cuán costosa.
»Llamas, dolores, guerras,
muertes, asolamientos, fieros males
entre tus brazos cierras,
trabajos inmortales
20 a ti y a tus vasallos naturales;
»A los que en Constantina
rompen el fértil suelo, a los que baña
el Ebro, a la vecina
Sansueña, a Lusitaña,
25 a toda la espaciosa y triste España.
»Ya dende Cádiz llama
el injuriado conde, a la venganza
atento y no a la fama,
la bárbara pujanza,
30 en quien para tu daño no hay tardanza.
»Oye que al cielo toca
con temeroso son la trompa fiera,
que en Africa convoca
el Moro a la bandera,
35 que al aire desplegada va ligera.
»La lanza ya blandea
el árabe crüel, y hiere el viento,
llamando a la pelea;
innumerable cuento
40 de escuadras juntas veo en un momento.
»Cubre la gente el suelo,
debajo de las velas desparece
la mar, la voz al cielo
confusa y varia crece,
45 el polvo roba el día y le escurece.
»¡Ay!, que ya presurosos
suben las largas naves; ¡ay!, que tienden

los brazos vigorosos
a los remos, y encienden
50 las mares espumosas por do hienden.
»El Eolo derecho
hinche la vela en popa, y larga entrada
por el hercúleo estrecho
con la punta acerada
55 el gran padre Neptuno da a la armada.
»¡Ay, triste! ¿Y aun te tiene
el mal dulce regazo? ¿Ni llamado
al mal que sobreviene
no acorres? ¿Ocupado
60 no ves ya el puerto a Hércules sagrado?
»Acude, acorre, vuela,
traspasa el alta sierra, ocupa el llano;
no perdones la espuela,
no des paz a la mano,
65 menea fulminando el hierro insano.»
¡Ay!, ¡cuánto de fatiga!
¡Ay!, ¡cuánto de sudor está presente
al que viste loriga,
al infante valiente,
70 a hombres y a caballos juntamente!
¡Y tú, Betis divino,
de sangre ajena y tuya amancillado,
darás al mar vecino
cuánto yelmo quebrado,
75 cuánto   cuerpo de nobles destrozado!
El furibundo Marte
cinco luces las haces desordena,
igual a cada parte;
la sexta, ¡ay!, te condena,
80 ¡oh cara patria!, a bárbara cadena.

XII

NOCHE SERENA

A Diego Olarte

Cuando contemplo el cielo
de innumerables luces adornado,
y miro hacia el suelo
de noche rodeado,
5 en sueño y en olvido sepultado,
El amor y la pena
despiertan en mi pecho un ansia ardiente;
despiden larga vena
los ojos, hechos fuente,
10 Olarte, y digo al fin con voz doliente:
Morada de grandeza,

templo de claridad y hermosura,
el alma que a tu alteza
nació, ¿qué desventura
15   la tiene en esta cárcel baja, escura?
¿Qué mortal desatino
de la verdad aleja ansí el sentido,
que de tu bien divino
olvidado, perdido,
20   sigue la vana sombra, el bien fingido?
El hombre está entregado
al sueño, de su suerte no cuidando,
y con paso callado
el cielo vueltas dando,
25   las horas del vivir le va hurtando.
¡Oh!, despertad, mortales;
mirad con atención en vuestro daño.
Las almas inmortales,
hechas a bien tamaño,
30   ¿podrán vivir de sombras y de engaño?
¡Ay!, levantad los ojos
a aquesta celestial eterna esfera;
burlaréis los antojos
de aquesa lisonjera
35   vida, con cuanto teme y cuanto espera.
¿Es más que un breve punto
el bajo y torpe suelo, comparado
con este gran trasunto,
do vive mejorado
40   lo que es, lo que será, lo que ha pasado?
Quien mira el gran concierto
de aquestos resplandores eternales,
su movimiento cierto,
sus pasos desiguales,
45   y en proporción concorde tan iguales;
La luna cómo mueve
la plateada rueda, y va en pos della
la luz do el saber llueve,
y la graciosa estrella
50   de Amor le sigue reluciente y bella;
Y cómo otro camino
prosigue el sanguinoso Marte airado,
y el Júpiter benino,
de bienes mil cercado,
55   serena el cielo con su rayo amado;
Rodéase en la cumbre
Saturno, padre de los siglos de oro;
tras él la muchedumbre
del reluciente coro
60   su luz va repartiendo y su tesoro:
¿Quién es el que esto mira,
y precia la bajeza de la tierra,
y no gime y suspira

y rompe lo que encierra
65 el alma, y destos bienes la destierra?
    Aquí vive el contento,
aquí reina la paz; aquí asentado
en rico y alto asiento
está el Amor sagrado
70 de glorias y deleites rodeado.
    Inmensa hermosura
aquí se muestra toda, y resplandece
clarísima luz pura,
que jamás anochece;
75 eterna primavera aquí florece.
    ¡Oh campos verdaderos!
¡Oh prados con verdad frescos y amenos!
¡Riquísimos mineros!
¡Oh deleitosos senos!
80 ¡Repuestos valles, de mil bienes llenos!

XIII

LAS SERENAS

A Querinto

    No te engañe el dorado
vaso ni, de la puesta al bebedero
sabrosa miel cebado,
dentro al pecho ligero,
5 Querinto, no traspases el postrero
    Asensio; ten dudosa
la mano liberal, que esa azucena,
esa purpúrea rosa
que el sentido enajena,
10 tocada, pasa al alma y la envenena.
    Retira el pie, que asconde
sierpe mortal el prado, aunque florido;
los ojos roba; adonde
aplace más, metido
15 el engañoso lazo está y tendido.
    Pasó tu primavera;
ya la madura edad te pide el fruto
de gloria verdadera.
¡Ay!, pon el cieno bruto
20 los pasos en lugar firme y enjuto,
    Antes que la engañosa
Circe, del corazón apoderada,
con copa ponzoñosa
el alma transformada,
25 te junte, nueva fiera, a su manada.
    No es dado al que allí asienta,
si ya el cielo dichoso no le mira,

  huir la torpe afrenta;
  o arde, oso, en ira,
30 o, hecho jabalí, gime y suspira.
   No fíes en viveza,
  atiende al sabio rey Solimitano;
  no vale fortaleza;
  que al vencedor gazano
35 condujo a triste fin femenil mano.
   Imita al alto griego,
  que sabio no aplicó la noble antena
  al enemigo ruego
  de la blanda Serena;
40 por do por siglos mil su fama suena.
   Decía conmoviendo
  el aire en dulce son: «La vela inclina
  que del viento huyendo
  por los mares camina,
45 Ulises, de los griegos luz divina.
   »Allega y da reposo
  al inmortal cuidadoso, y entre tanto
  conocerás curioso
  mil historias que canto;
50 que todo navegante hace otro tanto.
   »Todos de su camino
  tuercen a nuestra voz y satisfecho
  con el cantar divino
  el deseoso pecho,
55 a sus tierras se van con más provecho.
   »Que todo lo sabemos
  cuanto contiene el suelo, y la reñida
  guerra te cantaremos
  de Troya y su caída,
60 por Grecia y por los dioses destruída.»
   Ansí falsa cantaba
  ardiendo en crüeldad; mas él, prudente,
  a la voz atajaba
  el camino en su gente
65 con la aplicada cera suavemente.
   Si a ti se presentare,
  los ojos sabio cierra; firme etapa
  la oreja, si llamare;
  si prendiere la capa,
70 huye; que sólo aquel que huye escapa.

XIV

CONTRA UN JUEZ AVARO

  Aunque en ricos montones
  levantes el cautivo inútil oro,
  y aunque tus posesiones
  mejores con ajeno daño y lloro,

5   Y aunque, cruel tirano,
       oprimas la verdad, y tu avaricia
       vestida en nombre vano,
       convierta en compra y venta la justicia,
       Y aunque engañes los ojos
10   del mundo a quien adoras, no por tanto
       no nacerán abrojos
       agudos en tu alma, ni el espanto
       No velará en tu lecho,
       ni huirás la cuita, la agonía
15   del último despecho,
       ni la esperanza buena, en compañía
       Del gozo, tus umbrales
       penetrará jamás, ni la Meguera
       con llamas infernales,
20   con serpentino azote la alta y fiera
       Y diestra mano armada,
       saldrá de tu aposento sola un hora;
       y ni tendrás clavada
       la rueda, aunque más puedas, voladora
25   Del tiempo hambriento y crudo,
       que viene, con la muerte conjurado,
       a dejarte desnudo
       del oro y cuanto tienes más amado;
       y quedarás sumido
30   en males no finibles y en olvido.

XV

AL APARTAMIENTO

       ¡Oh ya seguro puerto
       de mi tan luengo error! ¡Oh deseado
       para reparo cierto
       del grave mal pasado,
5   reposo dulce, alegre, descansado!
       Techo pajizo, adonde
       jamás hizo morada el enemigo
       cuidado, ni se asconde
       envidia en rostro amigo,
10   ni voz perjura ni mortal testigo.
       Sierra, que vas al cielo,
       altísima, y que gozas del sosiego
       que no conoce el suelo,
       adonde el vulgo ciego
15   ama el morir ardiendo en vivo fuego,
       Recíbeme en tu cumbre,
       recíbeme, que huyo perseguido
       la errada muchedumbre,
       el trabajar perdido,
20   la falsa paz, el mal no merecido.

Y do está más sereno
el aire me coloca, mientras curo
los daños del veneno
que bebí mal seguro;
25   mientras el mancillado pecho apuro;
        Mientras que poco a poco
borro de la memoria cuanto impreso
dejó allí el vivir loco,
por todo su proceso
30   vario entre gozo vano y caso avieso.
        En ti, casi desnudo
deste corporal velo, y de la asida
costumbre roto el ñudo,
traspasaré la vida
35   en gozo, en paz, en luz no corrompida.
        De ti, en el mar sujeto,
con lástima los ojos inclinando,
contemplaré el aprieto
del miserable bando,
40   que las saladas ondas va cortando.
        El uno, que surgía
alegre ya en el puerto, salteado
de bravo soplo, guía,
en alta mar lanzado
45   apenas el navío desarmado.
        El otro, en la encubierta
peña rompe la nave, que al momento
el hondo pide abierta;
al otro calma el viento;
50   otro en las bajas sirtes hace asiento.
        A otros roba el claro
día y el corazón el aguacero;
ofrecen al avaro
Neptuno su dinero;
55   otro nadando huye el morir fiero.
        Esfuerza, opone el pecho;
mas, ¿cómo será parte un afligido
que va, el leño deshecho,
de flaca tabla asido,
60   contra un abismo inmenso embravecido?
        ¡Ay, otra vez y ciento
otras, seguro puerto deseado!
No me falte tu asiento,
y falte cuanto amado,
65   cuanto del ciego error es cudiciado.

XVI

DE LA VIDA DEL CIELO

     Alma región luciente,
prado de bienandanza, que ni al hielo
ni con el rayo ardiente
falleces, fértil suelo,
5 productor eterno de consuelo;
     De púrpura y de nieve,
florida la cabeza, coronado,
a dulces pastos mueve
sin honda ni cayado
10 el buen Pastor en ti su hato amado.
     Él va, y en pos dichosas
le siguen sus ovejas do las pace
con inmortales rosas,
con flor que siempre nace,
15 y cuanto más se goza más renace.
     Ya dentro a la montaña
del alto bien las guía; ya en la vena
del gozo fiel las baña,
y les da mesa llena,
20 pastor y pasto él solo y suerte buena.
     Y de su esfera cuando
la cumbre toca altísimo subido
el sol, él sesteando,
de su hato ceñido,
25 con dulce son deleita el santo oído.
     Toca el rabel sonoro,
y el inmortal dulzor al alma pasa,
con que envilece el oro,
y ardiendo se traspasa
30 y lanza en aquel bien libre de tasa.
     ¡Oh son! ¡Oh voz! ¡Siquiera
pequeña parte alguna decendiese
en mi sentido, y fuera
de sí el alma pusiese
35 y toda en tí, oh Amor, la convirtiese!
     Conocería dónde
sesteas, dulce Esposo, y desatada
desta prisión adonde
padece, a tu manada
40 viviera junta, sin vagar errada.

XVII

EN LA ASCENSION

     ¿Y dejas, Pastor santo,
   tu grey en este valle hondo, escuro,
   con soledad y llanto;
   y tú, rompiendo el puro
5 aire, te vas al inmortal seguro?
     Los antes bienhadados,
   y los agora tristes y afligidos,
   a tus pechos criados,
   de ti desposeídos,
10 ¿a dó convertirán ya sus sentidos?
     ¿Qué mirarán los ojos
   que vieron de tu rostro la hermosura,
   que no les sea enojos?
   Quien oyó tu dulzura
15 ¿qué no tendrá por sordo y desventura?
     Aqueste mar turbado,
   ¿quién le pondrá ya freno? ¿Quién concierto
   al viento fiero, airado?
   Estando tú encubierto,
20 ¿qué norte guiará la nave al puerto?
     ¡Ay! nube envidïosa,
   aun deste breve gozo, ¿qué te aquejas?
   ¿Dó vuelas presurosa?
   ¡Cuán rica tú te alejas!
25 ¡Cuán pobres y cuán ciegos, ¡ay!, nos dejas!

XVIII

A SANTIAGO

     Las selvas conmoviera,
   las fieras alimañas, como Orfeo,
   si ya mi canto fuera
   igual a mi deseo,
5 cantando el nombre santo Zebedeo.
     Y fueran sus hazañas
   por mí con voz eterna celebradas,
   por quien son las Españas
   del yugo desatadas
10 del bárbaro furor, y libertadas.
     Y aquella nao dichosa,
   del cielo esclarecer merecedora,
   que joya tan preciosa
   nos trujo, fuera agora
15 cantada del que en Citia y Cairo mora.

     Osa el cruel tirano
ensangrentar en ti su injusta espada:
 no fue consejo humano;
estaba a ti ordenada
20 la primera corona y consagrada.
     La fe que a Cristo diste
con presta diligencia has ya cumplido;
 de su cáliz bebiste,
apenas que subido
25 al cielo retornó, de ti partido.
     No sufre larga ausencia,
no sufre, no, el amor que es verdadero;
 la muerte y su inclemencia
tiene por muy ligero
30 medio, por ver al dulce compañero.
     Cual suele el fiel sirviente,
si en medio la jornada le han dejado,
 que haciendo prestamente
lo que le fue mandado,
35 torna buscando al amo ya alejado;
     Ansí, entregado al viento,
del mar Egeo al mar Atlante vuela,
 do puesto el fundamento
de la cristiana escuela,
40 torna buscando a Cristo a remo y vela.
     Allí por la maldita
mano el sagrado cuello fué cortado.
 ¡Camina en paz, bendita
alma, que ya has llegado
45 al término por ti tan deseado!
     A España, a quien amaste
(que siempre al buen principio el fin responde),
 tu cuerpo le inviaste
para dar luz a donde
50 el sol su resplandor cubre y asconde.
     Por las tendidas mares
la rica navecilla va cortando:
 Nereidas a millares,
del agua el pecho alzando,
55 turbadas entre sí la van mirando.
     Y dellas hubo alguna,
que con las manos de la nave asida,
 la aguija con la una,
y con la otra tendida,
60 a las demás que lleguen las convida.
     Ya pasa del Egeo,
vuela por el Ionio, atrás ya deja
 el puerto Lilibeo,
de Córcega se aleja,
65 y por llegar al nuestro mar se aqueja.
     Esfuerza, viento, esfuerza;
hinche la santa vela, embiste en popa;
 el curso haz que no tuerza,

do Abila casi topa
70   con Calpe, hasta llegar al fin de Europa.
     Y tú, España, segura
del mal y cautiverio que te espera,
con fe y voluntad pura
ocupa la ribera:
75   recibirás tu guarda verdadera.
     Que tiempo será cuando,
de innumerables huestes rodeada,
del cetro real y mando
te verás derrocada,
80   en sangre, en llanto y en dolor bañada.
     De hacia el Mediodía
oye que ya la voz amarga suena;
la mar de Berbería
de flotas veo llena;
85   hierve la costa en gente, en sol la arena.
     Con voluntad conforme
las proas contra ti se dan al viento,
y con clamor deforme
de pavoroso acento
90   avivan de remar el movimiento.
     Y la infernal Meguera,
la frente de culebras rodeada,
guía la delantera
de la morisca armada,
95   de fuego, de furor, de muerte armada.
     Cielos, so cuyo amparo
España está, merced en tanta afrenta;
si ya este suelo caro
os fue, nunca consienta
100 vuestra piedad que mal tan crudo sienta.
     Mas, ¡ay!, que la sentencia
en tablas de diamante está esculpida;
del Godo la potencia
por el suelo caída,
105 España en breve tiempo es destruída.
     ¿Cuál río caudaloso,
que los opuestos muelles ha rompido
con sonido espantoso,
por los campos tendido,
110 tan presto y tan feroz jamás se vido?
     Mas cese el triste llanto,
recobre el Español su bravo pecho,
que ya el Apóstol santo,
un otro Marte hecho,
115 del cielo viene a dalle su derecho.
     Vesle de limpio acero
cercado, y con espada relumbrante,
como un rayo ligero,
cuanto le va delante
120 destroza y desbarata en un instante.

De grave espanto herido,
los rayos de su vista no sostiene
el Moro descreído;
por valiente se tiene
125   cualquier que para huir ánimo tiene.

Huye, si puedes tanto,
huye; mas por demás, que no hay huída;
bebe dolor y llanto
por la misma medida
130   con que ya España fue de ti medida.

Como león hambriento,
sigue, teñida en sangre espada y mano,
de más sangre sediento,
al Moro que huye en vano;
135   de muertos queda lleno el monte, el llano.

¡Oh gloria! ¡Oh gran prez nuestra,
escudo fiel! ¡Oh celestial guerrero!,
vencido ya se muestra
el Africano fiero
140   por ti, tan orgulloso de primero.

Por ti del vituperio,
por ti de la afrentosa servidumbre
y duro cautiverio
libres en clara lumbre
145   y de la gloria estamos en la cumbre.

Siempre venció tu espada,
o fuese de tu mano poderosa,
o fuese meneada
de aquella generosa
150   que sigue tu milicia religiosa.

De tu virtud divina
la fama que resuena en toda parte,
siquiera sea vecina,
siquiera más se aparte,
155   a las gentes conduce a visitarte.

El áspero camino
vence con devoción, y al fin te adora
el Franco, el peregrino
que Libia descolora,
160   el que en Poniente, el que en Levante mora.

XIX

A TODOS LOS SANTOS

¿Qué santo o qué gloriosa
virtud, qué deïdad que el cielo admira,
¡oh Musa poderosa!,
en la cristiana lira
5   diremos, entre tanto que retira

El sol con presto vuelo
el rayo fugitivo en este día,
que hace alarde el cielo
de su caballería?
10   ¿Qué nombre entre estas breñas a porfía
Repetirá sonando
la imagen de la voz, en la manera
el aire deleitando,
que el Efrateo hiciera
15   del sacro y fresco Hermón por la ladera?
A do, ceñido el oro
crespo de verde hiedra, la montaña
condujo con sonoro
laúd, con fuerza y maña
20   del oso y del león domó la saña.
Pues ¿quién diré primero
que el Alto y que el Humilde, y que la vida
por el manjar grosero
restituyó perdida,
25   que al cielo levantó nuestra caída?
Igual al Padre Eterno,
igual al que en la tierra nace y mora,
de quien tiembla el infierno,
a quien el sol adora,
30   en quien todo el ser vive y se mejora.
Después el vientre entero,
la Madre desta luz será cantada,
clarísimo lucero
en esta mar turbada,
35   del linaje humanal fiel abogada.
Espíritu divino,
no callaré tu voz, tu pecho opuesto
contra el dragón malino;
ni tú en olvido puesto,
40   que a defender mi vida estás dispuesto.
Osado en la promesa,
Barquero de la barca no sumida,
a ti mi voz profesa;
y a ti que la lucida
45   noche te traspasó de muerte a vida.
¿Quién no dirá tu lloro,
tu bien trocado amor, ¡oh Magdalena!;
de tu nardo el tesoro,
de cuyo olor la ajena
50   casa, la redondez del mundo es llena?
Del Nilo moradora,
tierna flor del saber y de pureza,
de ti yo canto agora,
que de la santa alteza
55   de Arabia esparce luz tu fortaleza.
¿Diré el rayo Africano?
¿Diré el Estridonés sabio, elocuente?
¿O del panal Romano,

o del que justamente
60 nombraron *Boca de oro* entre la gente?
     Coluna ardiente en fuego,
el firme y gran Basilio al cielo toca,
mayor que el miedo y ruego;
y ante su rica boca
65 la lengua de Demóstenes se apoca.
     Cual árbol con los años
la gloria de Francisco sube y crece,
y entre mil ermitaños
el claro Antón parece
70 luna que en las estrellas resplandece.
     ¡Ay Padre! ¿Y dó se ha ido
aquel raro valor? ¿O qué malvado
el oro ha destruído
de tu templo sagrado?
75 ¿Quién zizañó tan mal tu buen sembrado?
     Adonde la azucena
lucía y el clavel, do el rojo trigo,
reina agora la avena,
la grama, el enemigo
80 cardo, la sinjusticia, el falso amigo.
     Convierte pïadoso
tus ojos y nos mira, y con tu mano
arranca poderoso
lo malo y lo tirano,
85 y planta aquello antiguo, humilde y llano.
     Da paz a aqueste pecho
que hierve con dolor en noche escura;
que, fuera deste estrecho,
diré con más dulzura
90 tu nombre, tu grandeza y hermosura.
     No niego, dulce amparo
del alma, que mis males son mayores
que aqueste desamparo;
mas cuanto son peores
95 tanto resonarán más tus loores.

XX

DE LA MAGDALENA

A una señora pasada la mocedad

Elisa, ya el preciado
cabello, que del oro escarnio hacía,
la nieve ha variado.
¡Ay! ¿Yo no te decía:
5 «Recoge, Elisa, el pie que vuela el día?»
     Ya los que prometían
. durar en tu servicio eternamente,

        ingratos se desvían,
        por no mirar la frente
10   con rugas, y afeado el negro diente.
        ¿Qué tienes del pasado
        tiempo sino dolor? ¿Cuál es el fruto
        que tu labor te ha dado,
        sino es tristeza y luto,
15   y el alma hecha sierva al vicio bruto?
        ¿Qué fe te guarda el vano,
        por quien tú no guardaste la debida
        a tu bien soberano?
        ¿Por quién mal proveída
20   perdiste de tu seno la querida
        Prenda? ¿Por quién velaste?
        ¿Por quién ardiste en celos? ¿Por quién uno,
        el cielo fatigaste
        con gemido importuno?
25   ¿Por quién nunca tuviste acuerdo alguno
        De ti misma? Y agora
        rico de tus despojos, más ligero
        que el ave huye, y adora
        a Lida el lisonjero;
30   tú quedas entregada al dolor fiero.
        ¡Oh cuánto mejor fuera
        el don de la hermosura que del cielo
        te vino, a cuyo era
        habello dado en velo
35   santo, guardado bien del polvo y suelo!
        Mas hora no hay tardía;
        tanto nos es el cielo p̈iadoso,
        mientras que dura el día;
        el pecho hervoroso
40   en breve del dolor saca reposo.
        Que la gentil señora
        de Magdalo, bien que perdidamente
        dañada, en breve hora
        con el amor ferviente
45   las llamas apagó del fuego ardiente.
        Las llamas del malvado
        amor con otro amor más encendido;
        y consiguió el estado,
        que no fue concedido
50   al huésped arrogante, en bien fingido.
        De amor guiada y pena,
        penetra en techo extraño, y atrevida
        ofrécese a la ajena
        presencia, y sabia olvida
55   el ojo mofador, busca la vida.
        Y toda derrocada
        a los divinos pies que la traían,
        lo que la en sí fiada
        gente olvidado habían,
60   sus manos, boca y ojos lo hacían.

Lavaba, larga en lloro,
al que su torpe mal lavando estaba;
limpiaba con el oro
que la cabeza ornaba
65 a su limpieza, y paz a su paz daba.

Decía: «Sólo amparo
de la miseria extrema, medicina
de mi salud, reparo
de tanto mal, inclina
70 a aqueste cieno tu piedad divina.

»¡Ay! ¿Qué podrá ofrecerte
quien todo lo perdió? Aquestas manos
osadas de ofenderte,
aquestos ojos vanos
75 te ofrezco, y estos labios tan profanos.

»La que sudó en tu ofensa,
trabaje en tu servicio, y de mis males
proceda mi defensa;
mis ojos dos mortales
80 fraguas, dos fuentes sean manantiales.

»Bañen tus pies mis ojos;
límpienlos mis cabellos; de tormento
mi boca, y red de enojos,
les dé besos sin cuento:
85 y lo que me condena te presento.

»Preséntote un sujeto
tan mortalmente herido, cual conviene,
do un médico perfeto
de cuanto saber tiene
90 dé muestra, que por siglos mil resuene.»

XXI

A NUESTRA SEÑORA

Virgen que el sol más pura,
gloria de los mortales, luz del cielo,
en quien es la piedad como la alteza;
los ojos vuelve al suelo,
5 y mira un miserable en cárcel dura,
cercado de tinieblas y tristeza;
y si mayor bajeza
no conoce ni igual juïcio humano
que el estado en que estoy por culpa ajena,
10 con poderosa mano
quiebra, Reina del cielo, esta cadena.

Virgen, en cuyo seno
halló la Deïdad digno reposo,
do fue el rigor en dulce amor trocado,
15 si blando al riguroso

volviste, bien podrás volver sereno
un corazón de nubes rodeado;
descubre el deseado
rostro, que admira el cielo, el suelo adora,
20   las nubes huïrán, lucirá el día;
tu luz alta, Señora,
venza esta ciega y triste noche mía.
     Virgen y Madre junto,
de tu Hacedor dichosa engendradora,
25   a cuyos pechos floreció la vida;
mira cómo empeora
y crece mi dolor más cada punto;
el odio cunde, la amistad se olvida;
si no es de ti valida
30   la justicia y verdad que tú engendraste,
¿adónde hallará seguro amparo?
Y pues Madre eres, baste
para contigo el ver mi desamparo.
     Virgen del sol vestida,
35   de luces eternales coronada,
que huellas con divinos pies la luna;
envidia emponzoñada,
engaño agudo, lengua fementida,
odio cruel, poder sin ley ninguna
40   me hacen guerra a una;
pues contra un tal ejército maldito,
¿cuál pobre y desarmado será parte,
si tu nombre bendito,
María, no se muestra por mi parte?
45   Virgen, por quien vencida
llora su perdición la sierpe fiera,
su daño eterno, su burlado intento;
miran de la ribera
seguras muchas gentes mi caída,
50   el agua vïolenta, el flaco aliento;
los unos con contento,
los otros con espanto; el más piadoso
con lástima la inútil voz fatiga.
Yo, puesto en ti el lloroso
55   rostro, cortando voy onda enemiga.
     Virgen, del Padre Esposa,
dulce Madre del Hijo, templo santo
del inmortal Amor, del hombre escudo,
no veo sino espanto.
60   Si miro la morada, es peligrosa;
si la salida, incierta, el favor mudo.
el enemigo crudo,
desnuda la verdad, muy proveída
de armas y valedores la mentira:
65   la miserable vida
sólo cuando me vuelvo a ti respira.
     Virgen, que al alto ruego
no más humilde *sí* diste que honesto,

en quien los cielos contemplar desean;
70 como terreno puesto,
los brazos presos, de los ojos ciego,
a cien flechas estoy que me rodean,
que en herirme se emplean.
Siento el dolor, mas no veo la mano,
75 ni me es dado el huir ni el escudarme:
quiera tu soberano
Hijo, Madre de amor, por ti librarme
    Virgen, lucero amado,
en mar tempestüoso clara guía,
80 a cuyo santo rayo calla el viento;
mil olas a porfía
hunden en el abismo un desarmado
leño de vela y remo, que sin tiento
el húmido elemento
85 corre; la noche carga, el aire truena;
ya por el cielo va, ya el suelo toca,
gime la rota antena;
socorre, antes que embista en dura roca.
    Virgen no inficionada
90 de la común mancilla y mal primero,
que al humano linaje contamina;
bien sabes que en ti espero
dende mi tierna edad; y si malvada
fuerza que me venció ha hecho indina
95 de tu guarda divina
mi vida pecadora, tu clemencia
tanto mostrará más su bien crecido,
cuanto es más la dolencia,
y yo merezco menos ser valido.
100   Virgen, el dolor fiero
añuda ya la lengua, y no consiente
que publique la voz cuanto desea;
mas oye tú al doliente
ánimo que contino a ti vocea.

XXII

EN UNA ESPERANZA QUE SALIO VANA

    Huíd, contentos, de mi triste pecho.
¿Qué engaño os vuelve a do jamás pudistes
tener reposo, ni hacer provecho?
    Tened en la memoria cuando fuistes
5 con público pregón, ¡ay!, desterrados
de toda mi comarca y reinos tristes,
    A do ya no veréis sino nublados,
y viento y torbellino y fluvia fiera,
suspiros encendidos y cuidados.
10   No pinta el prado aquí la primavera,

ni nuevo sol jamás las nubes dora,
ni canta el ruiseñor lo que antes era.
   La noche aquí se vela, aquí se llora
el día miserable sin consuelo,
15 y vence el mal de ayer el mal de agora.
   Guardad vuestro destierro, que ya el suelo
no puede dar contento al alma mía,
si ya mil vueltas diere andando el cielo.
   Guardad vuestro destierro, si alegría,
20 si gozo y si descanso andáis sembrando,
que aqueste campo abrojos sólo cría.
   Guardad vuestro destierro, si tornando
de nuevo no queréis ser castigados
con crudo azote y con infame bando.
25   Guardad vuestro destierro, que, olvidados
de vuestro ser, en mí seréis dolores;
¡tal es la fuerza de mis duros hados!
   Los bienes más queridos y mayores
se mudan, y en mi daño se conjuran,
30 y son por ofenderme a sí traidores.
   Mancíllanse mis manos si se apuran;
la paz y la amistad me es cruda guerra;
las culpas faltan, mas las penas duran.
   Quien mis cadenas más estrecha y cierra
35 es la inocencia mía y la pureza;
cuando ella sube, entonces vengo a tierra.
   Mudó su ley en mí naturaleza,
y pudo en mi dolor lo que no entiende
ni seso humano ni mayor viveza.
40   Cuanto desenlazarse más pretende
el pájaro captivo, más se enliga,
y la defensa mía más me ofende.
   En mí la ajena culpa se castiga,
y soy del malhechor, ¡ay!, prisionero,
45 y quieren que de mí la fama diga.
   Dichoso el que jamás ni ley ni fuero,
ni el alto tribunal, ni las ciudades,
ni conoció del mundo el trato fiero;
   Que por las inocentes soledades,
50 recoge el pobre cuerpo en vil cabaña,
y el ánimo enriquece con verdades.
   Cuando la luz el aire y tierras baña,
levanta al puro sol las manos puras,
sin que se las aplomen odio y saña.
55 Sus noches son sabrosas y seguras,
la mesa le bastece alegremente
el campo, que no rompen rejas duras.
   Lo justo le acompaña, y la luciente
verdad, la sencillez en pechos de oro,
60 la fe no colorada falsamente.
   De ricas esperanzas almo coro,
y paz con su descuido le rodean,
y el gozo, cuyos ojos huye el lloro.

Allí, contento, tus moradas sean;
65   allí te lograrás, y a cada uno
de aquellos que de mí saber desean,
les dí que no me viste en tiempo alguno.

XXIII

AL SALIR DE LA CARCEL

Décima

Aquí la envidia y mentira
me tuvieron encerrado.
Dichoso el humilde estado
del sabio que se retira
5   de aqueste mundo malvado,
y con pobre mesa y casa,
en el campo deleitoso,
con sólo Dios se compasa,
y a solas su vida pasa
10   ni envidiado ni envidioso.

NOTAS A LAS POESIAS ORIGINALES

1. VIDA RETIRADA

A don Pedro Portocarrero

En esta oda, una de las más conocidas de Fray Luis, el poeta desarrolla uno de los temas comunes a las letras españolas de los siglos XVI y XVII, "el menosprecio de corte y alabanza de aldea", la desilusión del mundo falso de la vanidad y la riqueza frente a la serenidad del paisaje y la paz de la vida interior.

El pensamiento de esta oda es "cuasi silogístico; el mundo vive en desasosiego, yo deseo la armonía, viviré, pues, retirado del mundo" (D. Alonso). Con un claro fondo de Horacio en su "Beatus ille" y aun de la oda 18 del Libro IV, vertidos ambos por Fray Luis, y con recuerdos de la Segunda Egloga de Garcilaso sin olvidar del todo la Primera, Fray Luis logra no sólo un poema original, de serena belleza, sino que también expresa una experiencia de su vida en el escenario conventual y rural de La Flecha, descrito amablemente en *Los nombres de Cristo*.

Maravilla esta oda por la estructuración de las estrofas en planos superpuestos y por la riqueza de la adjetivación.

1. NOTAS

2 y 59: *rüido:* diéresis, vale por tres sílabas.
7: *grandes:* encumbrados, nobles ricos.
    estado: la condición, dignidad, rango. Es el sujeto.
6-7: que el estado de los grandes no le enturbia el pecho, es decir que no se mancha con la envidia del poderío de los grandes.
9-10: *sabio Moro.* Aunque al referirse a los dorados techos, fabricados por los moros, pensara Fray Luis en los artesonados mudéjares, de los palacios españoles, tuvo presentes también pasajes de Horacio y Estacio. En efecto, Fray Luis da una forma parecida a este mismo concepto en la versión de la oda 18 del libro II de Horacio.

> "Aunque de marfil y oro
> no está en mi casa el techo jaspeado
> con la labor del moro".

11 y 13: *cura,* latinismo. Cuidarse, preocuparse de.
12: Hipérbaton. Canta su nombre con voz pregonera.
13: *encarama:* pondera, adula, ensalza exageradamente.
13-15: Ni se cuida de que la lisonja o adulación elogien más de lo justo.
20: Verso bimembre en oposición: "con ansias vivas, con mortal cuidado".

14

21: Verso trimembre que lo destaca en la estrofa según destaca también los objetos enumerados. La enumeración en asíndeton, sin conjunciones: "Oh monte/oh fuente/oh río", que se encabalga con el verso siguiente: "Oh secreto seguro". Hay otros ejemplos similares, como en la oda "Morada del cielo": "Oh son/oh voz".

22: *secreto seguro:* refugio, retiro. La finca de La Flecha.

23 y 25: Alegoría. El navío es su vida, el mar tempestuoso es el mundo lleno de asechanzas.

24: *almo:* latinismo de léxico. Este adjetivo, muy usado por Fray Luis significa, criador, vivificador, alimentador espiritual. Aquí podría significar también acogedor.

26: *no rompido.* La negación antepuesta al adjetivo, usadísima fórmula de adjetivar en Fray Luis. Véase el verso 32. Es decir, ininterrumpido.

32: *no aprendido:* natural, sencillo.

35: *arbitrio:* voluntad, opinión.

38-40: Otra enumeración en asíndeton.

47: *su hermosura.* En algunas regiones de Toledo y Andalucía se aspiraba todavía la h en el siglo XVI; en el resto de Castilla era muda. Fray Luis, la usa indistintamente y, en este caso, aspirada.

52: Garcilaso en la Egloga I vv. 243-44:

> "Hiedra que por los árboles caminas,
> torciendo el paso por su verde seno"

56-58: Cantar de los Cantares, Capítulo IV. Descripción del huerto con sus aguas, árboles y perfumes.

56: Garcilaso. Canción III, v-1: "con un manso ruido"; y Egloga II versos 64-65:

> "Convida a dulce sueño
> aquel manso ruido".

61: Se repite la imagen del mundo como un mar tempestuoso en que navega el hombre. Imagen común en la poesía clásica.

62: *leño:* el navío, sinécdoque, del italiano legno.

63: *mío:* eso no me toca, no es mi oficio, no va con mi modo de ser.

65: *cierzo y ábrego:* el viento del norte y del sur respectivamente.

70: Enriquecen el mar con los tesoros que llevaban las naves náufragas.

71: *pobrecilla mesa:* diminutivo afectuoso, cordial.

72: *abastada:* abastecida.

76-77: *miserable/mente:* es una sinafía, o rima tronchada. Esta división de las dos partes del adverbio se introdujo en la poesía del Renacimiento, quizá de los poetas italianos. Hay otro ejemplo en Fray Luis, en su versión de la oda 14 del Libro I de Horacio:

> "Aunque te precies vana-
> mente de tu linaje y nombre claro".

78: *insacïable:* diéresis.

80: *cantando:* como poeta.

80-81: Reiteración entre el último verso de la estrofa y el primero de la siguiente.

82: *yedra y lauro:* símbolos de la poesía.

82: *eterno:* el adjetivo modifica a ambos sustantivos, yedra y lauro.

85: *plectro:* la púa utilizada para tocar instrumentos de cuerda, como la cítara y la lira. Por analogía o extensión, significa también la inspiración poética. "El son producido diestramente por el plectro".

2. *A DON PEDRO PORTOCARRERO*

Elogio de la virtud

A Don Pedro Portocarrero dedica Fray Luis el conjunto de todos sus poemas, tres poesías originales, *Los nombres de Cristo* y su estudio bíblico *In Abdiam Prophetam Explanatio*.

Gran amigo, paisano y protector de Fray Luis, fue dos veces rector de la Universidad de Salamanca, Obispo sucesivamente de Calahorra, Córdoba y Cuenca; Inquisidor General y Regente de la Audiencia de Galicia (1571-1580). Murió en 1600.

Precisamente esta oda es la apología del buen gobierno de su amigo en Galicia.

Canta Fray Luis a la virtud, tal como la entendió la cultura latina y la sublimó el cristianismo, como esfuerzo en las empresas, valentía, eficacia, ánimo, elevación y soberanía del espíritu.

La oda consta de tres partes: el elogio de la virtud, el elogio de personajes virtuosos (tres de ellos del mundo mitológico, otros tres de la historia española) y el elogio de Don Pedro Portocarrero. No faltan "deliciosos detalles" (Gerardo Diego), ni "cierto virtuosismo" (Vossler), ni "gallardas expresiones y transposiciones" (Arjona).

2. *NOTAS*

3: *escuro:* este adjetivo con sentido despectivo, está por "aborrecible", "desgraciado".

5: senda poco seguida que guía al bien.

6: *Tú:* se refiere a virtud.

6: *dende* por desde, frecuente en el siglo XVI, sobre todo en poesía.

7: *Alcides*, hijo de Alceo, es Hércules, personaje mitológico que murió en una hoguera y, por el mérito o virtud de sus hazañas, fué elevado entre los dioses griegos.

8: *en la más alta esfera:* Fray Luis, en varias odas, alude en esta forma al cielo, como la esfera más alta, como la eterna. Con un sentido poético, emplea la concepción de Tolomeo, según la cual el universo se dividía en círculos llamados ruedas o esferas que, superpuestas, giraban alrededor de la tierra. Así en las odas "A Don Pedro Portocarrero" ("la más alta esfera"), "A Francisco Salinas" ("la más alta esfera"), "A Felipe Ruiz" (la rueda que huye más del suelo").

9-10: *al Cid.* Otro ejemplo concreto de lo que engendra la virtud, Hércules se convierte en dios. El Cid campeador, por sus mil batallas, llega hasta las estrellas. Su grandeza se mide por la altura y la luz de las estrellas.

10: *victoria:* por victorioso.

11-14: Gracias a la virtud, el parto de Leda desvía el paso de la profunda noche y resplandece mucho más que el claro día. El parto de Leda no sólo acaba con las sombras de la noche, sino que esas sombras adquieren más luz que el mismo día.

14: *El parto de Leda,* es decir, los hijos de Leda. Leda es un personaje mitológico, madre de Cástor y Pólux, hijos de Júpiter, famosos por sus heroicas hazañas y ejemplo de amor fraternal. La figura de Leda debe su fama por haber dado el ser a estos dos personajes legendarios, llamados los Dióscuros y Tindárides.

15: *El Córdoba.* Se alude al Gran Capitán Don Gonzalo Fernández de Córdoba, modelo de valor y caballerosidad, en tiempo de los Reyes Católicos. El Córdoba *crece a* (hasta) las nubes y florece.

16-19: *agora.* Antes, en tiempos pasados, siguieron el camino de la virtud Hércules, el Cid, los Dióscuros y el Gran Capitán. Ahora, su amigo Don Pedro Portocarrero: émulo de todos estos esforzados, pues más que caminar, traspasa el larg ocamino de la virtud con pie ligero y *ala voladora,* con una osadía tal que puede superar a todos sus émulos logrando el primer lugar.

18: *ala voladora.* Modismo popular con que el poeta refuerza la idea de ligereza, como quien vuela, a las volandas.

21: *Del vulgo se descuesta:* del vulgo se separa.

24-30: Para expresar que su amigo va tan ligero por el camino de la virtud, el poeta alude a la velocidad de la antigua flecha y de la más moderna granada, ni una ni otra siguen más veloz ni más fielmente su camino que Portocarrero.

29: *traciana flecha:* La flecha de Tracia, la región griega con fama de belicosa.

30: *bola tudesca:* Se refiere a la bola, a la granada de artillería, que se juzgaba invención de los alemanes.

31-35: A primera lectura, esta estrofa parece oscura. "En aquellos lugares de Galicia —cómo tierra infértil que no produce la virtud— incultos y duros, Portocarrero es el primero en sembrarla, en introducirla poderosamente con su ejemplo. Y donde el cielo está más oscuro por la falta de virtud de los hombres, él enciende la suya capaz de hacer a otros más virtuosos o elevarlos en la virtud". En otras palabras, Portocarrero lleva la virtud a donde no existe y, si existe, la sublima.

36-40: Dichosos los habitantes de Galicia bañada por el Miño y encerrada por el mar entre la fiel montaña (la Covadonga, que fue el reducto frente a la invasión árabe) y el fin de la tierra (el Cabo Finisterre); dichosos los habitantes de Galicia, cuyas montañas próximas a sus mares miran con desprecio desde su altura, las tierras bajas donde nace el río Eume.

37: *el mar monstruoso:* desmesurado, prepotente. Así lo vió siempre el poeta que nunca vió el mar.

40: *Ume:* es el río Eume, que corre al pie de las altas montañas próximas al mar, al Norte de Galicia. Por aféresis, aparece omitida la e inicial.

3. A DON PEDRO PORTOCARRERO

Ausente

Oda de la guerra y la paz

Fray Luis celebra el heroismo que demostró Don Alfonso Portocarrero, hermano de Don Pedro, en la lucha contra los moriscos en las montañas de Granada, donde resultó herido en la batalla de Porqueira en enero de 1569; al mismo tiempo, el poeta lamenta la ausencia de su amigo Don Pedro, que permanece al lado de su hermano.

El poema nos descubre las concretas inquietudes humanas de Fray Luis, su amor a España, su viva preocupación por el problema de los moros, el hondo sentido de la amistad y su nostalgia por el ocio, la tranquilidad del espíritu y los bienes de la paz.

3. NOTAS

1: *cana:* blanca, nevada.

2: *Ilíberi:* es decir, Sierra Nevada. Ilíberis era propiamente Sierra Elvira.

3: *lumbre:* el fuego (que es Portocarrero) en la nieva de la montaña, cerca donde hoy reside.

4: *un siglo entero:* según Llobera, siglo aquí es sinónimo de año, y así tiene perfecto sentido. Fray Luis expresa cómo el tiempo de la ausencia de su amigo se le hace muy largo.

5-6: El poeta acumula sinónimos: *mucho* y *demasía; gozo* y *alegría.*

7-12: Cuando regrese Don Pedro, el poeta dará rienda suelta a la alegría, que ya presiente o *figura* y *determina.*

9-12: Para celebrar el regreso de su amigo, vendrán varios invitados: Baco, las Musas y Apolo.

9: *Lieo:* es decir, Baco, en cuyas fiestas el regocijo era extraordinario.

10-11: *Cabalina:* la fuente Cabalina era la mansión donde moraban las musas, que por eso aquí se llaman las moradoras, y Apolo, que presidía su coro, inventor de la lira y de la cítara. Con lo que Fray Luis dice que será cantado el retorno del amigo.

13-14: *generoso pimpollo:* generoso, en su sentido latino de prosapia. Pimpollo, es decir, vástago, rama tierna. Es éste uno de los nombres que Fray Luis estudia entre los que la Biblia da a Cristo.

17: *por tí venciendo:* tu valía procede de tus antepasados; pero sobre todo de tí mismo, de tus propios méritos.

22-24: Dos estructuras sintácticas similares, en antítesis: "de divinos gozos con tu presencia —de cuidados tristes con tu ausencia".

26: Se refiere a la rebelión de los moriscos contra Felipe II, que estalló

213

en 1568 en las Alpujarras, en la fragosa región (alta sierra, bárbaras entrañas) de Granada.

33:   *perdón ciego:* es decir, perdón incondicionado, a ciegas.

35:   *santo baño:* es el bautismo recibido por los moros que optaron por quedarse en España bajo esta condición. Fray Luis se duele de la ineficacia del perdón y bautismo, que poco aprovechó a moros y españoles: "para nuestro mayor daño".

36:   *teñimos:* tomado en sentido traslaticio de bautizamos.

37:   *nombre amigo:* es decir, el nombre de cristiano.

38:   *pïedad:* con diéresis: pi-e-dad. Piedad cruel; mediante esta paradoja, el poeta expresa que la benignidad que se tuvo con los moros fue contraproducente, de efectos crueles.

39:   *ánimo enemigo:* el orden es así: para que el ánimo enemigo desconociese el nombre amigo y así más ('lo) ofendiese.

43-48:   En esta estrofa alegórica, la paz está representada en esa luz serena que reluce, y la guerra en la tempestad oscura y siniestra.

49:   *ahí:* cerca del escenario de la guerra, donde te encuentras, temes por tu hermano, el amado Alfonso, valiente y audaz.

51:   *virtud:* fortaleza, arrojo, constancia; con el mismo significado latino con que aparece esta palabra en la oda anterior, también dedicada a Portocarrero: "Virtud, hija del cielo. . ."

52:   *no vencido.* Otro ejemplo frecuente del adjetivo frayluisino, precedido de adverbio de negación. Igual caso en el verso 72: "no vencible".

56:   El sujeto es Alfonso y no león.

56:   *líbico león:* el león africano. Para los griegos, Libia, como expresión geográfica, comprendía todo lo conocido de Africa. *Cabras,* esto es, gacelas.

62:   *Poqueira.* La toma de Poqueira, región fragosa y escarpada, fue en 1569; en aquella guerra sobresalió Don Alfonso Portocarrero que, herido de dos saetas, rompió por medio de los moriscos combatiendo con ardor.

68:   *los dientes de la muerte agudos fiera.* Verso de violenta transposición. Debe decir: los dientes agudos de la muerte fiera; ejemplo de hipérbaton a lo barroco, pregongorino.

69:   *apenas declinando.* Se refiere a los dientes de la muerte. Apenas desapareció el peligro de muerte, el soldado se lanzó de nuevo a combatir.

73:   *Él pues:* Don Alfonso añade nuevas glorias a las antiguas de sus padres.

74-75:   Tu, modelo de rara virtud.

73-78:   La suerte de tu hermano lo ha llevado a la guerra, donde se ha mostrado heroico y victorioso; sin embargo, tu vocación es superior, porque es de paz, de ocio santo.

4. A DON PEDRO PORTOCARRERO

Oda al triunfo de la inocencia

Con esta oda celebra Fray Luis su inocencia reconocida después de cinco años de cárcel y largo y molesto proceso, pese a la mezquindad de sus detractores.

No trata el poeta de convertir su canto en desahogo vindicativo, sino en lección de permanente hondura y vigencia moral. Luchan en el mundo la maldad y la bondad, la mentira y la verdad, la envidia y la buena fe. Y aunque parece que la maldad está en trance de la victoria, al fin siempre triunfa el bien y la verdad.

Mediante una estructuración rigurosamente equilibrada, la primera parte de la oda evoca la derrota del mal; la segunda, la victoria del bien. La última estrofa, clara reminiscencia del mundo clásico, exalta la figura del héroe de la virtud a quien la victoria corona y la fama predica, mientras los enemigos yacen vencidos a sus pies.

4. NOTAS

9: *la Tierra.* Aquí, Tierra, está tomada en sentido mitológico; es Gea, la madre de los Titanes. El poeta alude a la lucha de estos gigantes que para destrozar a Zeus, amontonaron montañas pretendiendo escalar el cielo; por ello fueron heridos por el rayo de Júpiter y precipitados al Tártaro en cuyas profundidades los vencidos se consumen de impotencia y desesperación.

9: *el parto de la Tierra.* Horacio emplea esta palabra "parto" para designar a los hijos de la Tierra, en la oda IV del Libro III, versos 72-75. Y lo propio hace Fray Luis en la traducción de esta oda:

"Duélese la cargada
tierra sobre sus partos".

20: El orden es: y desaparece al fin.

28: *basilisco:* el animal fabuloso que se suponía mataba con la vista.

38: mil y mil, poéticamente repetido, en vez de mil puntas aceradas de diamante.

5. A FRANCISCO SALINAS

Oda de la armonía

En esta obra maestra, "todo está expresado con frases de insuperable belleza: el poder aquietador del arte; sus efectos purificadores, la escala que forman las criaturas para que el entendimiento se levante de la contemplación de ellas a la de la suma, increada hermosura" (M. y Pelayo).

¿Qué efectos produce la música? Es una escala ascencional de cuatro gradas, la música logra que el alma 1) conozca su concordancia original, es decir, la armonía que reside en su propia naturaleza; 2) desprecie todo el tráfago, las pasiones y concupiscencias; 3) descubra la armonía esencial que existe en el mundo; 4) contemple a Dios, que es el origen de toda armonía, el soberano músico que pulsa al universo como si éste fuera una cítara. El alma llega a la visión de Dios, viene la dicha y el éxtasis. El momento apenas dura. Luego el descenso al sentido bajo y vil; "la estrofa final tiene un temblor reprimido de lágrimas".

Verdadera antología del renacimiento español, síntesis del alma de Fray Luis, a esta obra confluyen todas las vertientes que corrían en su espíritu: Pitágoras con su teoría de la armonía numeral del orbe; Platón con sus ideas estéticas en que toda belleza creada es un reflejo de la infinita; Aristóteles, y la Escolástica, para quien el orden del cosmos supone un Ordenador; la Biblia y los padres y doctores de la Iglesia que miran al Creador como arquitecto y músico; la ascética cristiana que exige la purificación del alma como requisito previo para llegar a la iluminación y la unión; la mística, en fin, cima donde el alma consuma sus desposorios con Dios.

No hay otra síntesis del pensamiento cristiano expresado en tal brevedad y hermosura lírica.

Francisco Salinas (1530-90) fue un organista ciego, catedrático de música de la Universidad de Salamanca, colega y amigo de Fray Luis con quien gustaba discurrir sobre poesía y arte. Su famoso tratado *De música libri septem* (1577), resume los conocimientos musicales de su tiempo y contiene interesantes ejemplos de la música popular del siglo XVI.

5. NOTAS

1-2: Serenidad, hermosura y luz son los efectos órficos de la música.

2: *no usada:* modifica a hermosura y luz.

3: *Salinas:* los vocativos no encabezan el poema: van en el segundo o tercer verso, aun en el 22 como en la oda "A Felipe Ruiz. Del moderado y constante".

4: *extremada:* la música en su cumbre más alta, en su límite más fino.

7: *en olvido:* en el tráfago, en los cuidados del mundo, olvidada de sí misma, de su naturaleza y trascendencia.

10: *origen primera:* origen es femenino en latín, masculino en castellano actual; fluctúa entre uno y otro género en el siglo XVI.

10: *esclarecida:* al olvido sucede la conciencia, el descubrimiento, el encuentro consigo mismo.

13: *oro:* Fray Luis sintetiza en el oro toda la vanidad mundanal, en esta y otras odas.

13-15: Nótese el hipérbaton usual en Fray Luis: el verbo interpuesto entre sus complementos: oro, desconoce, belleza.

14: *vulgo vil:* como Horacio, desprecio al "vulgo profano".

16: *traspasa el aire todo:* en la oda a la Ascensión, "rompiendo el puro aire".

17: *la más alta esfera:* el cielo, el paraíso de los justos.

21-25: Aunque algunos creen que esta estrofa es interpolada, no rompe la continuidad lírica de la oda. Por el contrario, es "clave de toda la bóveda del poema" (Vossler). "No creo que la lírica mundial haya producido una imagen más bella ni más poderosa" (Alonso).

22: *números concordes:* sonidos armoniosos. Fray Luis alude a la concepción pitagórica que consideraba al número y a la armonía como la esencia del mundo, la última realidad de las cosas. Por eso el alma está compuesta de concordancias, constituída de números armoniosos.

23: *consonante respuesta:* correspondencia entre el alma y el cielo. El alma que ha encontrado su propia armonía toma su lugar dentro de un universo también armonioso. Por eso el alma contesta a la música universal con una respuesta consonante.

26: *aquí:* en este estado sobrenatural de unión mística. La unión y la dicha significadas por estas expresiones: navegar y anegarse, no oír ni sentir, que recuerdan las de Santa Teresa y San Juan de la Cruz. La imagen marina del alma navegante y anegada en el océano de Dios, aparece también en *Los nombres de Cristo* (Esposo).

31-32: Vuelven las imágenes típicamente místicas (desmapo, muerte, vida, dicha), y las estructuras típicas de la poesía mística: la interjección arrebatada, la admiración ardiente, grito más que voz, el signo de lo inefable ante la embriaguez divina.

33: *durase:* después del éxtasis brevísimo, comienza el descenso a la tierra del llanto, el bajo y vil sentido.

37: *apolíneo sacro coro:* apolíneo, es adjetivo derivado de Apolo, dios de la poesía y de las musas. El coro apolíneo son los poetas. Fray Luis invita a sus amigos pooetas a escuchar y gozar de esta música.

38: *a quien:* aun no se generalizaba entonces el plural quienes. Quien usado en singular con "amigos", era invariable como "que".

41: *contino:* por continuo, sin cesar. Es forma corriente en el siglo XVI.

6. CANCION AL NACIMIENTO
DE LA HIJA DEL MARQUES DE ALCAÑICES

El sol dialoga con el alma de una niña

"Oda de felicitación, muy estimada desde el punto de vista estilístico y magnífico desde el punto de vista de lo cortesano" (Vossler).

Fray Luis celebra el nacimiento de Doña Tomasina de Borja y Enríquez, nacida el 11 de Enero de 1569; fue hija del Marqués de Alcañices, don Alvaro de Borja, y de doña Elvira Enríquez, y nieta de San Francisco de Borja. Entre sus antepasados, contábanse a los papas Calixto III y Alejandro VI.

En este pequeño concierto a varias voces, Fray Luis al modo de los épicos grecolatinos, comienza invocando la protección de la musa de la epopeya, luego dialoga con el sol, en seguida con la niña. Calla el poeta y cede la palabra al sol. De la estrofa 7 hasta el final, el sol se dirige precisamente al alma de la niña que viene a aposentarse a su cuerpo hermoso para elogiar a sus antepasados y desearle una vida alta y luminosa.

6. NOTAS

2: *Calíope:* es la musa de la epopeya.

6: Siempre fue el sol, en la poesía clásica, paradigna de hermosura. Ningún mejor elogio poético para la recién nacida: el sol se mira en ella y se descubre desdoblado. Hipérbole que se engrandecerá en Góngora.

12: En el poniente, donde se oculta el sol, donde nace su morada. *manida,* latinismo de léxico, vale por mansión, morada.

21-25: *diéronte:* los sujetos de este verbo plural son Júpiter y Venus. Según la teoría pitagórica, los cuerpos celestes al moverse producían cada uno un sonido y todos ellos concertaban con inefable música. En la distribución de las esferas o ruedas celestes, la sexta era la de Júpiter, y la tercera la de Venus. Los dones que estos dioses otorgan a la niña son la grandeza y la hermosura.

27: *envidioso viejo:* es Saturno, personificación del tiempo, representado en la figura de un anciano devorando a sus hijos para explicar la acción destructora del tiempo.

29: *fiero Marte airado:* al fin dios de la guerra. Los adjetivos se volvieron lugar común desde el siglo XVI hasta el romanticismo.

31: *Apolo:* es el sol. De ahí los adjetivos rojo, por el fuego, y crespo, por los rayos que surgen de su cabellera. Apolo es también dios de la poesía y las musas, que aquí ensaya su divino canto al son de la cítara.

42: *terreno cerco:* el círculo terrenal, la tierra.

42: *tenida:* es tenida en más, más apreciada.

44: *no hundida:* la nave que no se hunde es la Iglesia, regida por los pontífices que fueron antepasados de la niña.

51: *en su rostro:* en el rostro de la niña que va a nacer. Recuérdese que Apolo habla al alma.

61-65: Recuerdos familiares: dos antecesores de la niña, ejemplo de virtud y de hermosura; la tía doña Isabel de Borja y Castro, hija mayor de San Francisco de Borja, murió muy joven.

78: *te levanta:* levántate. Fray Luis suele usar el imperativo precedido del pronombre reflexivo correspondiente.

7. A FELIPE RUIZ

De la avaricia

Este poema es una "imitación felicísima de la oda de Horacio Nullus argento", como afirma Menéndez y Pelayo. "Preciosa, añade Gerardo Diego, pero demasiado horaciana".

En efecto, Fray Luis se inspira en la oda 2 del Libro II dedicada a Crispo Salustio, en la cual el lírico de Roma enseña que la riqueza no vale por sí misma sino a condición de que la ennoblezca un justo destino. La verdadera felicidad no proviene del dinero, que llena de preocupaciones vanas el corazón del hombre, sino de la virtud. Son las mismas lecciones que enseña Fray Luis: la riqueza no puede dar "ánimo sereno", ni "reposo", "ni provecho"; en cambio, inquieta el sueño, angustia el espíritu, empobrece al rico.

Una vieja lección de siglos —el deseo, el apego, el uso inmoderado de la riqueza como eje central de la vida— que hace falta al hombre de hoy, quizá más que al de ayer.

Horaciana también la comparación que establece Fray Luis entre el rico insatisfecho y Tántalo sediento entre las aguas.

7. *NOTAS*

2: *la vela portuguesa:* se refiere a las famosas navegaciones exploradoras y comerciales de los portugueses, cuyas naves o velas consan o fatigan al mar por sus constantes viajes.

1-2: Léase: la vela portuguesa en vano fatiga el mar.

2: *el seno:* es decir, el golfo. Alude al Golfo Pérsico donde los portugueses establecieron importantes factorías para transportar a su tierra grandes riquezas, principalmente de maderas y especias. De éstas, eran famosas las de las Molucas, que se llamaron Islas de las Especias.

7: Fray Luis dedicó tres odas a Felipe Ruiz de la Torre y Mata, con quien mantuvo amistad cordial.

9: *más tuerce la cara:* modismo muy gráfico que significa el disgusto.

11: *al capitán romano:* alusión a Marco Licinio Craso, gobernador de Siria, famoso por su opulencia, que movió guerra contra el rey de los Partos ambicionando mayor poderío; muerto en la contienda, sus enemigos le echaron oro derretido en la boca, como castigo simbólico de su ambición.

13: *tesoro persïano:* nótese la diéresis: per-si-a-no.

14: *Tántalo:* personaje mitológico. Hijo de Júpiter y de la ninfa Pluto, fue condenado por su padre a padecer en el infierno tormentos insufribles por revelar secretos que se le habían confiado. El mayor de sus tormentos fue el de la sed; sumergido en el agua hasta la boca, cuando iba a beber, se le retiraba.

15:   Ordinariamente Fray Luis desenvuelve y completa una idea en una estrofa; ésta se engarza con la siguiente: "afligido de sed está". Por eso hay que quitar el punto después de "afligido", como aparece erróneamente en algunas ediciones. De otra manera, la estrofa cuarta queda sin sentido.

18:   *endura:* usado aquí como transitivo, significa ahorrar, escatimar.

20:   Exacta definición del avaro: osado para ganar, no para gastar.

31:   *no tocado.* Otro ejemplo típico de la adjetivación de Fray Luis. En vez de intocado, no tocado.

23:   *ñudo dado:* es aquí la angustia de la avaricia y de la ambición.

25:   El poeta expresa el efecto que causa la avaricia con singular y doble justeza de ideas y ahorro de palabras: "y deja en la riqueza pobre al dueño".

8. *A FELIPE RUIZ*

La oda cósmica

Fray Luis desea liberarse de la vida mortal para volar al cielo. Pero su instalación en el cielo obedece a un deseo ulterior, para conocer. El cielo es para Fray Luis no sólo la plenitud de la dicha, sino también la plenitud de la verdad.

Para conocer los secretos del universo, el poeta ha buscado una plataforma que le permite observar el panorama total de la creación. Es preciso ver desde arriba, situarse en la esfera más alta, anticipándose a los vuelos de los astronautas para mirar, mucho mejor que ellos, con su perspicacia de poeta, su inteligencia de filósofo y su fe de cristiano, la causa y el efecto, el principio y el fin, la esencia y actividad de todas las creaturas.

El objeto de su viaje es conocer la verdad pura, no fragmentaria e insegura como puede alcanzarla el hombre sujeto a la finitud y a la prisión del cuerpo y del tiempo; solamente con una luz superior, con la ciencia de los bienaventurados, junto a Dios, podrá saciar su hambre casi infinita de verdad.

Desde el cielo, Fray Luis ensaya una descripción del universo. Grandiosa y cósmica. Un universo dinámico, en que todas las creaturas desfilan en plena acción; y el mismo Dios, caso único en la poesía de Fray Luis, aparece terrible y justiciero, moviendo su carro entre el relámpago.

Grandiosa también, la descripción de la tempestad; Fray Luis se inspira en las Geórgicas de Virgilio (I, 310-334), se apropia de su modelo, lo re-crea, lo supera. Esta es "la más metafísica y fáustica de sus odas". (Giménez Caballero).

8. *NOTAS*

1: *Cuando será.* Una interrogación nostálgica inaugura la oda. Es el mismo tema y clima de toda la poesía frayluisina: la nostalgia del cielo.

2: *prisión:* metáfora. Es el cuerpo, la vida mortal, el tiempo, acaso un recuerdo de su encarcelamiento.

4: *huye:* se aspira la hache.

5: *sin duelo:* valor adjetival. Sin angustia. Así aparece, casi unánimemente, en todas las ediciones; así parece que conviene mejor con el estado de ánimo del poeta. Alguna edición lee: Sin velo. Es una variante digna de tomarse en cuenta. Pues expresaría el deseo de encontrar la verdad desnuda, íntegra; idea que ahí mismo expresa ya el poeta.

6: *a mi vida junto:* junto a Dios, fuente de vida.

8: *veré:* esta forma verbal se repetirá hasta el final del poema: claro indicio del ansia intelectual del poeta a quien ya no satisface la limitación de la mente humana, sino que aspira a poseer la ciencia del alma en la visión beatífica.

8: *distinto y junto:* repetición desagradable de la misma palabra, junto, como consonante de la rima.

12: *soberana mano:* concepción arquitectónica del universo. Y Dios como supremo artífice.

13: *nivel y plomo:* la plomada que señala, iguala y regula.

15: *pesadísimo elemento:* la tierra, el más pesado de los cuatro elementos tradicionales.

21: *tiembra la tierra:* los terremotos. Se sobreentiende el verbo "veré".

23: *mover guerra:* una expresión gráfica y rotunda, que se encuentra en Garcilaso: "el furor del animoso viento que... al espantoso mar mueve la guerra". (Egloga Tercera, v. 329-334). El aire sale como una movilización bélica.

27: *Ríos cebados y bastecidos:* alimentados y provistos de agua, caudalosos.

31: *Las soberanas aguas:* hipérbaton muy accesible, las nubes sostenidas en la región del aire, por eso son "soberanas" de lo alto.

33: *de los rayos las fraguas:* posible recuerdo de Vulcano, cuyas fraguas proveían de rayos a Júpiter Tonante.

34-35: *los tesoros de nieve:* tesoro, término bíblico, que vale por depósito.

36: Empieza la maravillosa descripción de la tempestad en el verano que ocupa tres estrofas.

36: *No ves:* el poeta dialoga con su amigo.

37: *Túrbase todo.* Nótese la fuerza de este "todo". La totalidad del aire se conturba, toda la masa del aire.

39: *el Gallego:* es el viento Noroeste llamado así por venir de Galicia.

40: *sube hasta:* se aspira la hache, como en el verso 4.

42: *ligero y reluciente:* el relámpago

40-44: Adviértase la fuerza de los verbos: mueve, conmueve, relumbra, treme. Todos dinámicos, en activo.

45: *Treme:* con su sabor más latino: tiembla, se estremece.

51: *Y de allí:* desde allí.

52: *los movimientos:* uno es el movimiento raudo y menos regular, que es el de las estrellas fugaces y cometas. Otro es el movimiento natural con que giran habitualmente los astros de órbita conocida.

55: hados y señales: alude a las creencias astrológicas; volverá a referirse a ellas en el verso 58. El destino o "estrella" de cada vida.

56: *Quién rige las estrellas:* algunos escolásticos afirmaron que los ángeles gobiernan los cuerpos celestes. Angeles entretenidos en encender estrellas, como procesiones de luces.

58: *eficaces centellas:* centellas, rayos o chispas eléctricas, eficaces por la influencia de los astros en la vida humana.

59: *las dos Osas:* la Osa Mayor y la Osa menor, las constelaciones boreales.

60: Medrosas de bañarse: porque se hallan siempre en lo alto del firmamento.

61: *este fuego eterno:* el sol.

64: *presuroso:* con una forma expresiva y al parecer antitética, se le llama presuroso al sol de invierno, por lo corto y rápido de su paso. Abrevia los días y alarga las noches. Con este mismo significado de rapidez, Garcilaso empleó el adjetivo presuroso: "Oh bien caduco, vano y presuroso" (Egloga Primera, v. 256).

66: *sin movimiento:* forma adjetival que se refiere a moradas, las moradas inmóviles. Según la teoría de Tolomeo, el último cielo, el empíreo, es inmóvil.

67: *la más alta esfera:* es aquella "rueda que huye más del suelo", de los primeros versos.

69: *de oro y luz:* los materiales plásticos y preciosos tan amados del poeta. La ornamentación del cielo.

70: espíritus dichosos: las almas, los ángeles, y como insinuándose, Dios.

9.   A FELIPE RUIZ

Del moderado y constante

En esta oda, Fray Luis hace el elogio de dos virtudes que le fueron particularmente amadas, y que supo practicar en su vida: la moderación frente a las tres concupiscencias que afanosamente busca el hombre mundano: la riqueza, el poder y el amor; y la entereza ante la prueba y la adversidad con que el hombre triunfa, se libera y llega a Dios. "Dichoso el que se mide", dichoso el que sabe resistir aun a la muerte misma. Tales son las dos ideas y las dos partes del poema.

En la oda IV, Fray Luis había cantado el valor de la perseverancia, de la fortaleza del ánimo constante; idea que desenvuelve también en sus comentarios y traducciones, según fue su estimación por el valor de la resistencia que, a sus ojos, supera a la osadía en el ataque.

Fray Luis no sólo toma directamente de Horacio la imagen de la encina que, podada por el hacha, es torna "más rica y esforzada", sino que llega a sentirse simbolizado en el emblema horaciano "ab ipso ferro". Este lema, "divisa orgullosa y casi altiva del fraile", colocó Fray Luis intencionadamente al frente de dos libros suyos, y alguna vez con el grabado del árbol y el hacha, para demostrar que las asechanzas de sus enemigos le daban mayor fuerza para la lucha. Todo lo cual estuvo a punto de causarle otra desazón inquisitorial.

Las cinco últimas estrofas, tan henchidas de brío, parecen inspiradas, dice Coster, en el Himno V de Prudencio.

9. NOTAS

1:   *vee:* ve, latinizante (videt).
2:   *el sol* es el sujeto.
el sol decae.
3:   *Indio:* la riqueza de las Indias Occidentales, o América, hacia donde
5:   *afana:* buscar con trabajosa solicitud y ansia desmedida.
9:   *perdona:* ahorra, regatea, es avaro consigo mismo.
10:   *crudo:* cruel.
17:   *cabello de oro:* la hermosura de la mujer centrada en su cabellera rubia, fue lugar común en los poetas de entonces, entre otros Garcilaso y Góngora.
19:   *menguada:* desdichada.
20:   Lleno el endecasílabo de pensamiento y sustancia poética.

21:   El que se conforma con lo que tiene.

27:   *Eolo:* dios de los vientos.

30:   *no le daña:* serenidad ante los altibajos de la vida, que San Ignacio de Loyola llamará indiferencia.

32:   *carrasca:* encina.

39:   *firme* con valor adverbial, como en latín, firmemente.

39:   *al suelo envía:* tira, arroja al suelo.

45:   *crueza:* crueldad.

46:   Comienza el monólogo lleno de ardor y coraje, del hombre constante.

57:   *desvuelve:* desenvuelva.

61:   *cadena:* es la vida que nos sujeta a la tierra.

62:   *ardiendo:* ardiendo tu, con ardientes deseos de prenderme, de acabar conmigo.

63:   *subido:* he subido al gran consuelo (al cielo) por tu pena, para tu mayor tristeza.

64-65:   Es la liberación (encumbro el vuelo), el viaje (traspaso sobre el aire) y el arribo (huello el cielo). Las tres estructuras sintácticas en disyunción para acelerar el vuelo del estilo.

10. *AL LICENCIADO JUAN DE GRIAL*

La oda de los dos otoños

Fray Luis dedica este poema al licenciado Juan de Grial que fue canónigo de Calahorra y hombre de letras. Intervino en la edición de las obras de San Isidoro (1599) y escribió un comentario sobre Virgilio. De sus poesías, aludidas en esta oda por Fray Luis, sólo se conservan unos versos latinos.

"En tres liras, dice José María Cossío, para mí las más admirables que destilara su pluma, evoca el otoño. No es dable mayor eficacia".

Ahí está toda la suave melancolía del paisaje, la luz triste del cielo, el atardecer prematuro, los árboles deshojados, el aire que arremolina oscuras nubes, el paso de las grullas navegando los nublados con voz ronca y sollozante, los bueyes que arrastran perezosamente el yugo. Y el campo que recoge su hermosura, como el campesino que recoge sus frutos porque ha terminado la jornada.

Después de esta visión nostálgica del otoño, como una introducción del poema, viene la parte central que comprende las estrofas 4-7, en que Fray Luis exhorta y aconseja a su amigo.

Este tiempo "nos convida a los estudios nobles"; la intimidad del paisaje es una invitación propicia a la intimidad del espíritu, a la concentración en el estudio y a la composición de poemas. Porque vale más el trabajo del espíritu que cualquier otro. La verdadera riqueza es la del alma. Para conseguirla, es preciso vencer todo obstáculo.

La estrofa última es una ventana por donde conocemos el estado de ánimo del poeta, autobiográfica hasta la médula más viva de su alma.

No fue un simple recurso poético el comenzar esta oda con una evocación otoñal. También dentro de su espíritu hay nublados de tormenta, luz triste en su cielo interior, Fray Luis es aquella pobre grulla de alas quebradas...

Tal vez esta sea la explicación del encabalgamiento. Pocos poemas frayluisinos como éste, con tantos encabalgamientos tan ásperos como su estado de ánimo: "que ya de un torbellino/traidor acometido, y derrocado/ de en medio del camino/ al hondo..."

Y luego, en esta misma estrofa final, la más dolida, esa brusca separación del sujeto (yo) en el primer verso cuyo verbo se localiza

hasta el último (he quebrado). Los recursos estilísticos brotan del
alma más que de la pluma.

10. *NOTAS*

1-2: El campo recoge su hermosura.

2: *aoja:* forma de aojar con el sentido de hacer mal de ojo, influir malignamente. El cielo que cambia su luz estival por el color grisáceo del
invierno parece que aloja o introduce su mismo mal al campo. Porque el
verdor del campo se vuelve también triste como el cielo.

6: *Febo:* el sol. En el verso 31, Febo será el dios Apolo.

7: *resplandor egéo:* egeo es un adjetivo de origen griego, que significa
cabra. Según Llobera, el resplandor egéo es la constelación de Capricornio.
El sol, en su carrera, va hacia Capricornio. Este signo zodiacal coincide con
el mes de diciembre. El poeta quiere decir que está ya próximo el invierno.

8: *las horas corta escaso:* en el invierno, los días son más breves.

9: Primero el dios sol: *Ya Febo.* Ahora el dios de los vientos: *Ya Eolo;*
con dos estructuras sintácticas semejantes a principio de verso. ¿De qué manera Eolo envía las nubes? Soplando: gerundio modal.

11: *el ave vengadora:* es la grulla, el ave trashumante que en otoño se
dirige a países cálidos buscando la primavera. La alusión a Ibico, poeta griego del siglo VI antes de J.C., se funda en que, al morir a manos de unos
salteadores, puso por testigos de su muerte a una bandada de grullas que en
aquel momento pasaban; y éstas, aparecidas en Corinto, donde a la sazón
estaban los asesinos, hicieron que confesaran su crimen. Por eso el poeta las
llama aves vengadoras.

14: *y el yugo al cuello:* trayendo el yugo en el cuello, están atados los
bueyes. En algunas ediciones aparece invertido: *al yugo el cuello,* como si
fuera un acusativo griego o de parte, que es un cultismo sintáctico; y, en tal
caso, su solución sería: y al yugo atados por el cuello los bueyes.

19: *sacro monte:* es decir, el Parnaso.

20: *la postrer llama:* llama, metáfora usual por inspiración. A la cima
de la poesía no podrá llegar la inspiración postrera. Por postrera, algunos
han querido entender inspiración vulgar; tal vez Fray Luis aluda a su propia
inspiración, ya cansada, fatigada, última. Los poetas del siglo XVI no consideraban imperfección rítmica el uso de la rima en palabras homónimas, como
"llama" verbo con "llama" sustantivo. Hoy nos disuenan las licencias poéticas, ésta y las demás.

21: *guïado:* con diéresis, gui-a-do.

22-25: Una serie de oraciones unidas con conjunción copulativa (polisíndeton): "y vence... y gana... y satisfaz".

22: *solo gana:* solo es adjetivo. Tu solo llegarás a la cumbre. Se sobrentiende: porque yo, Fray Luis, no puedo. Una nostalgia y una santa envidia
que se pone callándola.

23-25: Toda esta estrofa está en sentido figurado. La fuente, el collado
y el paso son respectivamente la sabiduría o la poesía, el triunfo y el trabajo
para lograrlo. Esta estrofa, por su limpidez, por su material poético, por la
virginidad de sus figuras, preludia a San Juan de la Cruz.

31-32: *lo que Febo te dicta favorable:* lo que Apolo te inspira favorablemente. Góngora usará también el verbo "dictar" como la acción divina
que inspira al poeta. Favorable: latinismo, adjetivo con valor de adverbio.

35: *atener:* llevar el mismo paso que otro. En este hermoso verso, el
poeta se declara derrotado y no espera atener, es decir, seguir o competir con
su amigo.

36: *Que yo:* porque yo. Indica la causa de no poder seguir a su amigo.
Deshecho el hipérbaton: yo he quebrado el plectro amado y las alas del
vuelo.

11. *PROFECIA DEL TAJO*

Este poema se refiere a la famosa leyenda de Don Rodrigo, el último rey godo, que forzó a la Cava. El padre de ésta, el conde Don Julián, gobernador de Ceuta, para vengarse llamó a los árabes que atravesaron el estrecho de Gibraltar y destruyeron el reino visigótico en la batalla de Guadalete, el año 711.

Tema antiguo éste de la pérdida de España que canta Fray Luis; evocado primero en los cantares de gesta y después en el romancero.

En esta oda, el río Tajo ve en su ribera al rey Don Rodrigo con la Cava, y le pronostica la destrucción de España por los árabes como consecuencia de aquella liviandad.

¿Por qué eligió Fray Luis este tema? Por dos razones. Auténtico español, revive un doloroso episodio de la historia patria. Nadie puede olvidar la raíz española de sus cánticos. El tema de la invasión de España por los africanos aparece también en su oda *A Santiago*.

Durante el siglo de oro español perviven temas y aun formas medievales que coexisten con las más nuevas. La originalidad de este siglo consiste en ser una fusión de lo medieval y lo renacentista, una articulación de los tiempos medios y de los modernos, que así liga en una opulenta unidad, la cultura de España. Fenómeno este que no aparece en el renacimiento de Europa, sino que es exclusivo y original de España. *La Profecía del Tajo* es un claro ejemplo de esta armonía entre lo medieval y lo renacentista.

La Profecía del Tajo de Fray Luis se inspira en la oda 15 del Libro I de Horacio, que se conoce como "La profecía de Nereo" o "El vaticinio de Nereo". Las situaciones son análogas.

Horacio se apoya en los mitos remotos de los orígenes de Roma, como Fray Luis en los de España. El dios marino Nereo (el Tajo) ve a Paris el troyano (Don Rodrigo) que lleva raptada a través del mar a la griega Elena (la Cava), y le profetiza que, a consecuencia de aquel rapto, los griegos han de destruir la ciudad de Troya (destrucción de España).

Dámaso Alonso analiza por una parte el parecido entre la oda de Horacio y la de Fray Luis, que no consiste sólo en la situación temática y en la correlación de los personajes, sino en el desarrollo y en muchos de los pormenores y giros idiomáticos; y por otra parte, establece las diferencias: una mayor velocidad lírica y rítmica en Fray Luis, una mayor libertad en amplificar las terribles visiones

de la guerra, una variedad mucho más rica en cuanto que el tema
aparece cortado como por una serie de planos, de motivos diferentes; y una emoción más honda, más vital, más metida en la sangre
que la de Horacio.

Así es como el agustino logra, dentro de la imitación, una perfecta creación, "rasgando el modelo con poderosa, genial originalidad".

Fray Luis de León desarrolla el tema con tal riqueza de medios
estilísticos, que varían casi de estrofa a estrofa.

Porque el poeta alterna la exposición de los hechos, grandiosa
en su objetividad, con el sentimiento más subjetivo y lírico; porque
contrasta la visión externa del desastre con la más íntima afectividad; porque el poeta se dirige ya al Rey Rodrigo, ya al río Betis,
ya a España misma.

Diversas inclinaciones, direcciones diferentes, movilidad y "cam-
bios de temperatura estilística" que confluyen, por contrastes vio-
lentos o gradaciones delicadas, al mismo fin.

De las 16 estrofas de la oda, podemos resumir así la secuencia
del tema:

estrofa 1: introducción expositiva
estrofas 2-11: visión profética del Tajo, discurso al rey Rodrigo
estrofas 12-14: imprecación al Rey
estrofa 15: invocación y desahogo del río Tajo al río Betis
estrofa 16: discurso del río, invocación a España.

"La Profecía del Tajo, sintetiza Dámaso Alonso, considerada por
lo que toca a su estructura y concatenación estrófica es una prodigiosa obra de arte". Arjona la juzga muy superior a la de Horacio:
"No tiene la lengua castellana, dice, oda alguna comparable a ésta."
"Despliega una vitalidad que no se halla en otras composiciones; y
el ímpetu de sus versos iguala la velocidad que atribuye a los inva-
sores musulmanes que avanzan" (Kelly). Es inexplicable, en cambio,
el juicio de Gerardo Diego: "Magnífica, pero en exceso retórica y
escolar".

11. *NOTAS*

1: *Folgaba:* holgábase, se solazaba, se divertía.
2: Caba en lecciones antiguas. En árabe signica mala mujer. Su nombre,
según la leyenda, era Florinda.
4-5: *el río sacó fuera el pecho:* preciosa personificación del río —a la
manera de la antigüedad clásica— que antes de hablar saca el pecho, lo abul-
ta de aguas, se hinche de olas como que tiene que decir muchas cosas importantes. "Su seno el mar alzó potente", dirá Manuel Machado.
6: Desde este verso hasta el final del poema está contenida la profecía, la oración execratoria del río.
6: *En mal punto:* aquí en mi presencia, en mis márgenes, en mis domi-
nios. Hay quien te vea y te acuse; soy yo, el río Taio.
8: *oyo:* forma anticuada, pero frecuente en la época del poeta.

7-9: Deshecho el hipérbaton; podemos leer con mayor claridad: "que ya oigo el sonido y las voces, las armas, el bramido". El adverbio "ya" indica la actualización de los hechos; el río ve como presentes los hechos futuros.

7-9: En esta enumeración, aumenta gradualmente el ruido: empieza con un simple sonido hasta culminar en un bramido estrepitoso. Nótese el áspero encabalgamiento: el bramido/de Marte.

10: El poeta aumenta la música del mismo verso uniendo dos palabras consonantes: furor y ardor.

13: Como Job, maldice el día en que nació. Ese libro de la Biblia que Fray Luis explicó y gozó particularmente.

16-17: Enumeración en asíndeton, sin conjunciones, para mayor rapidez y precipitación: llamas, dolores, guerra, muertes, asolamientos, fieros males.

21-25: ¿Cuáles son los vasallos naturales del Rey Rodrigo que van a sufrir tanto? Son todos los que habitan la espaciosa España, lo mismo los del Sur que los del Centro. En esta estrofa, Fray Luis designa la totalidad del reino de Don Rodrigo con los nombres de algunos puntos.

Constantina: nombre poético e impreciso, indica Llobera, del Sur de España. Según Alda Tesan es una ciudad próxima a Sevilla. Según Rafael Lapesa, es la actual provincia de Sevilla.

Sansueña: designación del centro de la Península (Llobera); nombre de una antigua ciudad situada en el centro de la Península, de la que no quedan hoy más que ruinas (Alda Tesan); era en el romancero, Zaragoza, vecina del Ebro (Rafael Lapesa).

Lusitana, o Lusitania: es Portugal. Fray Luis parece aludir a las tres provincias de la España romana: Bética, Tarraconense y Lusitania.

25: *la espaciosa y triste España.* Azorín en su libro "Los dos Luises", se preguntaba ante este verso: "¿Es un antiespañol Fray Luis? Triste le parece España". Dámaso Alonso rectifica y contesta justamente: "Se ha notado la emoción moderna de este verso (paisaje español, según la generación del 98); desgraciadamente su adjetivación tiene un valor muy distinto del que se ha supuesto; espaciosa quiere decir dilatada, amplia, grande; y triste no expresa una cualidad inherente y permanente, sino triste por la invasión que espera".

26: *Ya:* otra vez el adverbio indica la visión actualizada de la catástrofe. *Dende:* por desde.

27: *el injuriado conde:* Don Julián, padre de la Cava.

29: *la bárbara pujanza:* el poder de los moros.

32: *con temeroso son la trompa fiera.* "La insistencia del acento sobre vocales o (temeró — són — tróm) y la cerrazón reiterada de esas sílabas por nasal (son — trom — con) da ese sonido oscuro, lúgubre al verso" (Dámaso Alonso). Así se obtiene una representación acústica y oscura.

35: *que al aire desplegada va ligera.* El verso flamea, luminoso, como la bandera. Visión óptica y lumínica. No hay en el verso ni una sola vocal oscura.

36: De nuevo el adverbio *ya,* que insiste en la actualización y que se refuerza por el *veo. Blandea,* forma del verbo blandir.

41-45: Es la invasión por tierra y mar. La estrofa está formada por una serie de grandiosas hipérboles, anunciadoras de las de Góngora, para ponderar la grandeza de la armada y del ejército: los soldados no dejan ver el suelo por su número, las naves tapan el mar, el estruendo de las multitudes llega al cielo, el polvo que levantan oscurece la luz. La sucesión en asíndeton de las cuatro concisas oraciones aumenta aún la velocidad.

46-50: Una estrofa de intensa expresión afectiva.

51: *Eolo derecho:* quiere decir viento favorable. Los dioses favorecen la invasión: tanto Eolo con sus vientos, como Neptuno, dios del mar, que franquea la entrada a la escuadra.

53: *herculeo estrecho:* el estrecho de Gibraltar relacionado con las famosas hazañas de Hércules. La fábula dice que Hércules había colocado sus columnas a un lado y otro del estrecho para cerrarlo. Otras leyendas atribuyen a Hércules haber abierto el estrecho separando España de Africa.

54: *punta acerada:* es el tridente de Neptuno, quien empuja con él a la armada musulmana para acelerar la travesía.

57: *el mal dulce regazo:* mal es adverbio: el tristemente dulce regazo. El regazo de la Cava, dulce para Don Rodrigo, aciago y desastroso para España.

60: *el puerto a Hércules sagrado:* sagrado se refiere a puerto. Es el de Cádiz, consagrado o dedicado antiguamente a Hércules.

61-65: Esta es la maravillosa estrofa imperativa, la imprecación extraordinariamente bella y prepotente del río al Rey. Una serie de verbos imperativos en asíndeton ante la urgencia de la defensa y seriados en una gradación: acude, acorre, vuela... "La precipitación de estos verbos es uno de los mayores aciertos rítmicos de la lengua castellana" (Dámaso Alonso).

62: *el alta sierra:* no "la alta". Fray Luis evitaba incluso en prosa, esa cacofonía. "Al avaricia", escribe en "La perfecta casada".

68: *loriga:* túnico tejida de mallas o anillos de hierro para proteger el cuerpo del guerrero contra la espada. Los guerreros medievales se ponían debajo de la loriga otra túnica de tela, llamada bélmen y así evitaban el roce del hierro sobre la carne.

70: También Fray Luis se duele de la fatiga y sudor de los caballos, nobles aliados del soldado. Por eso dice "juntamente".

71: *Betis divino.* Después que el río Tajo habla con el Rey Rodrigo, dialoga y se desahoga, en esta estrofa, con su hermano el río Betis, que es el nombre latino del Guadalquivir, y que también aparece divinizado como el Tajo: "Y tu, Betis divino"... En tono confidencial, de río-dios a río-dios.

74: *yelmo:* formaba parte del traje de guerra, se usaba para cubrir y resguardar la cabeza.

76-80: "La estrofa final es de una frialdad fatídica. Escueta exposición de hechos", dice Dámaso Alonso; sólo turbada afectivamente por el ¡ay! y *cara patria,* como si el poeta tuviera un nudo en la garganta.

77: *cinco luces las haces.* Luces, es decir, días. Haces, es decir, filas de un ejército o ejércitos. Es tradicional que la batalla duró seis días. En los primeros cinco días del combate entre godos y árabes, Marte, el dios de la guerra, desordenó a los ejércitos dejando la batalla indecisa, igual a cada parte; pero al sexto día vencieron los moros sometiendo a España. La batalla del Guadalete, indecisa durante cinco días, se decidió al sexto en favor de los moros.

12. NOCHE SERENA

A Diego Olarte

"¿Qué nos dicen las estrellitas del cielo? ¿Qué nos dicen en las noches profundas, negras? El poeta ha abierto su ventana que da al campo y ha contemplado el cielo. Toda la oscura bóveda está sembrada de un polvo brillante. Unas estrellitas fulgen con reflejos rojos y azules: son las mayores, las más potentes. Otras pequeñitas, casi imperceptibles, apenas si marcan un punto leve, microscópico. La noche se va deslizando" (Azorín).

La serenidad de la noche, el concierto de las estrellas, el firmamento resplandeciente, le sirve a Fray Luis para expresar sus más vivos anhelos: dejar la cárcel de la tierra y volar al cielo.

A lo largo del poema, el autor juega con el paralelismo y el contraste que establece a la vez entre las dos regiones: tierra y firmamento, vida presente y vida futura.

La nostalgia, una vez más, llena este canto inspiradísimo, cuya estrofa final, arrebatada y ardiente, prepara los caminos de San Juan de la Cruz. El hombre, todavía desde la tierra, se mira en trance de liberación y pregusta su unión con Dios. La noche despierta en Fray Luis los mismos sentimientos que la música.

12. NOTAS

6: Amor por las cosas del cielo, pena por estar aún en este mundo.

9: *hechos fuente:* lloran los ojos copiosamente.

10: *Olarte:* era arcediano o chantre de Ledesma, discípulo y amigo del poeta y doce años menor que Fray Luis.

12: *hermosura* con hache aspirada.

14: *nació:* nació para. *Hechas a* (para), en el verso 29. Comienza una serie de interrogaciones y admiraciones, que dan al poema un clima de exquisita sensibilidad.

15: *baja, escura.* En el verso 19, *olvidado, perdido:* geminaciones adjetivales de la preferencia del poeta.

20: Verso casi bipartito, con ideas sinónimas.

16-20: En esta lira, todos los versos son asonantes entre sí con las vocales i-o.

24-25: Se alude a la sucesión de los días que señalan el paso del tiempo. Recuérdese la idea de que el cielo se movía alrededor de la tierra.

25: *hurtando:* hache aspirada.

29: *tamaño:* tan grande, latinismo de léxico.

40: Verso tripartito.

41-60:   La descripción del cielo, de acuerdo con el sistema de Tolomeo, la tierra está inmóvil, el cielo se mueve en torno de la tierra, es decir, la luna, el sol y los cinco planetas conocidos. Más allá las galaxias, el emíreo, Dios. Aunque más le interesa a Fray Luis la unidad armoniosa del universo, que su diversidad y movimiento.

48:   *el saber llueve:* es el planeta Mercurio, del mismo nombre que el dios romano a quien se atribuía la sabiduría, dador de la elocuencia y del consejo. Mercurio de donde (do) llueve el saber.

49:   *Venus:* diosa de la belleza y del amor.

52:   *sanguinoso Marte airado:* sanguinoso por las marchas rojas observadas en Marte, y airado por ser el dios de la guerra.

53:   *Júpiter benino:* benigno. Porque el padre de los dioses ejercía su beneficencia en el cielo.

56:   Saturno está rodeado de anillos y es el más alejado de la tierra, por lo que dice "rodéase en la cumbre" o altura del cielo.

57:   Como Cromos, dios del tiempo, padre de Zeus, Saturno es el más viejo de los dioses; bajo su imperio fue la edad de oro cantada por los poetas.

59:   *reluciente coro:* las estrellas.

61-65:   Después de la descripción objetiva de los cuerpos siderales, las siguientes estrofas están envueltas en una visión espiritual. Nótese la repetición de la copulativa.

66:   *Aquí.* El poeta repite tres veces el adverbio a principio de verso.

71:   *hermosura:* con hache aspirada.

76-80:   Una serie de admiraciones e interjecciones, una acumulación de adjetivos; las palabras en tensión ardorosa como el alma.

80:   *depuestos:* latinismo de léxico, del participio latino del verbo repono. Secretos, escondidos, ocultos. Así también en "Los nombres de Cristo": "los sombríos y repuestos valles" (Ed. Onís. T. I, p. 133).

13. LAS SERENAS

A Querinto

En esta oda moral, Fray Luis se propone precavernos contra las tentaciones del mundo que han de vencerse con la huída, la vigilancia y la rectitud.

Para lo cual, según su habitual tendencia, se vale de un ejemplo concreto, la antigua leyenda a que alude Homero en la Odisea (Libro XII). Ulises evita las tentadoras llamadas de las sirenas, tapando con cera los oídos de sus compañeros y mandándose atar al palo de su embarcación.

Aunque Fray Luis centra todo el poema en la lección moralizadora de Ulises, alude a tres ejemplos tomados de la Biblia, el de Salomón, Sansón y José con que nos amonesta a la urgencia de la huída como el mejor medio para vencer la tentación.

El destinatario del poema es un personaje inventado o desconocido; Querinto es nombre griego que significa amigo de las abejas o de la miel, de las flores y la cera.

13. NOTAS

1-3: Hipérbaton violento: No te engañe el vaso dorado ni cebado (untado) de sabrosa miel puesta al bebedero (pico que suelen tener algunos vasos para beber).

4-6: No ingieras en tu pecho incauto el ajenjo (amargura o veneno) que está en el fondo del vaso tentador.

6: Refrena con temor.

7-8: *azucena* y *purpúrea rosa:* las dos flores en el choque de sus colores rojo y blanco, tan amados de Garcilaso, que Fray Luis acoge en su huerto poético, aquí y luego en "Morada del cielo"; de donde Góngora las trasplantará con éxito.

11: *asconde:* esconde; cultismo latino.

12: La imagen del reptil venenoso en el prado florido fue imagen popular en la poesía del XVI y XVII.

14: *aplace:* prótesis, por place, gusta, halaga.

16: *primavera:* juventud. Otra metáfora usual.

22: *Circe:* la maga Circe, personaje mitológico que aparece también en la Odisea captando con sus halagos a los compañeros de Ulises, que fueron convertidos en bestias, como recuerda Fray Luis versos adelante (29 y 30).

25: Te junte a su manada, convertido tú en nueva fiera.

26: Al que cae en las redes de Circe, que aquí personifica a la tentación, al menos que el misericordiosamente lo ayude...

29:   *oso:* hecho oso, equivale a un ablativo oracional.

32:   *Solimitano:* hierosolimitano, de Jerusalén. Es el Rey Salomón que cayó en el pecado arrastrado por las pasiones, no obstante su sabiduría (viveza).

34:   *gazano:* de la ciudad de Gaza, donde el prepotente Sansón burló las acechanzas de los filisteos. A pesar de su fuerza, fue tentado y traicionado por Dalila.

36:   *alto griego.* Ulises.

36:   *No aplicó:* no acercó la oreja (noble antena).

39:   *Serena:* escribe Fray Luis por sirena.

40:   *por do:* por lo que.

41:   *Decía.* El sujeto es "la blanda sirena" que empieza a cantar.

42-45:   Ulises, luz divina de los griegos, inclina la vela que camina por los aires huyendo del viento.

62:   *crüeldad:* con diéresis.

67:   *sabio, firme:* con valor adverbial, al modo latino: sabiamente, firmemente.

67:   *etapa:* prótesis, por tapa.

69:   Recuerda el episodio bíblico de José tentado a pecar por la esposa de Putifar: "Entonces José, dejándole la capa en las manos, huyó". (Génesis, XXXIX, 11-13).

14. CONTRA UN JUEZ AVARO

Fray Luis desarrolla un tema que varias veces trató Horacio, el de la avaricia, sobre todo en las odas 2 y 9 del Libro II de sus odas. "No desmerece de Horacio, afirma Arjona, cuyo carácter copia muy bien". "Imitación felicísima, añade Menéndez y Pelayo, del Nullus argento" horaciano.

Fray Luis habla a la conciencia del juez codicioso para hacerle ver las tristes consecuencias de la avaricia: los remordimientos, la desesperanza, la tristeza, la venganza, la ancianidad solitaria, la muerte y la condenación eterna. "La intención de querer infundir miedo a un espíritu maligno está llevado a cabo de una manera muy artística. Es una paqueña obra de arte sin igual" (Vossler).

14. NOTAS

1: Al triple "aunque" de la primera parte del poema, viene a añadirse el quíntuple o séxtuple "no", "jamás", "ni" de la segunda parte.

2: *cautivo:* oro cautivo por tu avaricia.

10: *no por tanto:* no por eso dejarán de nacer abrojos en tu alma.

18: *Meguera:* en la mitología griega, una de las tres Euménides o Furias, divinidades infernales vengadoras de los crímenes. Meguera, se distinguía por perseguir a los culpables con más encarnizamiento que sus hermanas.

25: tiempo crudo: cruel. Alude a Saturno, es decir, el tiempo. "Este dios que devora sus hijos no es sino el tiempo, el tiempo insaciable de años que consume todos los que pasan" (Cicerón).

15. AL APARTAMIENTO

Esta oda tiene el mismo tono de las que escribió Fray Luis después de su prisión, con una serie de alusiones inmediatas y directas a su estado de ánimo; herido todavía por los infelices acontecimientos en. que se vio envuelto, tratando de olvidarlo todo, así sea poco a poco, dispuesto a purificar el alma de cualquier pasión turbadora, anhelante, más que nunca, de una vida sencilla y armoniosa que en este mundo por desgracia no puede ser así, mientras llega, y ojalá llegara cuanto antes, la paz definitiva del cielo.

¿Qué debemos entender por apartamiento?, se pregunta Vossler. "Su capacidad de vivir una vida espiritual íntima y profunda, olvidando todo lo temporal o teniéndolo en poca estima. De este modo el motivo de nostalgia de la eternidad se convierte por sí solo en nostalgia de soledad".

Preciosa, empreñada de nostalgia, la imprecación a la montaña: "Sierra que vas al cielo, recíbeme en tu cumbre". Vuelve la misma voz de la oda a la "Vida retirada", pero con un corazón que sangra y envuelto apenas en un velo corporal casi desnudo. "Es la mejor de todas las odas de sentimientos análogos", dice Gerardo Diego. "Revela el espíritu melancólico y observador que distingue al poeta" (Kelly). "Una de las más bellas odas del autor y de lo pesía española" (M. y Pelayo).

15. NOTAS

2: *luengo error:* largo errar, caminar, vagar por el mundo tras el cual se llega al puerto seguro como náufrago.

2: *deseado:* se refiere a reposo, del verso 5.

6: *Techo pajizo:* humilde, en contraposición al "dorado techo" de la oda primera.

10: hermoso verso bipartito. Alusión explícita a los falsos amigos y perseguidores.

15: Un juego de conceptos, entre vida y muerte muy del gusto de los poetas clásicos españoles. El morir es la vida de este mundo. El vivo fuego son las aspiraciones, las ambiciones mundanas.

16-17: Iteración del verbo suplicante: recíbeme.

17: *huyo:* empleado aquí con sentido transitivo; huyo (de) la muchedumbre.

22: *me coloca:* imperativo, colócame. Sigue apostrofando a la sierra.

24: *mal seguro:* incauto.

25: *apuro:* limpio, purifico. Es un caso curioso de prótesis, aumento de sílaba a principio de palabra: a-puro.

29: La vida se entreteje (y ése es su proceso) de alegrías engañosas y dolores ciertos.

36: Sujeto por tí, oh sierra que me sirves de segundo puerto, desde tu altura contemplaré inclinando con lástima a quienes surcan las peligrosas (saladas) aguas del mundo.

41-55: El poeta señala las diversas desgracias con que la vida acecha al hombre.

43-45: Hipérbaton, guía apenas el navío.

48: *el hondo pide:* se va al fondo, se hunde. Pedir tiene aquí el sentido del latín "petere", que es "dirigirse a".

50: *sirtes:* bancos de arena formados casi a flor de agua que ofrecen serios peligros a las embarcaciones.

51-52: La tempestad los hunde privándoles de la luz del sol y de la vida.

54: *Neptuno:* dios del mar que, según la mitología, tiene su mansión bajo las aguas. Esta misma idea aparece en la "Vida retirada": "Y la mar enriquecen a porfía".

56: Por una vez al menos, la entereza del poeta no olvida su fragilidad. Esta estrofa recuerda la navecilla maltrecha de Horacio.

61: Otra vez y cien otras. La estrofa final es un reflejo de la primera.

16. *DE LA VIDA DEL CIELO.*

Oda paradisíaca.

El teólogo y el poeta aquí se suman en esta oda para abrir una rendija, desde el tiempo, y vislumbrar cómo es la vida del cielo. Desde esta orilla de la historia hasta la eternidad.

La visión que Fray Luis traza del cielo es una visión campesina, dulce y pacificadora.

¿Qué es el cielo? Un prado fecundo, un campo de eterna primavera, un jardín de rosas, con su montaña y su fuente, todo radioso de luz. Dios es un Pastor, el Buen Pastor por excelencia. Las almas de los bienaventurados son las ovejas que lo siguen y lo ciñen, que lo conocen y lo aman.

El Pastor aparece siempre en actitud dinámica, no de mando, sino de amoroso guía. El va delante, caminando siempre, detrás va el hato dócil siguiéndolo a los rosedales o a la cumbre o al manantial, según quiere el Pastor.

Después de la caminata entre valles floridos y montañas remotas, el Pastor baña a las ovejas en la frescura de la fuente y las alimenta en mesa llena, con abundancia de hartura; porque Él mismo se les da por alimento. Viene entonces el descanso, a la caída de la tarde. Y bajo la sombra el Pastor músico canta y toca para sus ovejas. Es el gozo de poseerlo, la infinita dulzura de la unión.

Fray Luis acude a imágenes tradicionales que vienen desde la Biblia, en el Cantar, en los Salmos y el Evangelio. Cristo como esposo y como pastor. El cielo como un paisaje de primavera. Las almas como ovejas. El mismo poeta escribió páginas hermosas sobre estos temas en "Los nombres de Cristo".

La novedad de este poema no es el tema, sino su tratamiento. En especial, la figura de Cristo Pastor.

Porque aparece sin sus signos pastoriles, un pastor sin honda ni cayado; un extraño pastor que no lleva consigo los utensilios o los símbolos de su trabajo; sino una corona de rosas y un rabel sonoro, ni siquiera se nos presenta todo entero. Sólo su cabeza. Una cabeza coronada, desbordada de flores, primaveral como un huerto de rosas. "Florida de púrpura y de nieve". Este verso es un eco y un anuncio: un postludio de Garcilaso y un preludio de Góngora.

De la mezcla de dos colores, el rojo y el blanco, predilectos de estos tres poetas resulta un color nuevo que ya no es ni uno ni otro, sino el color rosado, el color rosa, que decimos en México.

En el doble movimiento de la oda, el ascenso comprende la evocación del cielo y del Pastor, desde la estrofa primera hasta la sexta. Las estrofas 7 y 8 marcan el descenso: "Oh son, oh voz..."

Fray Luis de León, como Juan Bautista, prepara los caminos de la poesía mística que anuncian a San Juan de la Cruz. San Juan de la Cruz partirá desde la misma línea en que se quedó Fray Luis, su precursor. "¿Podría existir el santo carmelita sin el fraile agustino?"

"No hay en esta oda una sola palabra que no esté bien colocada" (Arjona). "Es toda un bloque macizo del oro más puro, la quintaesencia de la poesía lírica" (Montoliú). "Es la visión beatífica más directa, representada con una nítida, impregnante luminosidad" (Alonso). "Un puesto de honor para esta maravilla" (Gerardo Diego).

16. *NOTAS*

1: *Alma región luciente:* vivificadora región luciente. El sustantivo entre dos adjetivos.

2: *prado:* el cielo, el paraíso es esta región p este prado.

2-3: *ni al hielo ni con el rayo ardiente:* ni las heladas ni los calores dañan este prado.

4: *fértil suelo:* suelo no significa aquí la tierra. El cielo es un campo (suelo) fecundo.

6-10: Para deshacer el hipérbaton, prosifiquemos esta estrofa: El buen Pastor, que es Cristo, —coronada su cabeza con flores color de púrpura y de nieve— lleva (mueve), sin honda ni cayado (porque no los necesita) a sus amadas ovejas hacia los dulces pastos que hay en el cielo.

7: *la cabeza coronado.* Acusativo griego o de parte: coronado en la cabeza.

7: *Florida* de púrpura y de nieve, con flores que son rosas.

10: *hato amado:* son las almas amadas por Cristo, que el poeta designa en esta oda bajo la triple metáfora de hato, ovejas (verso 12) y manada (verso 39).

13: *con inmortales rosas:* inmortales, porque en aquel prado hay una perpetua primavera sin invierno ni estío, como se dijo ya en los versos 2 y 3. Rosas; las insinuó el poeta en los versos 6 y 7, —florida de púrpura y de nieve—; aquí las nombra claramente.

15: Siempre disputaron los poetas sobre la rosa. Para unos, símbolo de lo efímero; para otros, de lo eterno. Fray Luis vuelve al tema predilecto de la rosa, una rosa que, al fin del cielo, es eterna: "y cuanto más se goza, más renace"

16-18: Ya las guía... ya las baña. Estas dos estructuras sintácticas similares indican lo que el Pastor va haciendo sucesivamente.

17: *en la vena:* en la vena de agua, en el manantial.

18: *gozo fiel:* es el gozo permanente, eterno, en contraposición con el pasajero de este mundo.

20: *pastor y pasto él solo:* Cristo al mismo tiempo es pastor y pasto; lleva a comer a las ovejas y Él mismo es su comida, alimento de las almas, el único que las sacia. No cree, como afirmó algún comentador, que esta alusión al pasto se refiera aquí al sacramento de la Eucaristía, en el que ciertamente Cristo es pastor y pasto, alimento de los caminantes que se dirigen al cielo; sino a Cristo que es la satisfacción y saciedad de los bienaventurados, porque la oda se sitúa en el cielo.

20: *suerte buena:* suerte, en su significación latina de herencia, posesión.

21-23: Y cuando el sol altísimo, subido, toca la cumbre de su esfera; cuando el sol llega al punto más alto de su carrera.

23: *él sesteando:* descansando el Pastor después de su caminata, a la caída de la tarde, se pone a tocar.

24: *de su hato ceñido:* las ovejas rodean, aprietan al Pastor, tan unidas están con él.

26: *rabel:* instrumento musical pastoril de pequeñas dimensiones cuya forma es parecida al laúd, compuesto de tres cuerdas que se tocan con arco.

25-30: Los efectos que produce la música del Pastor: deleite del oído, endulza el espíritu, envilece el oro, y llega más allá como una llama que penetra, y sumerge a las almas en un bien infinito sin medida ni término.

31: *¡Oh son, oh voz:* el Pastor toca y canta. Y ese son y esa voz llenan a Fray Luis de un vivo deseo, de un ansia ardiente de escucharlas en el cielo, no ya en los débiles ecos que se filtran a la tierra. Estas interjecciones están cargadas de afectividad, de nostalgia y deseo.

35: La música representa aquí el gozo que procede de la unión definitiva con Dios por la visión y el amor.

36-40: Conocería, viviera: el alma en el cielo conoce, se une, vive en Dios. Lo que ya decía su padre San Agustín: "En el cielo veremos, descansaremos y amaremos, y esto sin fin".

37: *dulce Esposo:* el esposo es Cristo, llamado así por el alma desposada con Él y desatada de esta vida que es como una prisión.

40: junta, errada: Se refieren al alma. Ya no andará separada, perdida.

17. *EN LA ASCENSION*

Fray Luis de León evoca la ascensión de Cristo a los cielos después de su resurrección. Mas el tema bíblico, que el alma del poeta debió contemplar en sus meditaciones, sólo le sirve de punto de partida para su canto lírico. Porque Fray Luis no se detiene en describir el escenario de la ascensión, ni reflexiona sobre este pasaje de la vida de Cristo, como si quisiera acallar al teólogo y escriturista que era. Ni siquiera nos deja ver de cerca al Señor. Pasa su figura esfumándose. Es un Cristo viajero, ansioso por la llegada; un Cristo presuroso que se va rompiendo el aire, al que una nube lo vuelve más oculto y lejano. De propósito Fray Luis ha querido velar toda presencia de Jesús, conforme lo indica en el verso 19: "estando tu encubierto".

Lo que le interesa a Fray Luis son las consecuencias de la ascensión de Cristo; no el Pastor que sube, sino la grey que se queda. Por eso el poema, a pesar de su aparente tema de "ascensión", no es un poema de cielo, sino el canto del desterrado. Está escrito desde este "valle hondo, oscuro". Escrito "con soledad y llanto".

Desde el primero hasta el último verso, hay un lamento, que gracias al equilibrio técnico y espiritual de Fray Luis, parece remansarse hasta cierto punto. Pero está ahí, vivo, desgarrador, persistente. Es la grey que se ha quedado triste, afligida, desposeída, pobre, sorda y ciega. Basta con leer los diversos adjetivos o estructuras adjetivales que van matizando esta soledad de las almas, tras la ascensión del Pastor.

Ha desaparecido toda preocupación descriptiva, toda reflexión teológica, todo comentario bíblico. Es la simple nostalgia del alma que confiesa, en diversas variaciones, la misma y total desolación.

Todo real y sensible, lo terrero en suma le pesa como una carga, según quiere huir del mundo debiendo permanecer en él.

De un conocido tema bíblico, el poeta obtiene la novedad gracias al tratamiento, al enfoque original que le da. Porque un tema de cielo, Fray Luis lo hace terreno. Un misterio de Dios, lo entrevée a través de alma humana. Un motivo de júbilo, como es el triunfo de Jesús, lo convierte en un dolorido y tierno rocío de lágrimas.

Porque la ternura con que nos evoca a Cristo, no como un Dios victorioso, sino como solícito Pastor, y la misma ternura con que inocentemente lo reprocha, es el clima afectivo que envuelve al poema.

Esta oda "no tiene más que cinco estrofas, dice Arjona: pero éstas bastarían para dar a León la corona de la lírica moderna. Toda ella es belleza y grandeza". Gerardo Diego, injustamente, la encuentra retórica en exceso. Soberbia oda, la llama Vossler. Félix García añade: "No cabe decir mas que es incomparable".

Menéndez y Pelayo la sitúa, junto con las odas: Cuándo será que pueda, A Salinas, Noche Serena, Al Apartamiento, Alma Región Luciente, como las seis composiciones "más bellas de su autor y de la poesía española. Nada hay superior, como no sean las canciones místicas de San Juan de la Cruz... El profesor de Salamanca entendió como nadie lo que debía ser la poesía moderna: espíritu cristiano y forma de Horacio, la más perfecta de las formas líricas".

17. NOTAS

1: *Y dejas.* El poeta, transportado por la emoción, inaugura el poema con un principio apostrófico. Este "y dejas", todo colmado de nostalgia, puede traducirse también: ¿Con que de veras te vas? ¿Esa es tu resolución definitiva, con todo y que conoces las consecuencias de nuestra orfandad?

1: *Pastor santo.* El poeta dialoga con Cristo en las cuatro primeras estrofas. Pastor, uno "de los nombres de Cristo" más llenos de dulzura y quizá el de más sabor evangélico; al que le dedica todo un precioso capítulo del Libro Primero. "El Buen Pastor" le inspira otra bellísima oda, "De la vida del cielo".

1-2: Pastor, grey y valle: tres metáforas se encadenan en una alegoría campesina.

2: *hondo, escuro:* esta disyunción tiene por objeto destacar cada adjetivo, dejarlo neto y aislado, al mismo tiempo que da al verso un ritmo inquieto y agitado, como la tristeza que embarga el ánimo de Fray Luis.

3: *soledad y llanto:* he aquí las consecuencias de la partida: dolor físico (el llanto) y espiritual (la soledad). Los ojos llenos y el corazón vacío.

4: *y tú:* otro principio de verso, menos explosivo que el primero, con el que guarda cierta relación, pero digno de interés; la construcción sintáctica de este verso, nos obliga a hacer una pausa después del "y tú", con lo que se aísla y precisa la figura del Señor a donde el poeta tiene vuelta su mirada y su preocupación. "Y tú", a pesar de nuestra soledad y llanto, te vas...

4-5: *rompiendo el puro aire:* todo se torna dinámico, como una flecha suavísima y ligera, va rompiendo una gran masa transparente de aire. El aire en Fray Luis, esta creatura casta y musical que ama con pasión.

La construcción de estos versos se lee así: te vas rompiendo. Se trata de un gerundio modal, que indica la manera como se va, como sube Cristo al cielo. Pero a Fray Luis le interesa más el modo de ejercitar la acción que la acción misma; por eso coloca en primer término "rompiendo" y en segundo término "te vas". Y le interesa tanto, que el gerundio casi llena el verso 4; "y tú rompiendo el puro". Queda después un adjetivo aislado que habrá que encabalgarse al verso siguiente. Rotura del aire, del verso y del alma.

6: Los que antes eran dichosos y afortunados. Pista que han señalado algunos para presumir que Fray Luis escribió esta oda en la cárcel.

6-7: Estos dos versos en antítesis: antes y agora-alegres y tristes.

9: Un poco en antítesis respecto del verso anterior: criados antes, hoy desposeídos. La ausencia y el dolor son más penosos conforme fueron la presencia y la dicha pasada.

10: Empieza la primera de una serie de ocho interrogaciones angustiosas que llegan casi hasta el final del poema, como clara expresión del lenguaje del sentimiento, que es el que habla a lo largo de la oda.

10: *ya:* ahora, de aquí en adelante, ¿a dónde volverán sus sentidos? Véase el otro adverbio 'ya" del verso 17 con igual valor de actualización.

11-15: Esta estrofa tiene dos partes, dos períodos interrogativos; uno y otro son variaciones al mismo tema. La primera parte es "óptica": como los ojos vieron la hermosura de Cristo, lo que vean ahora serán "enojos". La segunda parte es "acústica": como los oídos escucharon las dulces palabras de Cristo, lo que oigan ahora será "desventura". Al irse la Hermosura y la Armonía, el mundo se ha vuelto feo y sordo.

Por curiosidad, véase como principia cada verso de esta lira: qué-que-que-quien-qué. Las palabras también se nublan y se ensordecen.

16: *Aqueste:* demostrativo antiguo.

17:...*Quién concierto:* elipsis del verbo pondrá.

17-18: Nótese la asonancia de cuatro palabras sucesivas: freno, concierto, viento y fiero.

19: *Estando tú encubierto:* con sentido causal, porque está encubierto por eso no hay freno, ni concierto, ni guía. Él es el ordenador. El poeta sugiere apenas aquella misma idea desarrollada magistralmente en la Oda a Salinas.

21-25: Comienza el descenso. Después del diálogo con Cristo, un breve diálogo con la nube; el poeta la increpa y le reclama. Fray Luis ha dejado, para la lira final, los más apremiantes recursos literarios del sentimiento; la admiración, la interrogación, la interjección. El puro y dolorido grito del hombre en ansia de Dios.

21: *nube envidiosa:* la nube que dejó a Cristo "enucbierto" en su ascensión, tal como lo refiere la narración del Nuevo Testamento. (Hechos de los Apóstoles I, 9-12; San Lucas, 50-52.) Nube envidiosa, avara de su tesoro.

22: *¿qué te aquejas?:* arcaísmo, ¿por qué te apresuras?

24-25: Otra antítesis en dos versos sucesivos, tal como la antítesis de los versos 6 y 7, y la menos explícita de los versos 8 y 9.

25: *¡ay! nos dejas:* casi la misma palabra y la última del poema es la misma: "dejas"; en ella concentra Fray Luis su hambre de eternidad.

18.   A SANTIAGO

De mayores dimensiones físicas que las demás, esta oda es un canto religioso y patriótico al apóstol, evangelizador y patrono de España. Alude a algunos rasgos de su vida, conforme los consigna el Evangelio; luego describe el viaje de la nao que trajo los restos del mártir a España, su decisiva ayuda contra los moros, y las famosas peregrinaciones a su tumba de Compostela, tan importantes para la cultura española medieval, que atrajeron a toda la cristiandad peregrina.

"Debió ser uno de los primeros ensayos originales del poeta, dice Menéndez y Pelayo, pues ni la expresión es tan concentrada, ni el vuelo lírico tan rápido, ni las reminiscencias clásicas están bien fundidas con el tono general de la obra, habiendo alguna incongruencia, como la de impeler las nereidas el bajel que conduce el cuerpo del Apóstol. Fuera de este caso, es admirable en los versos de Fray Luis de León el arte de entremezclar y fundir lo viejo con lo nuevo, lo ajeno con lo propio". Es para Gerardo Diego "de lo mejor y más perfecto. Admirable de pasión".

18.   *NOTAS*

2:   *Orfeo:* poeta y músico mitológico que amansaba las fieras con su canto. Véase Horacio, Odas, I, 24.

5:   *Zebedeo:* es Santiago el mayor, hijo de Zebedeo, que así se le llama para distinguirlo de Santiago el menor, hijo de Alfeo.

10:   Se alude a la ayuda que, según la tradición, prestó Santiago en la guerra de reconquista contra los sarracenos.

11:   La nave que trajo a España el cuerpo del Apóstol.

12:   Merecedora de esclarecer (honrar, glorificar) el cielo.

16-20:   Herodes Agripa mandó degollar a Santiago; fue el primer apóstol que alcanzó la corona del martirio (Marc. 3, 17; 10, 35. Luc. 9, 54. Mat. 4, 21 y Hechos de los Apóstoles 12, 1).

40:   Viaje de Santiago a España donde predica el evangelio, y regreso a Jerusalén.

53:   *Nereidas:* las hijas de Nereo, dios del mar.

61-65:   Los diversos lugares por donde pasa la nave: el mar Egeo, el mar Jonio, el puerto Lilibeo en Sicilia, y Córcega. La nave se *aqueja*, siente ansias de llegar cuanto antes a su destino.

67-70:   Abila y Calpe son las dos famosas columnas de Hércules representadas en sendos montes a cada lado del estrecho de Gibraltar. Abila está cerca de Ceuta.

76-95:   La invasión de España por los árabes que con mayor fuerza lírica describe Fray Luis en la "Profecía del Tajo" (versos 31 y sigs.).

96: *so cuyo amparo:* so, de la preposición latina sub, bajo o debajo. Bajo cuyo amparo.

97: *merced:* España suplica merced al Apóstol.

110: *vido:* pretérito latinizante, muy usado en tiempo de Fray Luis.

115: *del cielo viene:* se dice que en la batalla de Clavijo, se apareció Santiago luchando contra los moros.

140: *de primero:* en un principio.

150: *milicia religiosa:* la Orden de Santiago.

155-160: Alude a las peregrinaciones que de todas partes venían a Santiago de Compostela.

19. A TODOS LOS SANTOS

Por la plegaria que hace en las dos últimas estrofas, se infiere que Fray Luis compuso esta oda en la prisión, y el día de Todos Santos, como lo expresa en el verso 7, día en que la Iglesia conmemora a todos los justos del cielo.

Dudoso ante la multitud innumerable de los santos, invoca a los de su mayor devoción. Primero a Cristo, Dios y Hombre, Redentor de la humanidad, luego a María, Virgen y Madre; entre los ángeles, San Miguel y el Ángel Custodio; enseguida San Pedro y San Pablo; de las mujeres, Magdalena y Catalina de Alejandría; siguen los grandes doctores latinos San Agustín, San Jerónimo y San Ambrosio y los dos griegos, San Juan Crisóstomo y San Basilio; finalmente San Francisco de Asís y San Antonio Abad.

La oda finaliza con una plegaria sentidísima al Padre Eterno. En cierto modo el poema sigue el mismo orden de enumeración del "Yo pecador", la tradicional oración de penitencia que invoca sucesivamente a Dios, la Virgen María, San Miguel, San Pedro y San Pablo y todos santos.

"Es una imitación, dice Arjona, de la oda de Horacio Quem lo singular de su estructura dañe ni empezca al efecto total ni al de los virum; pero con toda la nobleza del original y en nada inferior a su modelo". "Con ser remedo, añade Menéndez y Pelayo, a veces muy cercano del Quem virum, está llena de entusiasmo religioso, sin que pormenores".

"Transformación artística y estilística de una canción pagana (oda 12 del Libro I de Horacio) en algo cristiano" (Vossler).

"Aunque desigual, por el ímpetu lírico y arrebatado, es digna en todo de Fray Luis" (Félix García).

19. NOTAS

2: *virtud:* con la misma acepción que en la oda 2.

2: *deïdad:* con diéresis.

4: La lira es cristiana, porque va a entonar con ella un canto sagrado.

7: *en este día:* Fray Luis escribió esta oda el día de Todos Santos, a la caída de la tarde.

9: *caballería:* de sus caballeros, de sus santos.

12: *imagen de la voz:* bellísima expresión para indicar el eco, que nada pierde de su hermosura aunque recuerde la frase de Horacio.

14-15: *Efrateo:* es decir David, el rey poeta nacido en Efrata, región de la Judea, que cantaba en la ladera del monte Hermón, fresco por alto y nevado, y sacro por encontrarse en los Sagrados Lugares.

10-15: ¿Qué nombre buscará Fray Luis para ensalzarlo, nombre que el eco repetirá deleitando al aire, tal como hizo David?

16-17: *oro crespo:* la caballere rubia de David entretejida con verde hiedra.

20: El poder órfico, mágico de la música y la poesía.

22: Alto y Humanitae: es Cristo que, siendo Dios se humilló revistiéndose de la naturaleza humana.

23-24: Cristo restituyó la vida perdida por el manjar grosero. El manjar grosero es la manzana de la desobediencia de Adán y Eva, por cuya culpa el género humano se apartó de la vida verdadera, a la que fue restituida por la Redención.

25: La obra redentora de Cristo no puede sintetizarse ni con menos ni más exactas ni bellas palabras, que las de este verso: "al ciel olevantó nuestra caída".

26-27: Verdadero Dios y Hombre.

31: *vientre entero:* intacto, virginal de María.

32: *desta luz es Cristo.*

36: *Espíritu divino:* San Miguel que luchó contra el dominio.

39: Es el Angel de la guarda, a quien pocos recuerdan e imploran.

42: El barquero es San Pedro, y la barca es la Iglesia que Cristo le confió.

44-45: La "lucida noche" es la ceguera que sufrió San Pablo cuando vió la luz del Señor que de perseguidor de cristianos, se convirtió en su apóstol.

46-50: Magdalena que, en casa de Simón, rompió el frasco de nardo para ungir a Cristo.

51: Santa Catalina de Alejandría, virgen y mártir, famosa por su sabiduría.

56: San Agustín, nacido en Numidia, Africa.

57: San Jerónimo, natural de la ciudad de Estridonia.

58: San Ambrosio, llamado panal, porque en elogio de su elocuencia se dice que las abejas acudían a sus labios a depositar la miel.

60: San Juan por cuya elocuencia se llamó Crisóstomo, que en griego significa boca de oro.

63: *miedo y ruego,* con que los herejes arrianos se mostraron ante San Basilio, defensor indefectible del cristianismo y célebre orador sagrado.

67: San Francisco de Asís.

69: San Antonio Abad.

71-75: El contraste entre tanta santidad de ayer y tanta maldad de su tiempo. La estrofa llena con claras expresiones de dolor.

75: Recuerdo de la parábola evangélica del trigo y la cizaña (Mateo, 13-24).

76: El mundo vegetal en Fray Luis. Y sus tres flores: la rosa, la azucena, el clavel. Y en la llanura castellana, el rojo trigo.

81: *pïadoso:* con diéresis.

82: *nos mira:* míranos, imperativo.

88: *estrecho:* la cárcel.

20. *LA MAGDALENA*

A una señora pasada la mocedad

En la primera parte del poema, Fray Luis se dirige a Elisa, quizá nombre supuesto que le sirve para desarrollar un tema moralizante de tanto arraigo en la poesía castellana.

Elisa ha envejecido, gastó la juventud en ligereza y disipación; por eso Fray Luis la invita a convertirse por el arrepentimiento a una vida nueva de amor de Dios.

Después de esta lección moral, evoca en la segunda parte, de acuerdo con el relato del Evangelio, la figura de la Magdalena, la pecadora arrepentida. A la Magdalena invoca Fray Luis como santa de su particular devoción en la oda "A todos los santos". Y otro agustino de Salamanca, discípulo suyo, Fray Pedro Malón de Chaide, publica importante obra con el mismo tema en su "Libro de la conversión de la Magdalena" (1588).

A la primera parte, menos sentida y trabajada en el estilo, sucede la evocación de la Magdalena de arrebatadora pasión y extraordinario lirismo. Contra lo que supone Vossler al referirse a esta oda, el tema religioso sí dejó campo libre a la poesía de Fray Luis.

Menéndez y Pelayo advierte alguna huella de Ausonio (Ep. XIII), y dos de Horacio (Odas I, 25 y IV, 13).

20. *NOTAS*

3: *la nieve.* El soneto XXIII de Garcilaso emplea estas metáforas, oro por cabellera rubia y nieve por canas, que después se gastaron por el uso; metáforas "pasada la mocedad".

15: *hecha:* hache aspirada.

17: *la debida:* De.

20-21: *la querida Prenda:* la pureza.

22: *uno:* el único por cuya causa suplacaste al cielo.

29: *Lida* es nombre poético de mujer, como Filis, Clori, Elisa, etc. El poeta quiere representar así la inconstancia del amor mundano.

33: *a cuyo era:* de quien era, a quien le pertenecía.

34-35: El poeta le sugiere la vida religiosa de las monjas.

36: Nunca es tarde.

37: *pïadoso:* con diéresis.

38: mientras dura la vida.

40: *en breve:* el pecho fervoroso saca luego reposo del dolor.

41: Comienza la evocación de la Magdalena.

50: *huésped arrogante:* Simón el fariseo, que ceryó ser más grato a Jesús que la Magdalena.

51-55: La Magdalena irrumpe a la sala del festín, en casa de Simón.

56-57: No fueron los pies de Magdalena sino los propios pies de Cristo, los que la trajeron arrepentida y amorosa a los pies del Señor. Precioso hallazgo poético.

58: Los deberes de cortesía con el huésped que habían olvidado las gentes: lavar los pies a Cristo, darle el ósculo de paz y ungirlo, todo eso lo cumplió con creces la Magdalena.

61: Vuelven hallazgos similares; Magdalena lavaba (con sus lágrimas) al que la lavaba (con su perdón); limpiaba a la limpieza, daba paz al que es la paz.

63-64: *oro que la cabeza ornaba:* enjugó los pies de Cristo con su cabellera.

65: dar pas: dar el ósculo de paz.

71-75: Con lo mismo que antaño ofendió a Dios, con eso mismo le sirve ahora; sus manos que ungen, su boca que besa, sus ojos que lloran.

76: La que tanto se afanó en ofenderte.

79-80: Los ojos que ayer fueron fuego de pasión, hoy son lágrimas de arrepentimiento. Dos manantiales en lugar de dos fraguas.

82: Mi boca, red de tormento y de enojos.

86-90: Para una herida de muerte, se requiere un médico perfecto; para una pecadora como Magdalena, un perdonador como Cristo.

21. A NUESTRA SEÑORA

La rica tradición española de su poesía mariana culmina en esta bellísima oda en que Fray Luis, abandonando la lira por la estancia italiana, une el fervor a la inspiración y acabado de la forma.

"Escrita en las tinieblas de la cárcel, revela quizá mejor que ninguna otra composición, el carácter de su autor" (Alda Tesán). "En ella fija su mirada en su alma destrozada por el dolor; usa un realismo de una crudeza sorprendente e insólita en su pluma en la exposición detallada de sus infortunios. Es una composición escrita toda con sangre y con lágrimas, en la que el dolor humano llega a la más punzante expresión" (Montoliú). Escrita en verdad por un corazón "henchido de amargura y en horas de íntima desesperanza" (Azorín).

"Las estrofas se suceden aceradas en la acusación, temblorosas en la súplica, con una indignación incontenible, con un dolor de humanidad, con una entrega de abandonado de todos, como el niño que, ante la injusticia absoluta, busca el único centro de comprensión, el regazo de una madre" (D. Alonso).

Imitación de Petrarca en su Canzone XXIX, "Vergine bella che del sol vestita", Fray Luis sólo conserva el fondo típico del modelo sin mengua de su acento personal, de la autenticidad de sus sentimientos expresados en un lenguaje recio y sencillo (Vossler). La canción de Fray Luis es más conmovedora, "mucho más desgarradoramente humana que la del Petrarca" (D. Alonso). "De una íntima ternura que la lírica mariana no había alcanzado desde Castillejo" (Pfandl). Tampoco puede olvidarse la influencia de "la Salve", la plegaria tradicional de la Iglesia a Nuestra Señora, cuya secuencia más o menos sigue el poeta salmantino.

Cada estrofa repite como primera palabra en vocativo, la voz Virgen, en cuya reiteración se funda la estructura del poema.

21. NOTAS

1: *Virgen*. Diez veces a principio de estancia se repite la misma invocación.
4: Recuerdo de la plegaria mariana la "Salve": "vuelve a nosotros esos tus ojos misericordiosos".
5: *Miserable*, desgraciado, digno de lástima y compasión.
8: *juïcio*: con diéresis. También en *Deïdad*, del verso 13; *huïrán* del 20; *vïolenta*, del 50; *tempestüoso*, del 79.

19:   *rostro.* Como en la "Sahel": "Muéstranos a Jesús, fruto bendito de tu vientre".

22:   *triste noche mía:* la cárcel, el dolor del alma.

40:   *me hacen guerra.* Fray Luis denuncia siempre con ímpetu a sus enemigos.

42:   *será parte:* ser parte contra algo significa poderlo resistir.

46:   El demonio que en forma de serpiente tentó a Eva; Dios le anunció que una mujer, la Virgen, quebrantaría su cabeza (Génesis III, 14).

48:   *de la ribera:* desde la ribera.

60-64:   El poeta presenta el cuadro de su situación.

62:   *crudo:* cruel. Adjetivo usadísimo por Fray Luis.

67-68:   Al ruego del ángel Gabriel, en la Anunciación, la Virgen aceptó humildemente ser la Madre de Jesús.

69:   *contemplar:* meditar.

70:   *terreno:* es el blanco al que se dirigen los tiros. Indefenso ante la acusación.

82-83:   Otra vez emplea Fray Luis la alegoría horaciana de la nave que se hunde para referirla a su propia suerte.

82:   *desarmado:* desprovisto.

85:   *carga:* la noche está cada vez más pesada y amenazadora.

89:   Exenta del pecado original, inmaculada desde su concepción.

99:   *y yo:* en cuanto que yo merezco menos, por eso necesito más de tu ayuda.

104:   *contino:* continuamente.

22. EN UNA ESPERANZA QUE SALIO VANA.

Surge de esta elegía, el desahogo del preso inocente que escribe en la misma cárcel estos tercetos que destilan sangre ante la injusta persecución: "En mí la culpa ajena se castiga". Y como siempre, Fray Luis ambiciona y sueña, en medio de su desilusión, una vida pacífica y retirada, tan retirada del tráfago del mundo que "aquellos que de mí saber desean, les dí que no me viste en tiempo alguno".

Blanco García encuentra esta oda, que algunos han llamado "Esperanzas burladas", "llena de inspiración y de verdad"; y Gerardo Diego, "conmovedora de sinceridad".

22. NOTAS

1: *contentos:* con oficio de sustantivo, alegrías, dichas.
3: *hacer:* hache aspirada.
5: *público pregón:* el revuelo ocasionado por el proceso inquisitorial contra Fray Luis.
6: *mi comarca y reinos:* su convento, su universidad, su ambiente, sus amigos. De todo y de todos, incomunicado, sospechoso.
12: *ruiseñor:* junto con la grulla de la oda 10, los únicos pájaros del orbe lírico de Fray Luis, además de ese pájaro anónimo del verso 42 con quien él mismo se compara.
13: *La noche:* imagen del dolor y de la soledad, también de la oscuridad de la cárcel.
15: Y el mal de ahora supera al de ayer.
16: Permaneced alejados de mí. Cuatro veces repite la misma fórmula al principio de los tercetos.
18: *si:* varias veces repetida en este poema, usualísima en Góngora, como partícula concesiva: aunque, aunque durare mi vida más años.
24: *infame bando:* el infamante pregón que los declaraba herejes. Tal como en el verso 5.
31: *se apuran:* se purifican, se limpian, como en la oda "Al Apartamiento", verso 25.
33: Otro gallardo endecasílabo bipartito.
41: *captivo:* latinizante, por cautivo.
41: *enliga:* cae en la liga o lazo preparado para su caza.
45: *diga:* hable.
54: *aplomen:* hagan caer a plomo las manos que tienen que acudir a defenderse.
56-57: El campo, sin que entren en él las duras rejas del arado, le ofrece espontáneamente, el sustento necesario.
63: *huye el lloro:* el verbo huir usado como transitivo.
64: *contento:* en vocativo, con el mismo significado de alegría del verso 1.
67: *les dí:* díles.

23. *AL SALIR DE LA CARCEL.*

Décima

"Al salir de la cárcel escribió el insigne maestro en aquellas paredes, cuya ingrata vista no había de atormentarle más, los sentidos y célebres versos que no desconoce ningún español amante de las letras" (Blanco García).

En la brevedad de esta décima, cuya autenticidad es incuestionable, Fray Luis incide en las mismas ideas esenciales de su vida y poesía, la triple nostalgia de soledad, de armonía y eternidad.

Esta famosísima décima dió lugar a una larga serie de glosas, comentarios y letrillas intencionadas, "en las que por lo general no brilla ni la caridad ni el buen gusto" (Félix García).

INDICE DE PRIMEROS VERSOS

INDICE GENERAL

LA PERFECTA CASADA

EXPOSICION DEL CANTAR DE LOS CANTARES DE SALOMON

POESIAS ORIGINALES

*La impresión de este libro fué terminada el
28 de Octubre de 1985, en los talleres de
E. Penagos, S. A., Lago Wetter 152, la
edición consta de 5,000 ejemplares,
más sobrantes para reposición.*

COLECCIÓN "SEPAN CUANTOS..." *

128. ALARCÓN, Pedro A. de: *El Escándalo.* Prólogo de Juana de Ontañón. Rústica. $ 450.00

134. ALARCÓN, Pedro A. de: *El niño de la bola. El sombrero de tres picos. El capitán veneno.* Notas preliminares de Juana de Ontañón. *Rústica* 450.00

225. ALAS "Clarín", Leopoldo: *La Regenta.* Introducción de Jorge Ibargüengoitia. *Rústica* 650.00

449. ALAS "Clarín", Leopoldo: *Cuentos. Pipá Zurita, Un candidato. El rana, Adiós "Cordera", Cambio de luz, El gallo de Sócrates, El sombrero del cura* y 35 cuentos más. Prólogo de Guillermo de la Torre. *Rústica* 600.00

126. ALCOTT, Louisa M.: *Mujercitas. Más cosas de Mujercitas. Rústica* 500.00

273. ALCOTT, Louisa M.: *Hombrecitos. Rústica.* 500.00

182. ALEMÁN, Mateo: *Guzmán de Alfarache.* Introducción de Amancio Bolaño e Isla. 500.00

229. ALFONSO EL SABIO: *Cantigas de Santa María. Cantigas profanas. Primera crónica general. General e grand estoria. Espéculo. Las siete partidas. El setenario. Los libros de astronomía. El lapidario. Libros de ajedrez, dados y tablas. Una carta y dos testamentos. Antología.* Con un estudio preliminar de Margarita Peña y un vocabulario. *Rústica* 500.00

15. ALIGHIERI, Dante: *La Divina Comedia. La vida nueva.* Introducción de Francisco Montes de Oca. *Rústica* 500.00

61. ALTAMIRANO, Ignacio M.: *El Zarco, La Navidad en las Montañas.* Introducción de María del Carmen Millán. *Rústica.* 400.00

62. ALTAMIRANO, Ignacio M.: *Clemencia. Cuentos de Invierno. Rústica* 400.00

275. ALTAMIRANO, Ignacio M.: *Paisajes y Leyendas. Tradiciones y costumbres de México.* Introducción de Jacqueline Covo. *Rústica* 500.00

43. ALVAR, Manuel: *Poesía tradicional de los judíos españoles. Rústica* 500.00

122. ALVAR, Manuel: *Cantares de Gesta medievales. Cantar de Roncesvalles. Cantar de los Siete Infantes de Lara. Cantar del Cerco de Zamora. Cantar de Rodrigo y el rey Fernando. Cantar de la Campana de Huesca. Rústica* 450.00

151. ALVAR, Manuel: *Antigua poesía española lírica y narrativa. Jarchas. Libro de Infancia y muerte de Jesús. Vida de Santa María Egipcíaca. Disputa del alma y el cuerpo. Razón de amar con los denuestos del agua y el vino. Elena y María (disputa del clérigo y el caballero). El planto ¡ay Jerusalén! Historia troyana en prosa y verso. Rústica* 500.00

174. ALVAR, Manuel: *El romancero viejo y tradicional. Rústica* 500.00

244. ÁLVAREZ QUINTERO, Serafín y Joaquín: *Malvaloca, Amores y Amoríos. Puebla de las mujeres. Doña Clarines. El genio alegre.* Prólogo de Ofelia Garza de Del Castillo. *Rústica* 450.00

ÁLVAREZ QUINTERO, Hnos. (Véase *Teatro Español Contemporáneo.*)

131. AMADÍS DE GAULA: Introducción de Arturo Souto. *Rústica* 500.00

157. AMICIS, Edmundo: *Corazón. Diario de un niño.* Prólogo de María Elvira Bermúdez. *Rústica* 400.00

83. ANDERSEN, Hans Christian: *Cuentos.* Prólogo de María Edmée Álvarez. *Rústica.* 450.00

ANDREIEV. (Véase *Cuentos Rusos.*)

428. ANÓNIMO· *Aventuras del Pícaro Till Eulenspiegel.* WICKRAM, Jorge: *El librito del carro.* Versión y prólogo de Marianne Oeste de Bopp. *Rústica* 500.00

432. ANÓNIMO: *Robin Hood.* Introducción de Arturo Souto A. *Rústica* 500.00

APULEYO. (Véase *Longo.*)

301. AQUINO, Tomás de: *Tratado de la Ley. Tratado de la Justicia. Opúsculo sobre el gobierno de los Príncipes.* Traducción y estudio introductivo por Carlos Ignacio González, S. J. *Rústica* 600.00

317. AQUINO, Tomás de: *Suma Contra los Gentiles.* Traducción y estudio introductivo por Carlos Ignacio González, S. J. *Rústica* 1200.00

406. ARCINIEGAS, Germán: *Biografía del Caribe. Rústica* 550.00

76. ARCIPRESTE DE HITA: *Libro de Buen Amor.* Versión antigua, con prólogo y versión moderna de Amancio Bolaño e Isla. *Rústica* 600.00

* Los números que aparecen a la izquierda corresponden a la numeración de la Colección.

367. MÁRQUEZ STERLING, Carlos: *José Martí. Síntesis de una vida extraordinaria.* Rústica 500.00

MARQUINA. (Véase *Teatro Español Contemporáneo.*)

141. MARTÍ, José: Hombre apostólico y escritor: *Sus Mejores Páginas.* Estudio, notas y selección de textos, por Raimundo Lazo. *Rústica* 500.00

236. MARTÍ, José: *Ismaelillo. La edad de oro. Versos sencillos.* Prólogo de Raimundo Lazo. *Rústica* 500.00

338. MARTÍNEZ DE TOLEDO, Alfonso: *Arcipreste de Talavera o Corbacho.* Introducción de Arturo Souto Alabarce. Con un estudio del vocabulario del Corbacho y colección de refranes y alocuciones contenidos en el mismo por A. Steiger. *Rústica* 500.00

214. MARTÍNEZ SIERRA, Gregorio: *Tú eres la paz. Canción de cuna.* Prólogo de María Edmée Álvarez. *Rústica* 450.00

193. MATEOS, Juan A.: *El Cerro de las Campanas. (Memorias de un guerrillero.)* Prólogo de Clementina Díaz y de Ovando. *Rústica* 600.00

197. MATEOS, Juan A.: *El sol de mayo. (Memorias de la Intervención.)* Nota preliminar de Clementina Díaz y de Ovando. *Rústica* 500.00

344. MATOS MOCTEZUMA, Eduardo: *El negrito poeta mexicano y el dominicano. ¿Realidad o fantasía?* Exordio de Antonio Pompa y Pompa. *Rústica* 450.00

410. MAUPASSANT, Guy de: *Bola de sebo. Mademoiselle Fifí. Las hermanas Rondoli.* Rústica 500.00

423. MAUPASSANT, Guy de: *La becada. Claror de Luna. Miss Harriet.* Introducción de Dana Lee Thomas. *Rústica* 500.00

336. MENÉNDEZ, Miguel Ángel: *Nayar* (Novela). Ilustró Cadena M. *Rústica* ... 500.00

370. MENÉNDEZ PELAYO, Marcelino: *Historia de los heterodoxos españoles.* Erasmistas y protestantes. Sectas místicas. Judaizantes y moriscos. Artes mágicas. Prólogo de Arturo Farinelli. *Rústica* 600.00

389. MENÉNDEZ PELAYO, Marcelino: *Historia de los heterodoxos españoles.* Realismo y enciclopedia. Los afrancesados y las Cortes de Cádiz. Reinados de Fernando VII e Isabel II. Krausismo y apologistas católicos. Prólogo de Arturo Farinelli. *Rústica* 650.00

405. MENÉNDEZ PELAYO, Marcelino: *Historia de los heterodoxos españoles.* Épocas romana y visigoda. Priscilianismo y adopcionismo. Mozárabes cordobeses. Panteísmo semítico. Albigenses y valdenses. Arnaldo de Villanova. Raimundo Lulio. Herejes en el siglo xv. Advertencia y discurso preliminar de Marcelino Menéndez Pelayo. *Rústica* 600.00

MESSER, Augusto. (Véase HESSEN, Juan.)

MIHURA. (Véase *Teatro Español Contemporáneo.*)

18. MIL Y UN SONETOS MEXICANOS. Selección y nota preliminar de Salvador Novo. *Rústica* 450.00

136. MIL Y UNA NOCHES, LAS: Prólogo de Teresa E. Rohde. *Rústica* 500.00

194. MILTON, John: *El paraíso perdido.* Prólogo de Joaquín Antonio Peñalosa. Rústica 450.00

MIRA DE AMÉSCUA. (Véase *Autos Sacramentales.*)

109. MIRÓ, Gabriel: *Figuras de la Pasión del Señor. Nuestro Padre San Daniel.* Prólogo de Juana de Ontañón. *Rústica* 500.00

68. MISTRAL, Gabriela: *Lecturas para Mujeres.* Gabriela Mistral (1922-1924) por Palma Guillén de Nicolau. *Rústica* 500.00

250. MISTRAL, Gabriela: *Desolación. Ternura. Tala. Lagar.* Introducción de Palma Guillén de Nicolau. *Rústica* 500.00

144. MOLIÈRE: *Comedias. (Tartufo. El burgués gentilhombre. El misántropo. El enfermo imaginario.)* Prólogo de Rafael Solana. *Rústica* 500.00

149. MOLIÈRE: *Comedias. (El avaro. Las preciosas ridículas. El médico a la fuerza. La escuela de las mujeres. Las mujeres sabias.)* Prólogo de Rafael Solana. Rústica 500.00

32. MOLINA, Tirso de: *El vergonzoso en palacio. El condenado por desconfiado. El burlador de Sevilla. La prudencia en la mujer.* Edición de Juana de Ontañón. *Rústica* 500.00

MOLINA, Tirso de. (Véase *Autos Sacramentales.*)

208. MONTALVO, Juan: *Capítulos que se le olvidaron a Cervantes.* Estudio introductivo de Gonzalo Zaldumbide. *Rústica* 500.00

381. MONTES DE OCA, Francisco: *Poesía hispanoamericana. Rústica* 500.00

191. MONTESQUIEU: *Del espíritu de las leyes.* Estudio preliminar de Daniel Moreno. *Rústica* 650.00

282. MORO, Tomás: *Utopía.* Prólogo de Manuel Alcalá. *Rústica* 450.00

129. MOTOLINIA, Fray Toribio: *Historia de los Indios de la Nueva España.* Estudio crítico, apéndices, notas e índice de Edmundo O'Gorman. *Rústica* 450.00

UCHMANY, Eva. (Véase TOLSTOI, León, núm. 201.)

UNAMUNO, Miguel de. (Véase *Teatro Español Contemporáneo.*)

384. UNAMUNO, Miguel de: *Cómo se hace una novela. La tía Tula. San Manuel bueno, mártir y tres historias más.* Retrato de Unamuno por J. Cassou y comentario de Unamuno. *Rústica* 550.00

388. UNAMUNO, Miguel de: *Niebla. Abel Sánchez.* Tres novelas ejemplares y un prólogo. *Rústica* 600.00

402. UNAMUNO, Miguel de: *Del sentimiento trágico de la vida. La agonía del cristianismo.* Introducción de Ernst Robert Curtius. *Rústica* 600.00

408. UNAMUNO, Miguel de: *Por tierras de Portugal y de España. Andanzas y visiones.* Introducción de Ramón Gómez de la Serna. *Rústica* 600.00

417. UNAMUNO, Miguel de: *Vida de Don Quijote y Sancho. En torno al casticismo.* Introducción de Salvador de Madariaga. *Rústica* 600.00

237. USIGLI, Rodolfo: *Corona de Sombra. Corona de Fuego. Corona de Luz.* *Rústica* 500.00

52. VALDÉS, Juan de: *Diálogo de la lengua.* Prólogo de Juan M. Lope Blanch. *Rústica* 450.00

VALDIVIESO. (Véase *Autos Sacramentales.*)

56. VALERA, Juan: *Pepita Jiménez y Juanita la Larga.* Prólogo de Juana de Ontañón. *Rústica* 500.00

190. VALMIKI: *El Ramayana.* Prólogo de Teresa E. Rohde. *Rústica* 450.00

135. VALLE-INCLÁN, Ramón del: *Sonata de primavera. Sonata de estío. Sonata de otoño. Sonata de invierno. (Memorias del marqués de Bradomín.)* Estudio preliminar de Allen W. Phillips. *Rústica* 450.00

287. VALLE-INCLÁN, Ramón del: *Tirano Banderas.* Introducción de Arturo Souto Alabarce. *Rústica* 450.00

55. VARGAS MARTÍNEZ, Ubaldo: *Morelos, siervo de la nación. Rústica* 500.00

95. VARONA, Enrique José: *Textos escogidos.* Ensayo de interpretación, acotaciones y selección de Raimundo Lazo. *Rústica* 450.00

425. VEGA, Garcilaso de la, y BOSCÁN, Juan: *Poesías completas.* Prólogo de Dámaso Alonso. *Rústica* 500.00

439. VEGA, Garcilaso de la (El Inca): *Comentarios reales.* Introducción de José de la Riva-Agüero. *Rústica* 700.00

217. VELA, Arqueles: *El modernismo. Su filosofía. Su estética. Su técnica. Rústica..* 500.00

243. VELA, Arqueles: *Análisis de la expresión literaria. Rústica* 450.00

339. VÉLEZ DE GUEVARA, Luis: *El diablo cojuelo. Reinar después de morir.* Introducción de Arturo Souto Alabarce. *Rústica* 450.00

111. VERNE, Julio: *De la Tierra a la Luna. Alrededor de la Luna.* Prólogo de María Elvira Bermúdez. *Rústica* 500.00

114. VERNE, Julio: *Veinte mil leguas de viaje submarino.* Nota de María Elvira Bermúdez. *Rústica* 500.00

116. VERNE, Julio: *Viaje al centro de la Tierra. El doctor Ox. Maese Zacarías. Un drama en los aires.* Nota de María Elvira Bermúdez. *Rústica* 450.00

123. VERNE, Julio: *La isla misteriosa.* Nota de María Elvira Bermúdez. *Rústica..* 500.00

168. VERNE, Julio: *La vuelta al mundo en 80 días. Las tribulaciones de un chino en China. Rústica* 450.00

180. VERNE, Julio: *Miguel Strogoff.* Con una biografía de Julio Verne por María Elvira Bermúdez. *Rústica* 400.00

183. VERNE, Julio: *Cinco semanas en globo.* Prólogo de María Elvira Bermúdez. *Rústica* 450.00

186. VERNE, Julio: *Un capitán de quince años.* Prólogo de María Elvira Bermúdez. *Rústica* 500.00

189. VERNE, Julio: *Dos años de vacaciones.* Prólogo de María Elvira Bermúdez. *Rústica* 450.00

260. VERNE, Julio: *Los hijos del capitán Grant.* Nota preliminar de María Elvira Bermúdez. *Rústica* 500.00

361. VERNE, Julio: *El castillo de los Cárpatos. Las indias negras. Una ciudad flotante.* Nota preliminar de María Elvira Bermúdez. *Rústica* 500.00

404. VERNE, Julio: *Historia de los grandes viajes y los grandes viajeros. Rústica..* 500.00

445. VERNE, Julio: *Héctor Servadac.* Prólogo por María Elvira Bermúdez. *Rústica* 600.00

VIDA DEL BUSCÓN DON PABLOS. (Véase *Lazarillo de Tormes.*)

163. VIDA Y HECHOS DE ESTEBANILLO GONZÁLEZ. Prólogo de Juana de Ontañón. *Rústica* 500.00

227. VILLAVERDE, Cirilo: *Cecilia Valdez.* Estudio crítico de Raimundo Lazo. *Rústica* 500.00

147. VIRGILIO: *Eneida. Geórgicas. Bucólicas.* Edición revisada por Francisco Montes de Oca. *Rústica* 500.00

ENCUADERNADOS EN TELA: $ 200.00 MÁS POR TOMO

PRECIOS SUJETOS A VARIACIÓN SIN PREVIO AVISO

EDITORIAL PORRÚA, S. A.